## ボタンの位置がひと目でわかる

Office 2021 のリボンには，多くのボタンが表示されています。目的のボタンがひと目でわかるように，手順と対応させた番号をつけました。

## 困ったときの強い味方!

パソコンを使っていると，思わぬ操作をしてしまったために，作成手順がわからなくなってしまうことがあります。初心者が間違いやすいポイントを Q＆A方式でまとめましたので，パソコンを使っていて疑問があるときには本書を開いてください。

## 練習問題で Step Up!

せっかく新しい操作を覚えても，実際のいろいろな場面での使い方を練習しなければ，自由に使えるようになりません。本書では練習問題 Let's Try を豊富にもうけてありますので，ぜひ，チャレンジしてください。

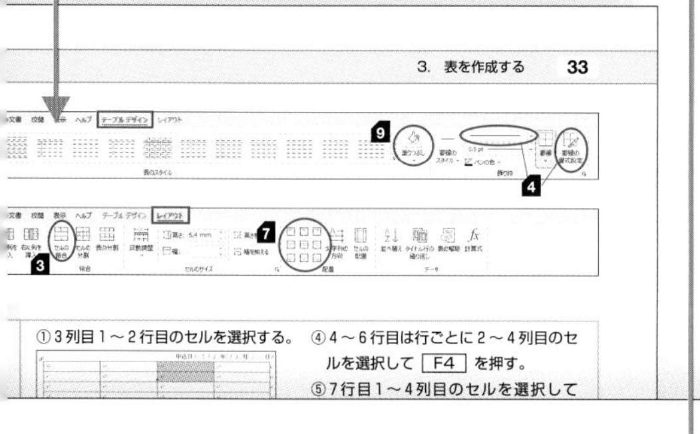

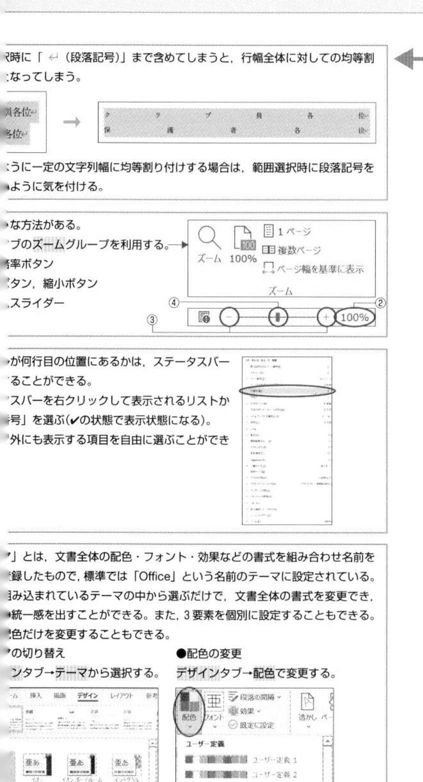

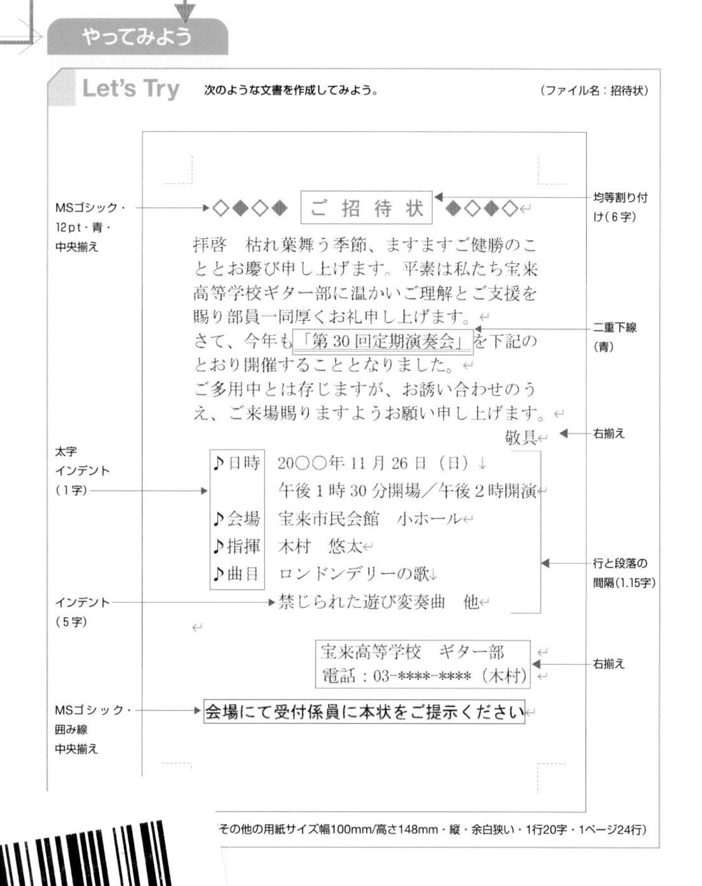


JN060091

## キーボード

Keyboard

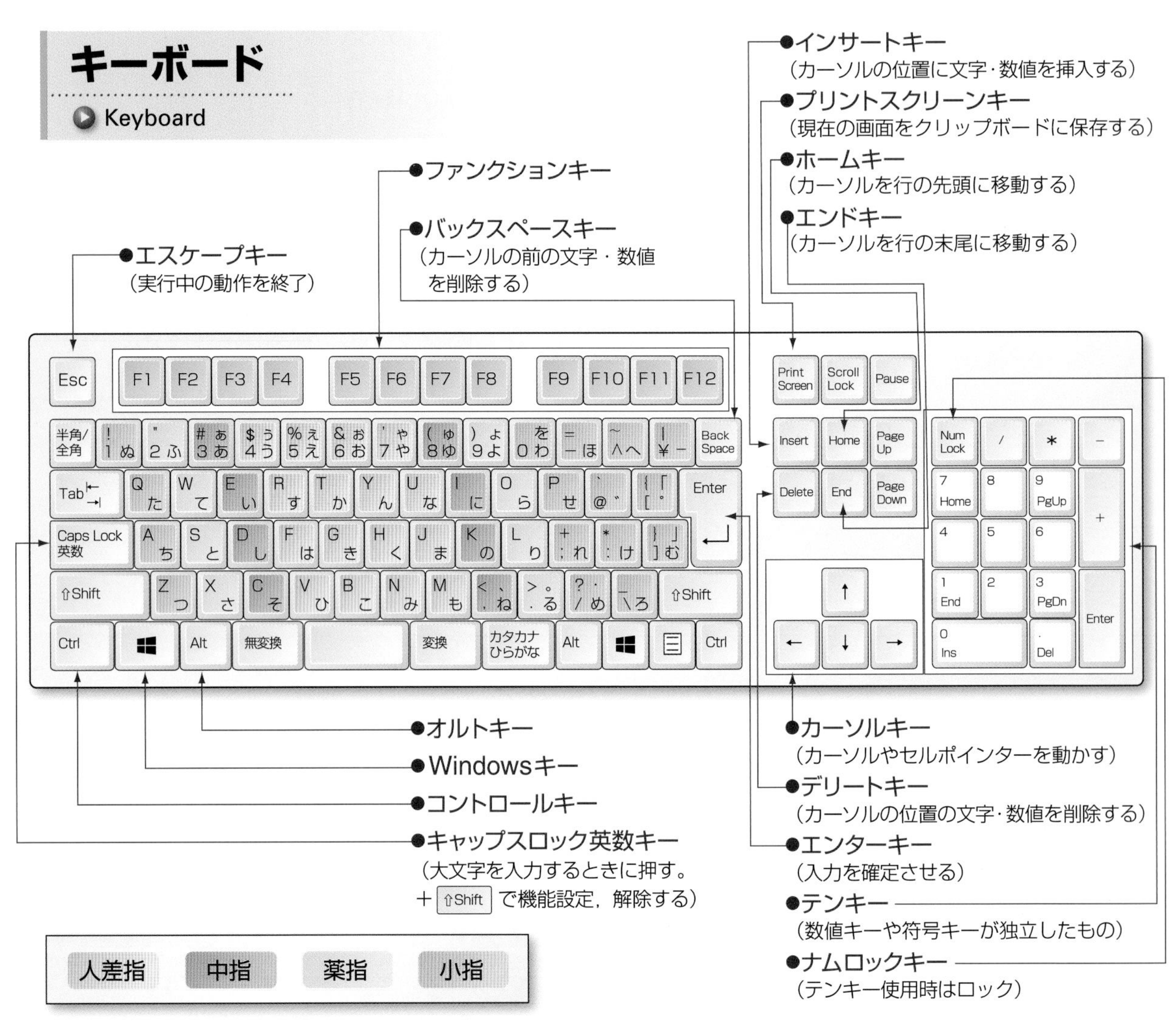


### ●おもな記号の読み方と入力の仕方
（キーボードの左上から順に掲載。黄色 は ⇧Shift キーを同時に押して入力するもの）

| 記号 | 読み方 | キー | 記号 | 読み方 | キー | 記号 | 読み方 | キー |
|---|---|---|---|---|---|---|---|---|
| ! | 感嘆符/エクスクラメーションマーク | ! 1 ぬ | ” | ダブルクォーテーション | " 2 ふ | # | ハッシュ | # ぁ 3 あ |
| $ | ドル記号 | $ ぅ 4 う | % | パーセント | % ぇ 5 え | & | アンパサンド／アンド | & ぉ 6 お |
| ' | アポストロフィー／シングルクォーテーション | ' ゃ 7 や | ー | ハイフン／マイナス | = ー ほ | ^ | ハット／山記号 | ~ ^ へ |
| ~ | チルダ | ~ ^ へ | ¥ | 円記号 | \| ¥ ー | \| | パイプライン／縦棒 | \| ¥ ー |
| @ | アットマーク | ` @ ゛ | ` | バッククォート | ` @ ゛ | [ | 始め大括弧／始め角括弧 | { 「 [ ゜ |
| { | 始め中括弧／始め波括弧 | { 「 [ ゜ | ; | セミコロン | + ; れ | : | コロン | * : け |
| * | アステリスク／アスタリスク | * : け | ] | 終わり大括弧／終わり角括弧 | } 」 ] む | } | 終わり中括弧／終わり波括弧 | } 」 ] む |
| , | カンマ | < 、 , ね | < | 小なり | < 、 , ね | . | ピリオド／ドット | > 。 . る |
| > | 大なり | > 。 . る | ／ | スラッシュ | ? ・ / め | ? | 疑問符／クエスチョンマーク | ? ・ / め |
| _ | アンダーバー／アンダースコア | _ \ ろ | ＼ | バックスラッシュ | | | 注：バックスラッシュは「スラッシュ」と入力して変換する。 | |

ポイントでマスター

# 基礎からはじめる 情報リテラシー

Office 2021対応

実教出版

もくじ — Contents

**<本書について>**

●本書では，2022年12月現在の情報をもとに「Windows11」および「Office2021」の操作について説明しています。本書の発行後に，「Windows11」「Office2021」の情報が変更される場合もございます。また，パソコンの機種や画面の設定等によっては，本書に掲載している表示画面や操作画面と異なる場合もございますので，あらかじめご了承ください。

●本書の例題およびLet's Tryで作成するファイルの完成例データおよび使用する画像データを用意しております。実教出版Webページ(https://www.jikkyo.co.jp/download/)からダウンロードしてご利用ください。

第1章 パソコンの基本操作

# 1 起動と終了

起動 ▶ アプリの起動 ▶ ウィンドウ操作 ▶ 終了

SUBJECT

パソコンとアプリを動かす
- ●パソコンの起動と終了
- ●デスクトップの説明
- ●アプリの起動と終了
- ●ウィンドウの拡大・縮小・移動・最大化・最小化

## 例題 1 パソコンを動かしてみよう

### 操作のポイント

**1 起動(電源を入れる)**

**ロック画面**
パソコンに電源を入れると表示される。パソコンから一時的に離れる場合に他人に操作されないようロックする画面である。

①ロック画面が表示されるので，画面のどこかをクリックする(タッチ操作の場合は下から上へスライドする)。

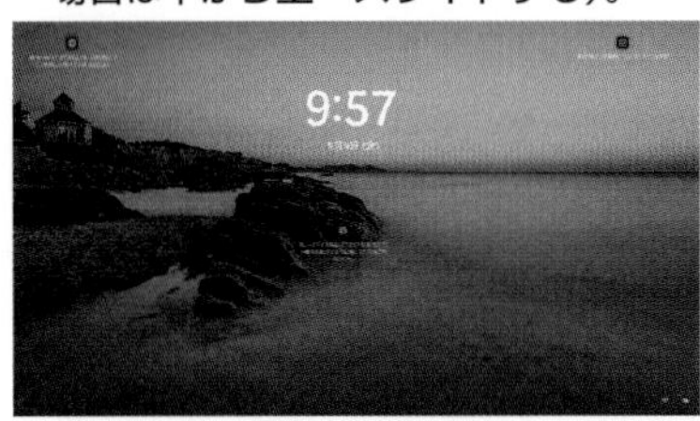


②パスワードの入力画面が表示されたら，パスワードを入力後 Enter を押す(パスワードが設定されていない場合は入力不要)。

③デスクトップが表示される。

**デスクトップ**
複数のウィンドウを開いたり，よく使うフォルダーやファイルなどを置くことができる。

**ごみ箱** 削除したファイルなどを一時的に保存する場所。

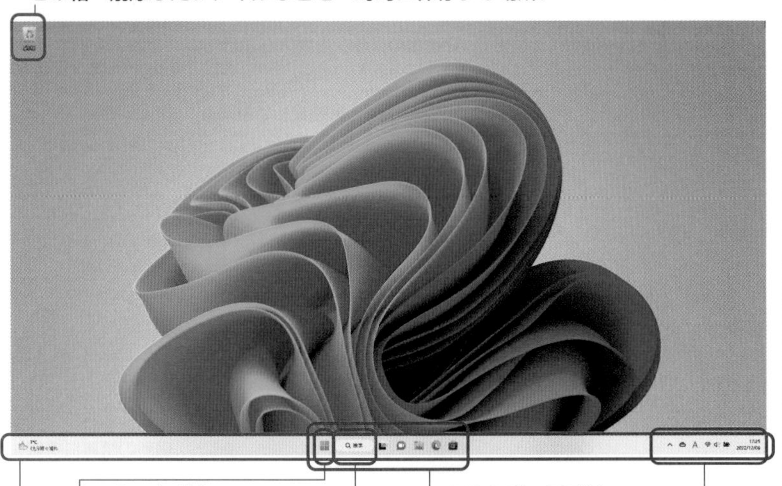

**スタートボタン**
クリックすると[スタート]メニューが表示される。

**タスクバーアプリ**
タスクバーに登録されているアプリが表示される。

**タスクバー**
作業中のアプリやフォルダーが表示される。

**検索ボタン**
パソコン内のファイル検索やインターネット検索が行える。

**タスクバーコーナー**
通信や日本語入力の状態，日付時刻などが表示される。

## 2 タスクバーボタンからアプリを起動する

①タスクバーアプリの をクリックする。
②パソコン内のファイルやフォルダーを操作するアプリ「エクスプローラー」が起動する。

**タイトルバー**
アプリやファイル，フォルダーの名前などが表示される。

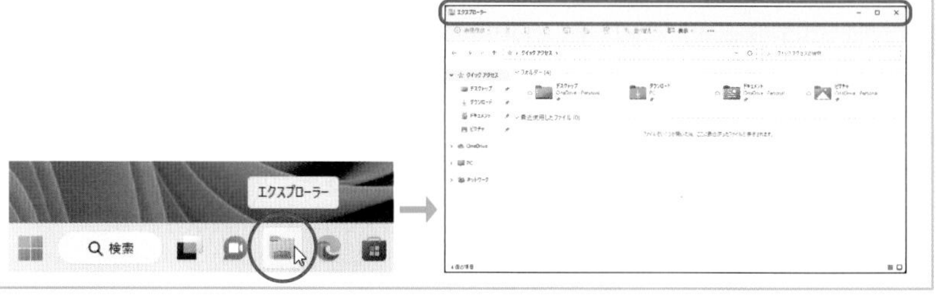


## 3 ウィンドウのサイズを変更する

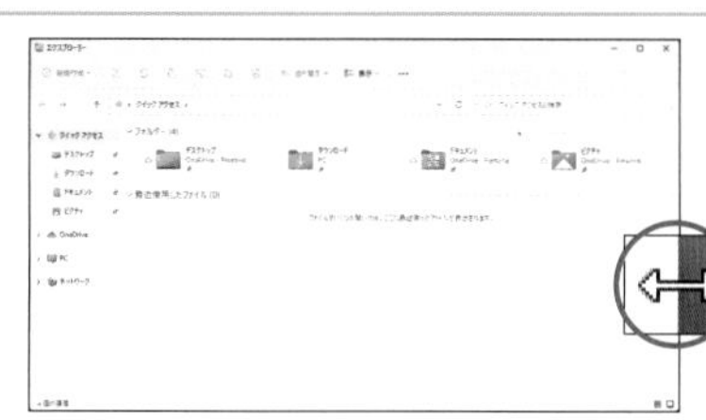

ウィンドウの四隅または各辺をポイントし，マウスポインターの形状が ⇔ に変わったらドラッグする。

## 4 ウィンドウを移動する

タイトルバーをポイントし，目的の場所までドラッグする。

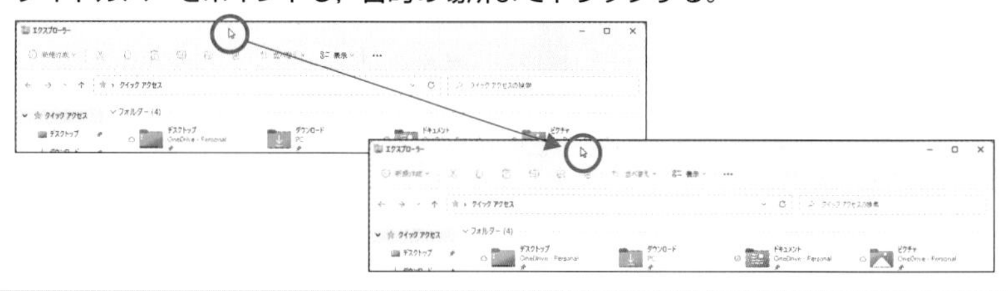

## 5 ウィンドウを最大化する

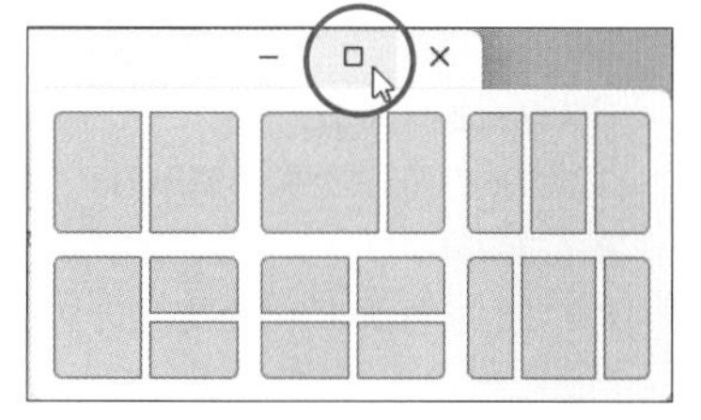

タイトルバー右端の最大化をクリックする。
※マウスポインターを最大化ボタンの上に置くと，スナップレイアウトが表示され，画面分割のレイアウトを選んでウィンドウを表示することができる。

## 6 ウィンドウを元のサイズに戻す

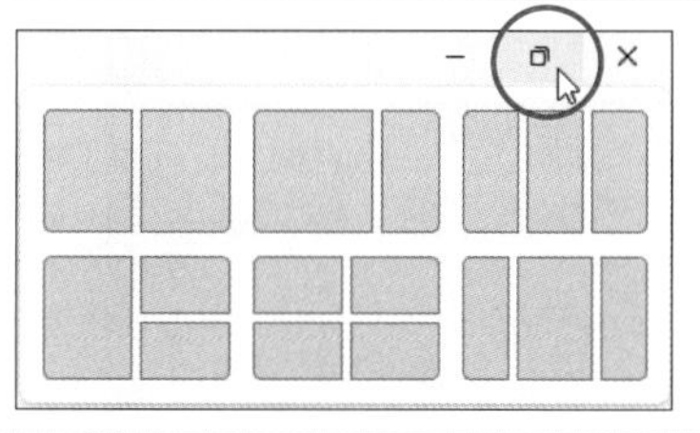

タイトルバー右端の元に戻す（縮小）をクリックする。
※最大化と同じく，マウスポインターをボタンの上に置くと，スナップレイアウトが表示される。

## 7 ウィンドウを最小化して再表示する

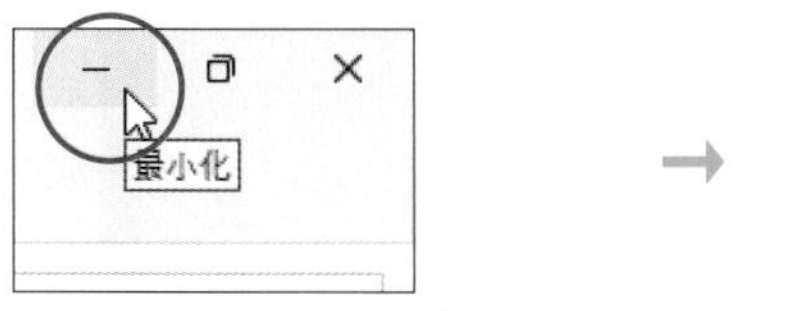


タスクバーアプリの をクリックすると再表示できる。

| | | |
|---|---|---|
| **8** | **アプリを終了する** | 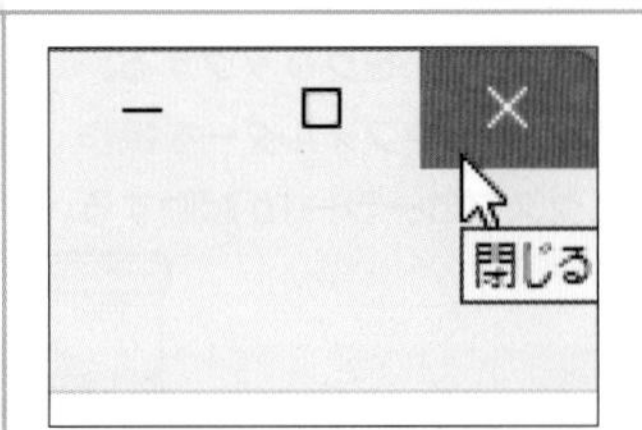 タイトルバー右端の閉じるをクリックする。 |

**9** **「スタート」メニューからアプリを起動する**

①画面左下のスタートボタン をクリックする。
②「スタート」メニューが表示される。

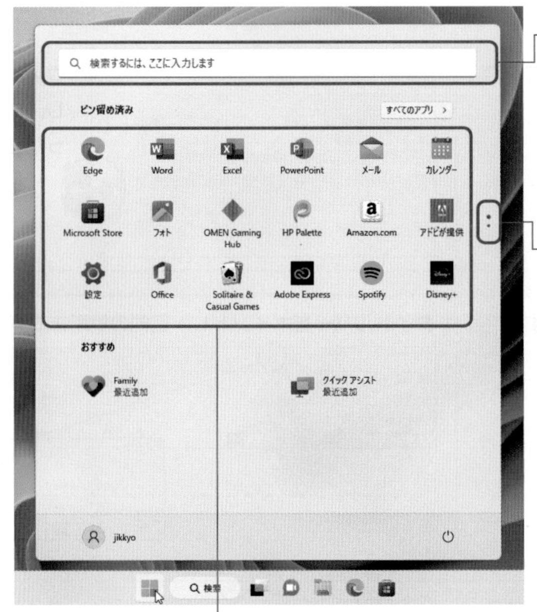


**検索ボックス**
検索ボタンと同じようにPC内のファイル検索やインターネット検索が行える。

**スクロールバー**
ピン留め済みの数が多くて画面にすべて表示されていない場合，スクロールすると隠れたアプリなどが表示される。

**「スタート」メニュー**
「スタート」にピン留め済みのアプリなどのアイコンが表示されている。アイコンをクリックするとアプリが起動される。ピン留めを外す場合は，アイコンを右クリックして「スタートからピン留めを外す」を選ぶ。

③「スタート」メニューからペイントをクリックする。

④画像の編集や描画などを行うアプリ「ペイント」が起動する。

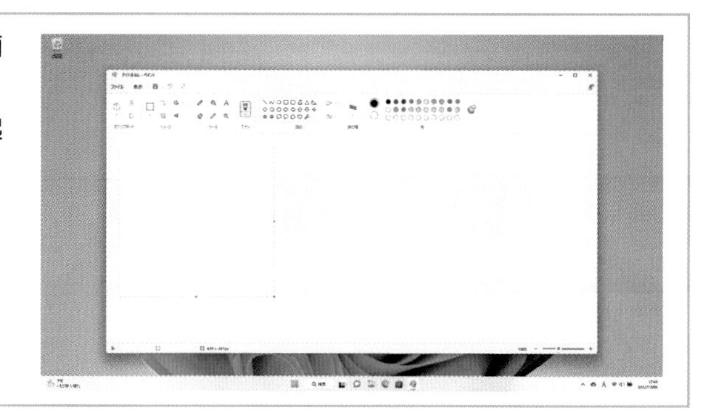

## 10 アプリを終了する

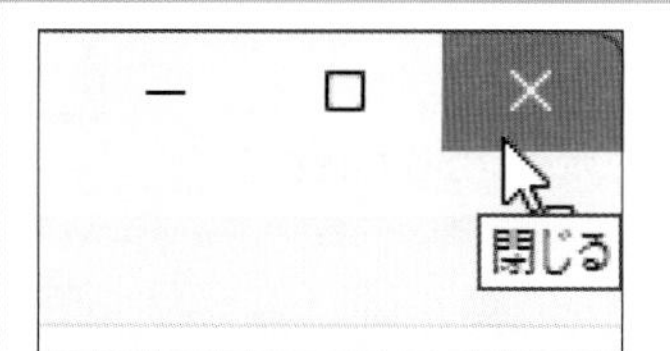


タイトルバー右端の閉じるをクリックする。

## 11 終了

電源は自動的に切れる。

①スタートボタン をクリックする。
②電源→シャットダウンの順にクリックする。

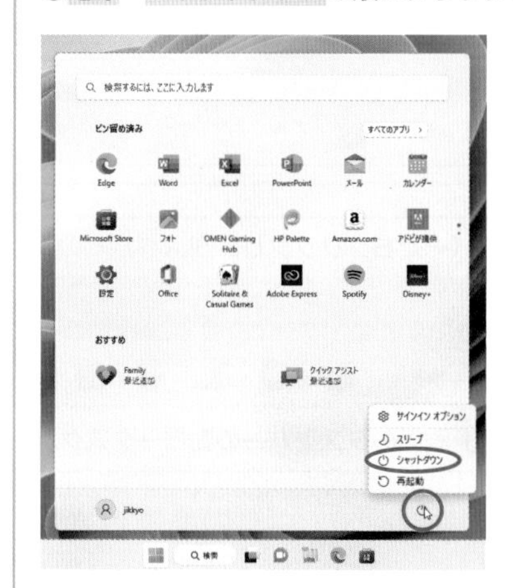

## こんなときどうする!?

### ?! 使いたいアプリが「スタート」メニューにないのだけれど…？

「スタート」メニューにピン留めされていないアプリを利用したい場合は，「すべてのアプリ」をクリックすれば，アプリが名前順に表示されるので，上下にスクロールさせて探す。

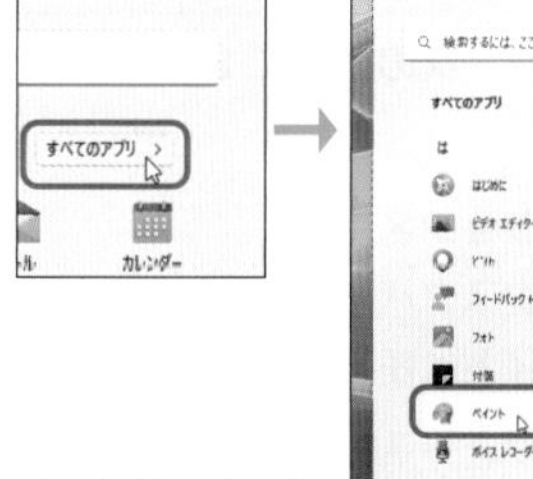


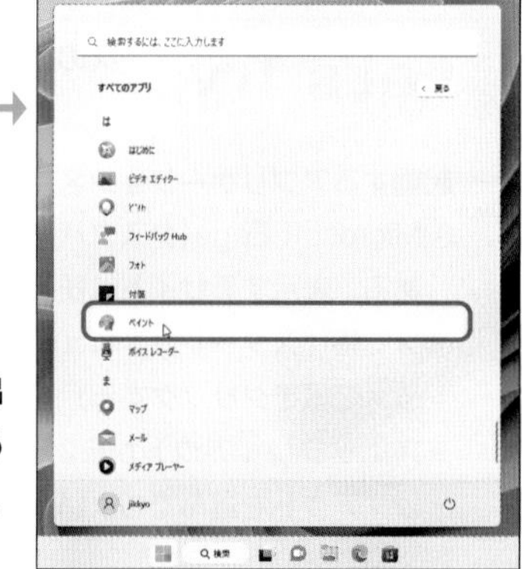

※見出し文字をクリックすれば，好きな見出し文字にジャンプできる画面が表示されるので，使いたいアプリ名の頭文字を選ぶと，スクロール操作が短縮できる。

### ?! タスクバーアプリを追加したい！

①追加したいアプリ(ここでは「ペイント」)のアイコンを右クリックし，タスクバーにピン留めするをクリックする。

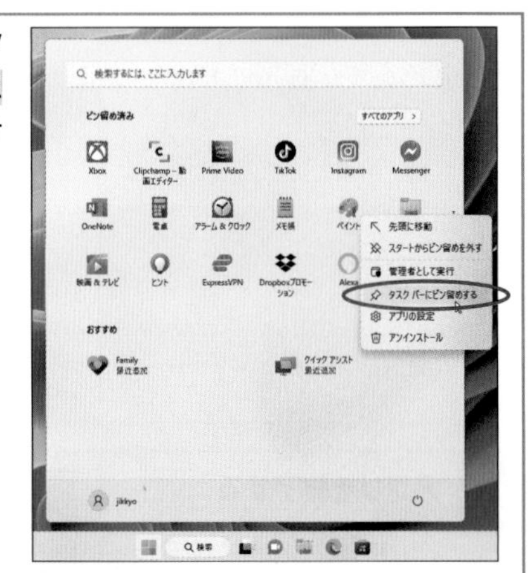


②タスクバーにボタンが追加される。

③タスクバーから外すときは，アイコンを右クリックし，タスクバーからピン留めを外すをクリックする。

### ?! タスクバーアプリの配置を変更したい！

①タスクバーで右クリックし，タスクバーの設定をクリックする。

②「個人」画面のタスクバーの動作→タスクバーの配置から左揃えを選択する。

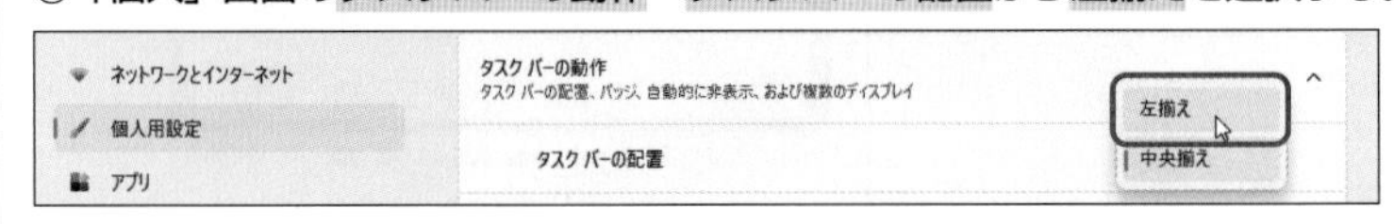


③タスクバーアプリが左揃えで表示される。

## やってみよう

### Let's Try

次のように2つのアプリケーションを起動し，並べてみよう。

**起動するアプリケーション名**

①Microsoft Edge(タスクバーにある。表示するサイトは任意)

②メモ帳(「スタート」メニューからメモ帳をクリックする)

※スナップレイアウトから2分割レイアウトを選んでもよい。

# ファイルの管理

ファイルの保存 ▶ 開いて編集，上書き ▶ フォルダーの作成 ▶ ファイルの整理整頓

**SUBJECT**

ファイルに関する基本知識を確認しながら，基本操作と整理整頓を行う

- ●保存・開く・上書き保存
- ●ファイルの一覧
- ●フォルダーの新規作成
- ●ファイルの移動・コピー・名前の変更・削除

## 例題2 ファイルを保存してみよう （ファイル名：singouki）

1. 名前を付けて保存する
2. 保存したファイルを開く
3. 上書き保存

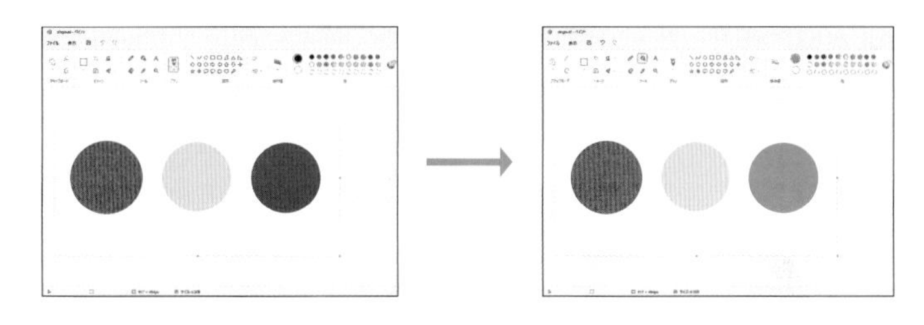

## 操作のポイント

### 1 名前を付けて保存する

「ペイント」を起動して絵を描き，「singouki」という名前で「ドキュメント」という場所に保存する。

①図形の楕円を選択し Shift を押しながらドラッグして円を描き，線の幅を1pxにする。

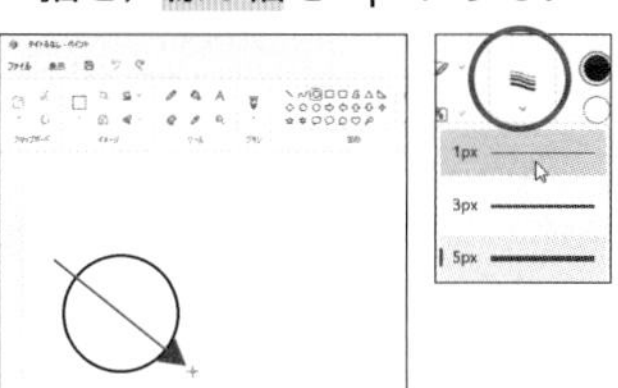

②色のパレットで色を選択してツールの塗りつぶしを選択し，円内をクリックする。
③続けて完成例のように描く。

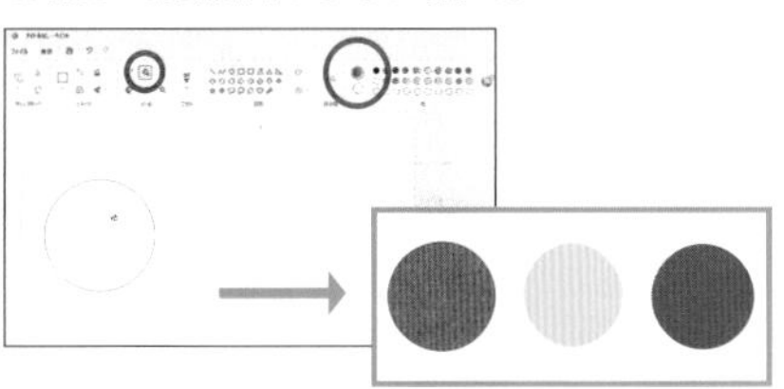

保存後はタイトルバーに名前が表示される。

確認したら「ペイント」を終了する。

④ファイル→名前を付けて保存→PNG画像をクリックする。

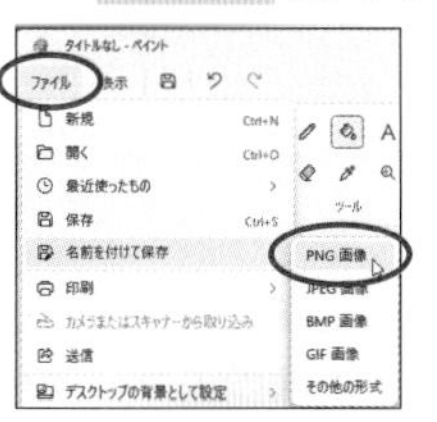


⑤「ドキュメント」を選択し，ファイル名に「singouki」と入力して保存をクリックする。

### 2 保存したファイルを開く

再度「ペイント」を起動し，「ドキュメント」という場所から「singouki」というファイルを画面に呼び出す。

ファイル→開くをクリックする。

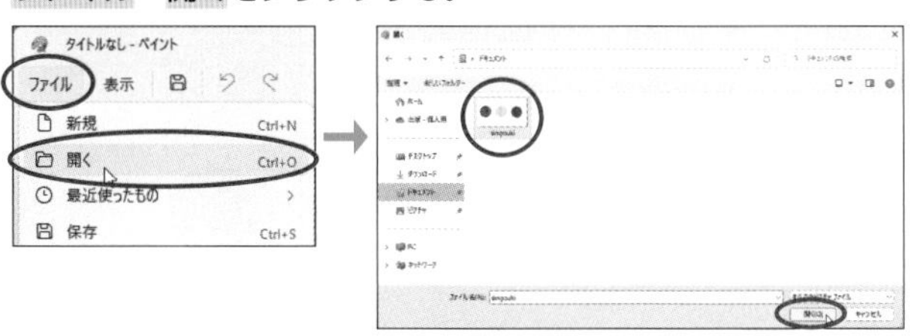


ファイルの場所は「ドキュメント」，ファイル名は「singouki」

## 3 上書き保存

同じファイル名で保存し直すことを上書き保存という。この場合，古い内容は更新される。古い内容を残す場合は，名前を付けて保存で別の名前を付ける。

①右の円の色を修正する。

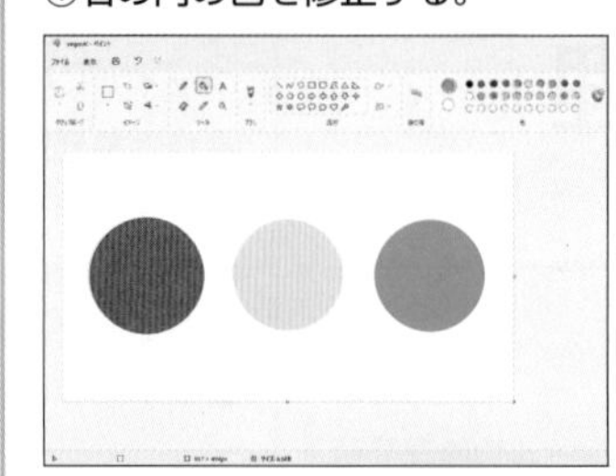

②ファイル→保存をクリックする。

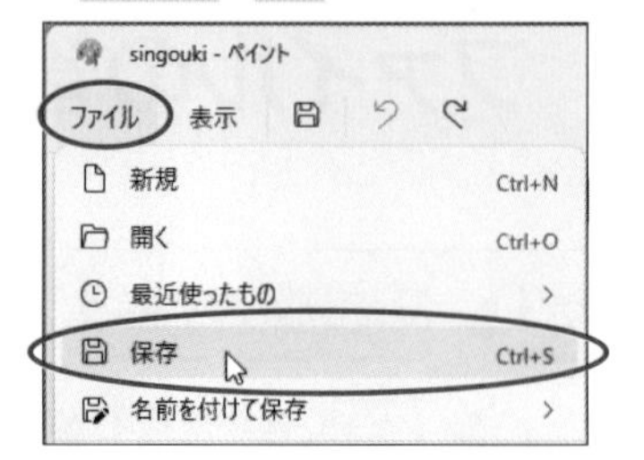


## こんなときどうする!?

### ?! ファイルを開こうとしたが，開きたいファイルが一覧にない！

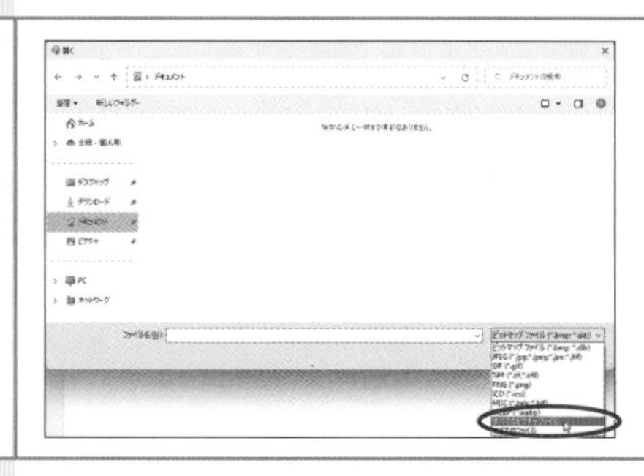

・開きたいファイルを選ぶウィンドウでファイルの種類を確認してみる。「すべてのピクチャファイル」にしてみる。
・ファイルの場所の指定が保存した所になっているか確認する（本書では場所を「ドキュメント」に統一した操作にしている）。

### ?! ファイル名の末尾に入力した覚えのないアルファベットが付いているが…？

●ファイル名の構成

singouki . png
ファイル名　拡張子

●代表的な拡張子
png，jpeg…画像ファイル
docx…Wordファイル
xlsx…Excelファイル
pptx…PowerPointファイル

今回作成したファイル「singouki」の正式名称は「singouki.png」という。
ユーザーが入力する部分はファイル名だけで，「拡張子」はアプリが自動的に付加する。この拡張子はアプリの種類によって決まっており，どのアプリで作成されたファイルなのかが拡張子だけでわかるようになっている。またソフトウェアや拡張子によって，アイコンのデザインが決まっている場合がある。ファイル名から拡張子の変更や削除をすると，作成したアプリで開けなくなる場合がある。通常，拡張子は非表示になっているが，表示／非表示の切り替えが可能である。

## やってみよう

### Let's Try

例題2で作成した「singouki」を次のように修正し，「singouki2」で保存してみよう。保存後は，「singouki」と「singouki2」をそれぞれ開き，2つのファイルが存在することを確認しよう。

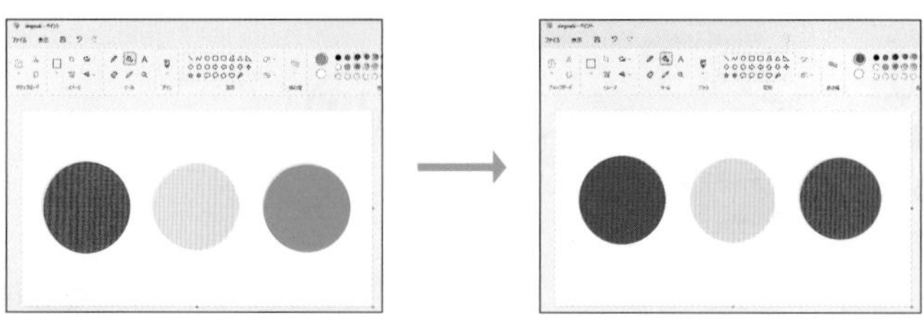

## 例題 3 フォルダーを作ってみよう （フォルダー名：paint）

1 ファイルの一覧

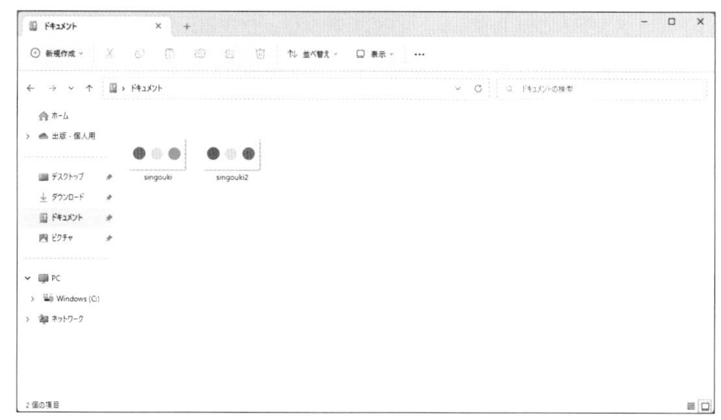

2 フォルダーの作成
3 フォルダー・ファイルの構成
4 ファイルの移動
5 ファイルのコピー
6 ファイル名の変更
7 ファイルの削除

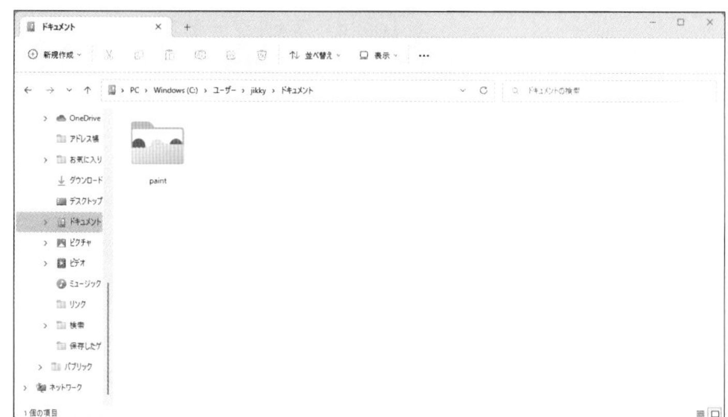

## 操作のポイント

### 1 ファイルの一覧

例題2で作成したファイルの存在を確認する。

フォルダーやファイルの表示状態は表示で変更することができる(p.13)。

①「エクスプローラー」をクリックする。 ②「ドキュメント」をクリックする。

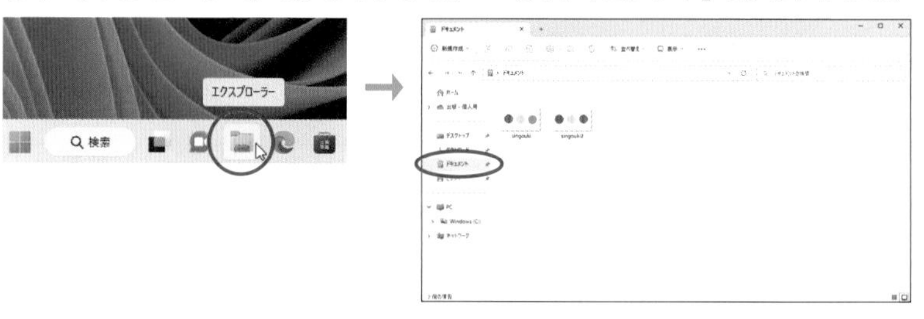


### 2 フォルダーの作成

「ドキュメント」フォルダー内に「paint」フォルダーを作成する。

フォルダーを作成したい場所で右クリック→新規作成→フォルダーでも作成できる。

新規作成→フォルダーをクリックし，フォルダー名に「paint」と入力する。

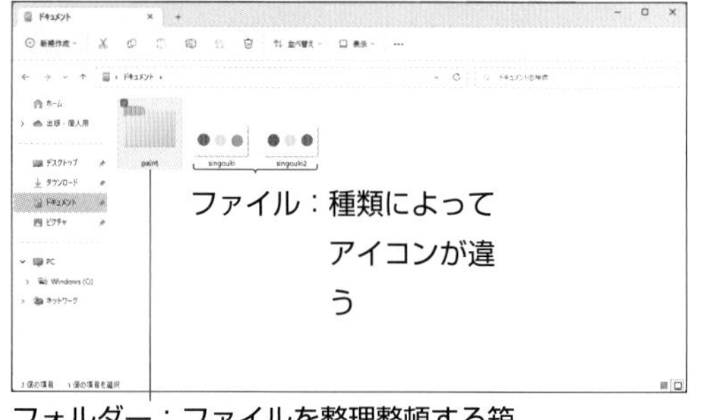

## 3 フォルダー・ファイルの構成

「ドキュメント」フォルダーがパソコンのどこにあるか確認する。
データファイルが存在する装置全般をドライブといい，(C:)や(D:)という名前が付いている。

①ナビゲーションウィンドウ(p.13)は内容が階層構造で表現されている。「PC」をクリックする。

②次の順にアイコンをダブルクリックしていくと「ドキュメント」フォルダーにたどり着く。
「Windows(C:)」→「ユーザー」→「(ユーザー名)」→「ドキュメント」
※(ユーザー名)は環境によって違うので指示を仰ぐこと。

③「ドキュメント」をダブルクリックして表示する。

## 4 ファイルの移動

ファイル「singouki」を「paint」フォルダー上にドラッグ&ドロップで移動する。

①ファイル「singouki」を「paint」フォルダー上にドラッグする。
②「paint」フォルダーをダブルクリックして開き，移動したことを確認し，「ドキュメント」フォルダーに戻る。

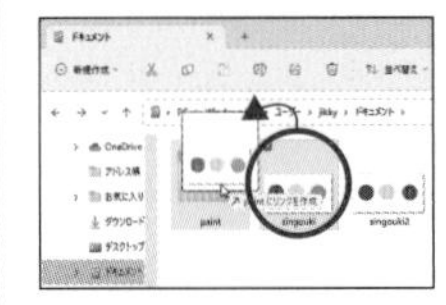

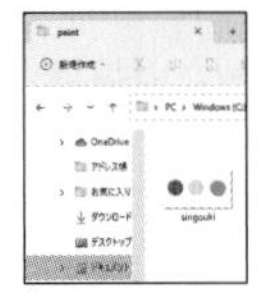

## 5 ファイルのコピー

ファイル「singouki2」を「paint」フォルダーに Ctrl を押しながらドラッグ&ドロップでコピーする。

① Ctrl を押しながらファイル「singouki2」を「paint」フォルダー上にドラッグする。
②「paint」フォルダーをダブルクリックして開き，「singouki2」がコピーされたことを確認する。
③「ドキュメント」フォルダーに戻る。

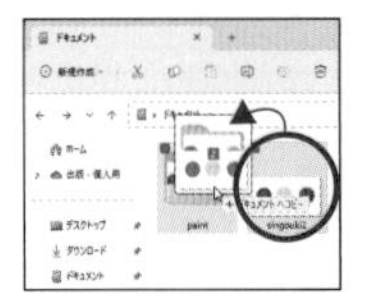

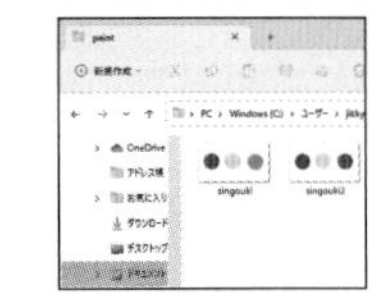

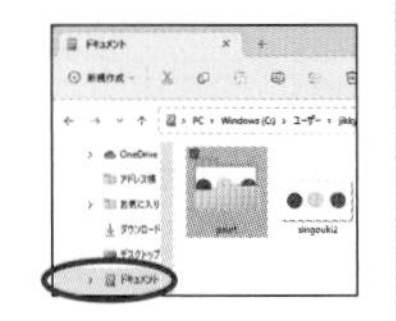

## 6 ファイル名の変更

「ドキュメント」フォルダーのファイル「singouki2」のファイル名を「singouki3」に変更する。

①変更したいファイル「singouki2」を選択し，名前の変更をクリックする(ファイル名を直接クリックする，F2 を押すなどの方法もある)。
②「singouki3」に修正し，Enter を押す。

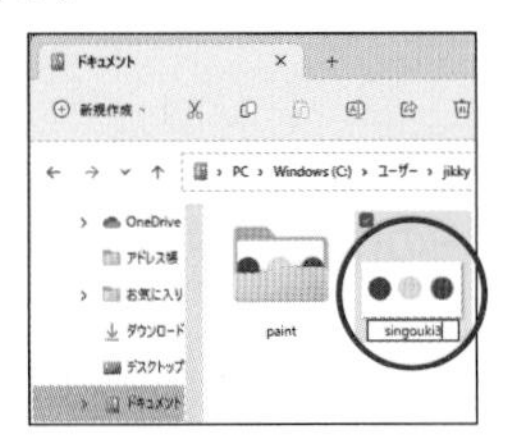

## 7 ファイルの削除

「ドキュメント」フォルダーのファイル「singouki3」を削除する。

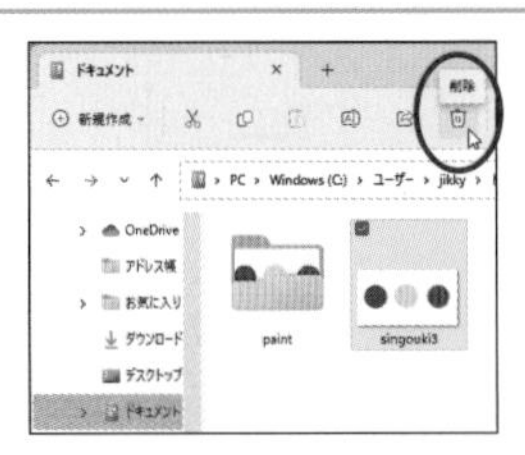

削除したいファイル「singouki3」を選択し，削除をクリックする。
( Delete を押す，右クリックから 削除を選択するなどの方法もある)

## こんなときどうする!?

### ?! ファイルの表示状態が本やほかのパソコンと違う!?

ファイルの表示状態は変更することができる。表示から選択できる。

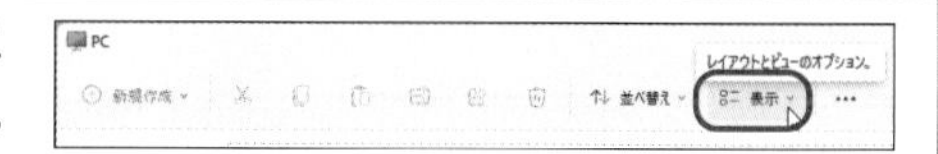


●表示状態のいろいろ

特大アイコン

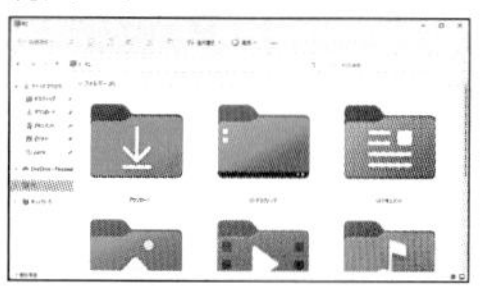

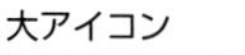
大アイコン

中アイコン

小アイコン

一覧

詳細

並べて表示

コンテンツ

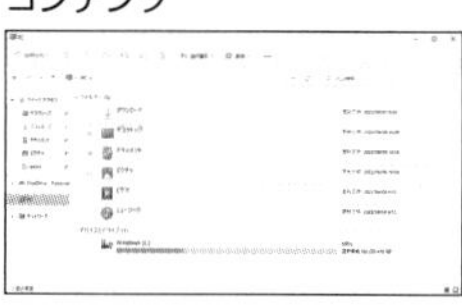

### ?! ウィンドウのレイアウトが本やほかのパソコンと違う!?

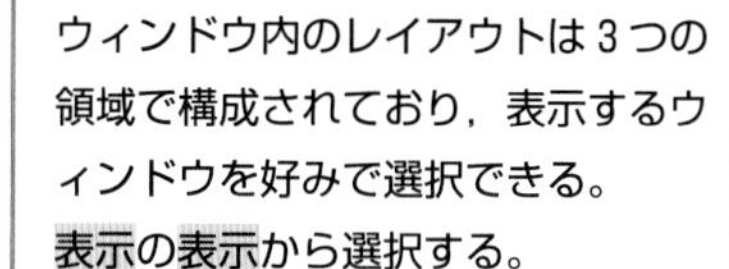

ウィンドウ内のレイアウトは3つの領域で構成されており，表示するウィンドウを好みで選択できる。
表示の表示から選択する。

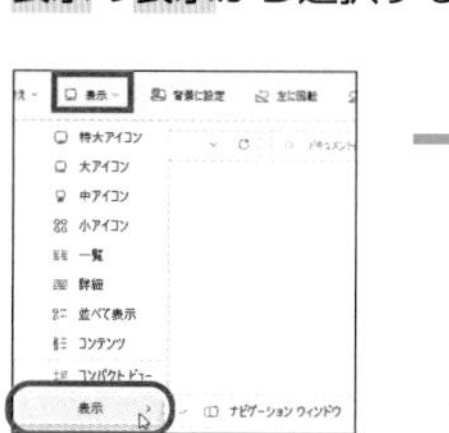


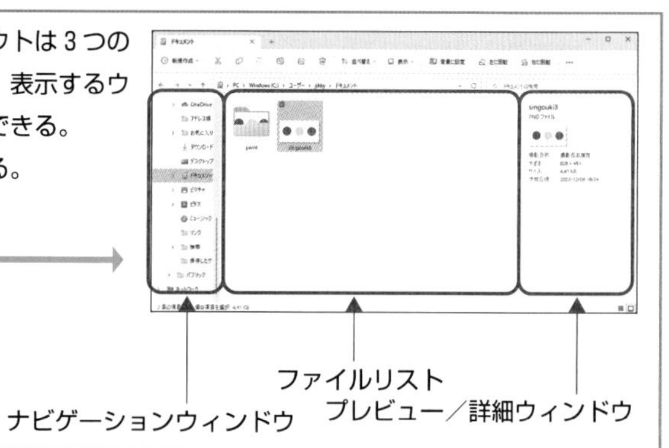


## やってみよう

**Let's Try**

①「paint」フォルダーの中の「singouki」ファイルをドキュメントに移動しよう。
②「paint」フォルダーの中の「singouki2」ファイルをドキュメントにコピーしよう。
③「paint」フォルダーを削除しよう。
④「singouki2」の名前を「singouki3」に変更しよう。

②

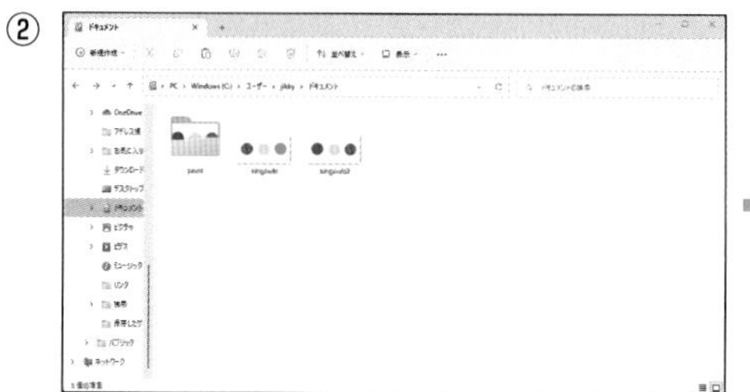

③

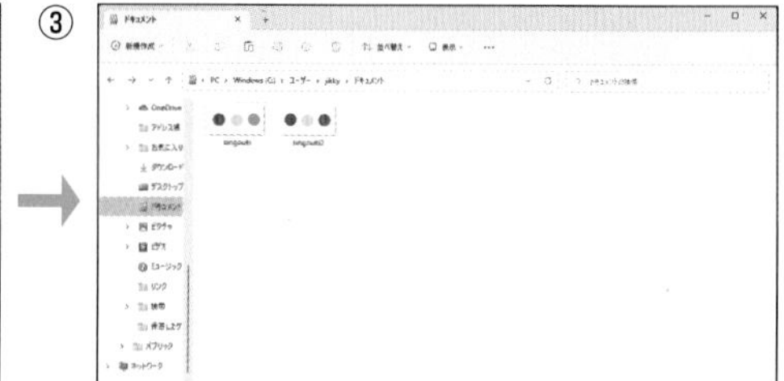

# 1 入力のいろいろ

入力の練習 ▶ 文章の編集 ▶ 入力に便利な機能

SUBJECT

入力に関するいろいろ
- ●キー入力と変換・確定
- ●文節の移動・区切りの変更　●再変換
- ●強制変換　●記号と特殊文字
- ●コピー＆貼り付け　●切り取り＆貼り付け
- ●ドラッグ＆ドロップ　●クリック＆タイプ
- ●入力オートフォーマット

## 例題 4 入力してみよう　（ファイル名：入力のいろいろ）

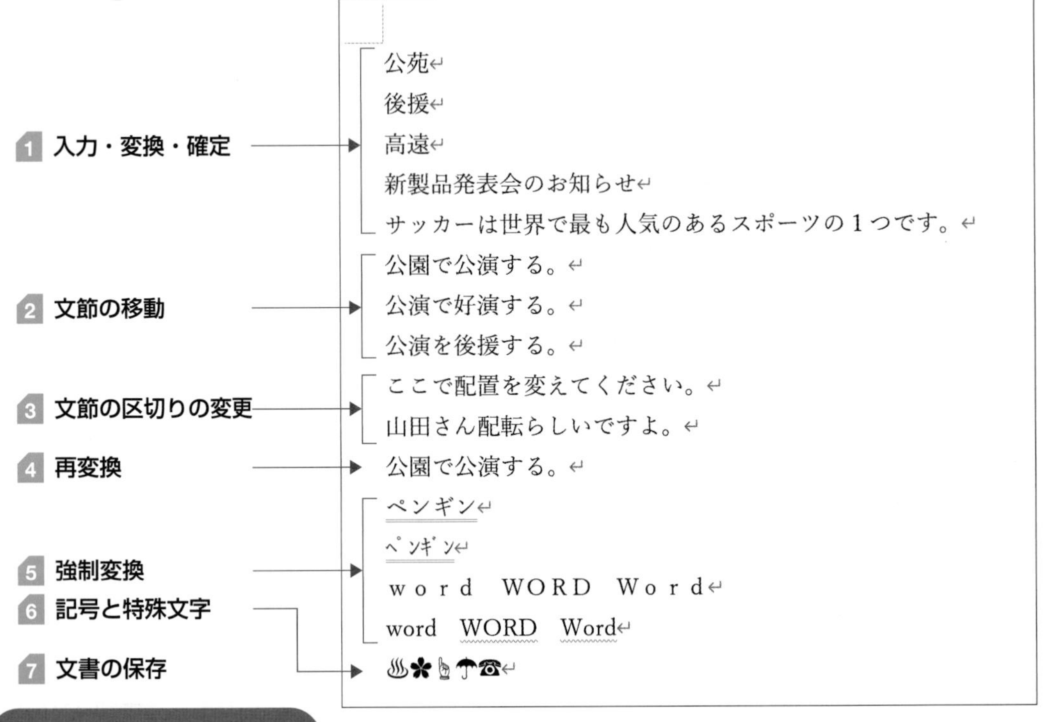


## 操作のポイント

### 1 入力・変換・確定

予測候補や変換候補内は ↓ や ↑ キーで候補を探すことができる。
Tab で変換候補表示を広げることができる。

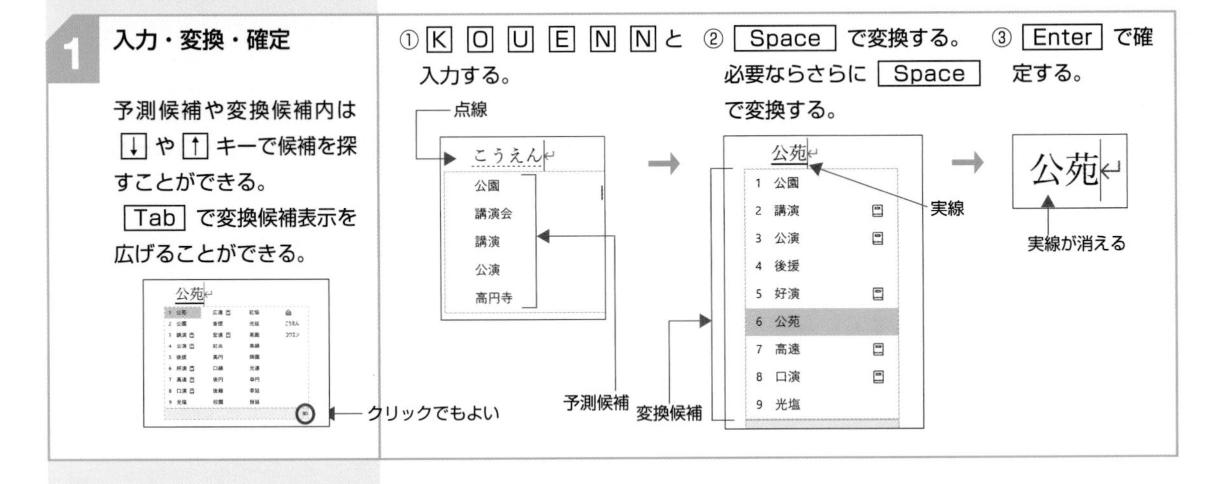

## 2 文節の移動

文章を入力して一度変換し，誤変換されている文節にカーソルを移動する。誤変換部分だけを変換しながら入力すると効率がよい。

①読みを入力して変換する。文節が下線で表示される。

②太線の下線が変換対象なので，必要に応じて Space で変換する。

③ → （または ← ）で変換したい文節に太線の下線を移動する。

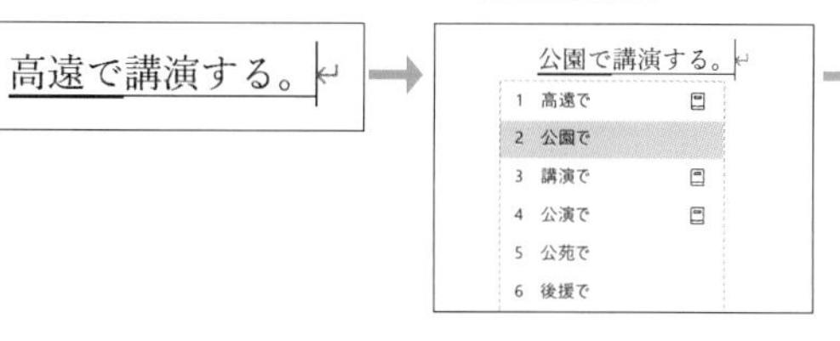


公園で講演する。

④ Space で変換していく。

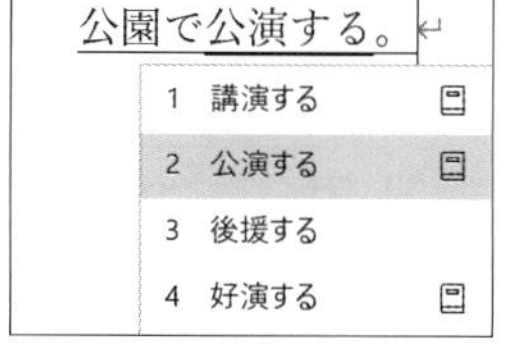


⑤ Enter で確定する。

公園で公演する。

## 3 文節の区切りの変更

Enter を押すと文全体が確定される。
そのため，文節の区切りの変更や文字の変換を行っているうちは， Enter は押さずに文節を移動する。

①読みを入力する。

ここではいちをかえてください。

② Space で変換する。文節が太線の下線で表示される。

ここでは位置を変えてください。

③文節の区切りが違っている場合は， Shift を押しながら ← や → で変更する。

ここでは位置を変えてください。

④次の文節に移動し，③と同様に区切りを変更する。

ここでは位置を変えてください。

⑤文節の文字の変換が違う場合は， Space で変換する。

ここではいちを変えてください。

⑥必要に応じて文節の移動，区切りの変更や文字の変換を行い，最後に Enter で文全体を確定する。

ここで配置を変えてください。

## 4 再変換

確定した後でも，誤変換部分を選択して Space または 変換 を押すと再変換できる。文節を右クリックして候補から選ぶこともできる。

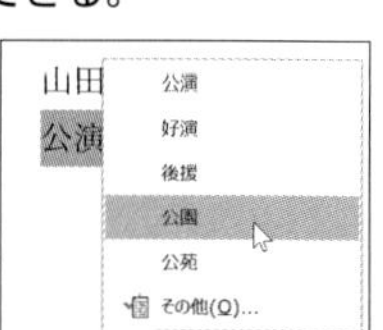


①誤ったまま確定する。

公演で好演する。

②再変換したい部分を選択する。

公演で好演する。

③ Space または 変換 で再変換し，正しい候補を選び Enter で確定する。

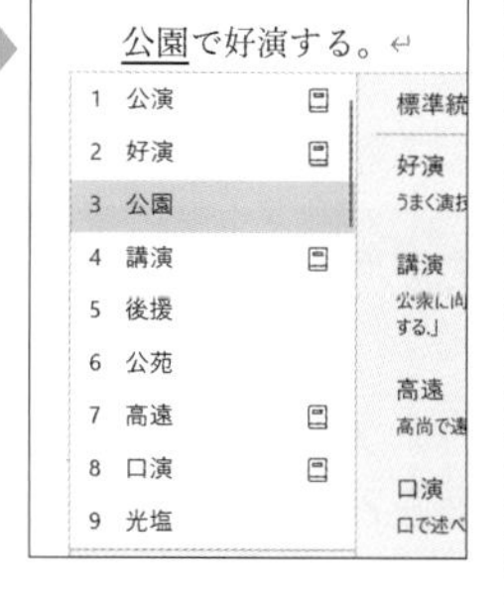


④同様に再変換し，確定する。

公園で公演する。

## 5 強制変換

文章を入力していると下図のような二重線や波線が表示される場合があるが，これは文法チェックやスペルチェック機能によるものなので，ミスがなければ通常は無視してよい。

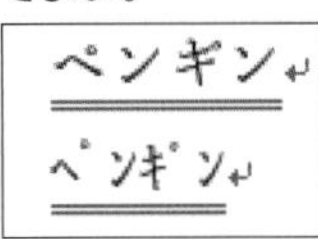

カタカナやアルファベットなどが Space ですんなり変換できない場合，Space の代わりにファンクションキーを使って変換すると効率がよい。

①読みを入力する。

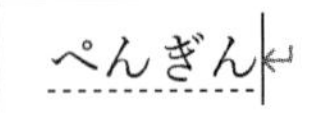


● F7 で変換（全角カタカナ）

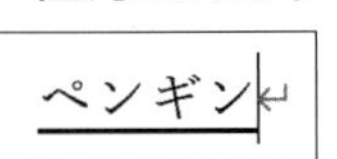


● F8 で変換（半角カタカナ）

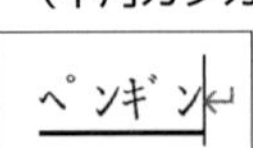


②ローマ字入力で W O R D と入力する。

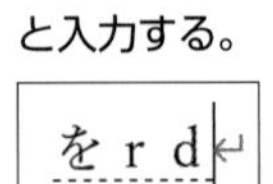


（W O で「を」と表示される）

● F9 で変換（全角英数字）

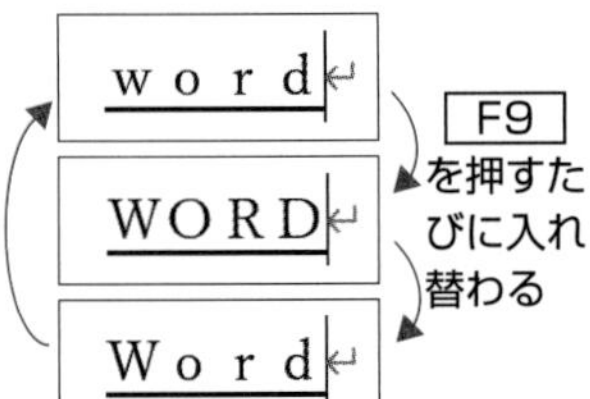


● F10 で変換（半角英数字）

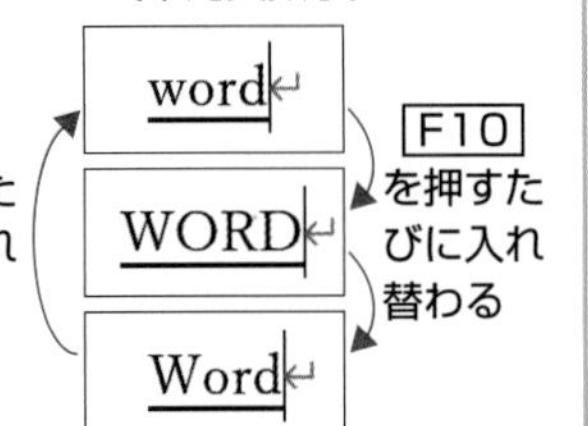


## 6 記号と特殊文字

Ω 記号と特殊文字

記号類はフォントの種類やWindows11の更新状況によって異なる。

①挿入タブ→記号と特殊文字→記号と特殊文字→その他の記号をクリックする。

②記号と特殊文字ダイアログボックスが表示されるので，一覧から選択して挿入をクリックする。

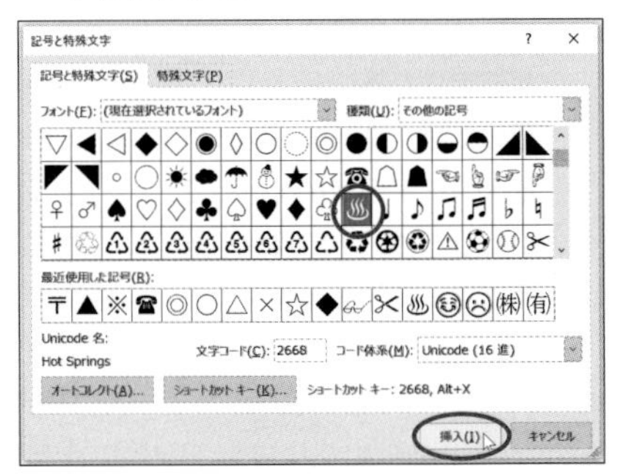


## 7 文書の保存

①ファイルタブ→名前を付けて保存→参照をクリックする。

②名前を付けて保存ダイアログボックスで，保存先を指定してファイル名を入力し，保存をクリックする。

※ファイルが保存されるとタイトルバーにファイル名が表示される。

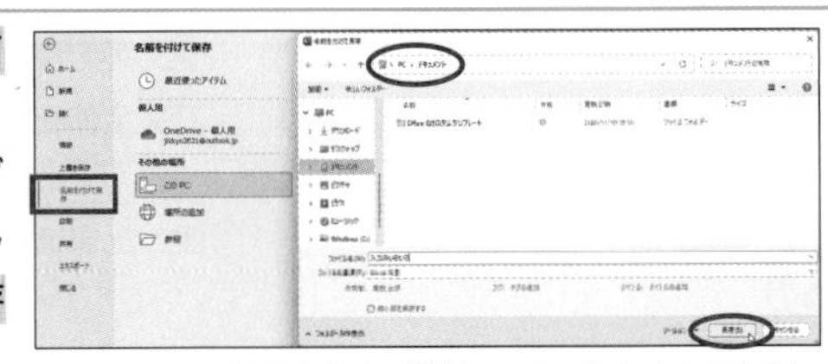


※ここでは保存先を「ドキュメント」としている。

## こんなときどうする!?

### ?! 入力すると半角アルファベットしかでてこなくて，変換できなくなったのだけど!?

入力モードを「ひらがな」に切り替えよう。Word起動時の入力モードは「ひらがな」だが，半角／全角 で「半角英数」と「ひらがな」が切り替わる。あるいはタスクバー上の A をクリックするか，右クリックしてひらがなを選ぶ。

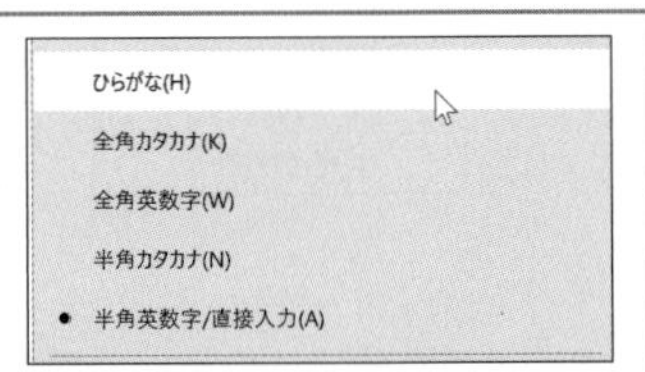

**?! 読みを入力したらカタカナがでてくるのだけど!?**

入力モードが「全角カタカナ」( カ )になっているので「ひらがな」( あ )に切り替えよう。 無変換 で「全角カタカナ」「半角カタカナ」「ひらがな」を切り替えられるが，意識しないままこのキーを触ってしまった可能性がある。
なお入力モードを切り替えるキーには次のようなものがある。

|  |  |
|---|---|
| 全角／半角 | ひらがな ⇔ 半角英数 |
| Shift ＋ カタカナひらがな | ひらがな → 全角カタカナ |
| カタカナひらがな | 全角カタカナ → ひらがな |
| 無変換 (トグル) | ひらがな → 全角カタカナ → 半角カタカナ |
| CapsLock英数 | ひらがな他 → 半角英数 ⇔ ひらがな |

**?! 大文字と小文字の入力はどうするの?**

ステータスバーはアプリウィンドウの一番下にあり，表示モード選択のボタンやズームのほかに，現在の状態を表示する。

Capsキーの状態(キーボード上のランプ)により，次のとおり。

| キーボード上のランプ | キーそのままの入力 | Shift を押しながら |
|---|---|---|
| 消灯 | 小文字 | 大文字 |
| 点灯 | 大文字 | 小文字 |

Capsキーの切り替えは Shift を押しながら CapsLock英数 を押す。
また，ステータスバーを右クリックして「CapsLock」を確認すると，現在の状態(オンかオフか)がわかる。✔にしておくと，オンの時に CapsLock(K) がステータスバーに表示される(オフの時は表示されない)。

**?! 「www.」と押したら「てててる」となってしまうのだけど!?**

「かな入力」になっている。かな入力はキーのかな表記を利用して入力する方法である。ローマ字入力に切り替えるには，タスクバー上のIMEを右クリックしてローマ字入力／かな入力→ローマ字入力をクリックする。
Alt を押しながら カタカナひらがな を押して切り替えることもできる。この場合は確認のメッセージが表示される。

**?! 「%」と入力したいのに「5」がでてくるのだけど!?**

キーに表記されている文字のうち，‘上’側にある文字を打つときは Shift を押す。
Shift を押しながら 5 で「%」が入力できる。
かな入力時には「ぇ」を入力することになる。



**?! 入力を削除したいのだけど!?**

図は入力途中(下点線がある)の例であるが，確定後(下線がない)の削除も同様である。

削除するには次の方法がある。

● BackSpace はカーソルの前(左)を削除する。

もじれつのお|さくじょ↵ BackSpace → もじれつの|さくじょ↵

● Delete はカーソルの部分を削除する。

もじれつのお|さくじょ↵ Delete → もじれつのお|くじょ↵

●入力途中(変換前)に Esc を押すと入力を取り消すことができる。

もじれつのおさくじょ|↵ Esc → |↵

●変換途中(確定前)に Esc を押すと１段階ずつ変換や入力を取り消していく。

文字列のお削除|↵ Esc → もじれつのお削除↵ Esc → もじれつのおさくじょ|↵ Esc → |↵

## こんなときどうする!?

?! **キーボード上にある「˜」(チルダ)や「_」(アンダースコア)がうまく入力できないのだけど!?**

Webページのアドレス(URL)やメールアドレスなど，半角英数を続けて入力する場合は，先に入力モードを半角英数に切り替えたほうが入力しやすい。

入力モードをひらがなのままで入力した場合は [F10] で強制変換する。また「https:」や「www.」などある一定の文字列を入力すると自動的に半角英数になるのでそのまま入力できる。

なお，入力モードがひらがな(ローマ字入力)の時に，キー表記文字と入力される文字とで紛らわしいものについて例をあげる。

- 「-」(ハイフン) ……………………かなの [ほ] 。「ー(長音記号)」になってしまったら [F9] や [F10] で強制変換する。
- 「_」(アンダースコア) ……………… [Shift] を押しながら，かなの [ろ] 。
- 「／」(スラッシュ)……………………かなの [め] 。「・(中黒点)」になってしまったら [F9] や [F10] で強制変換する。
- 「～」(日本語記号の～。全角)……… [Shift] を押しながら，かなの [へ] 。
- 「˜」(チルダ。半角) ………………… [Shift] を押しながらかなの [へ] を押し，[F10] で半角に変換する。

?! **記号類を簡単に入力するには？**

記号類や特殊文字の中には，読みがなを入力して [Space] で変換できるものがある。

・こめ➡※　・ゆうびん➡〒　・でんわ➡℡☎📞
・てん➡…‥¨∴・´　・かぶ➡㈱(株)　・ゆう➡㈲(有)
・まる➡○◎●。①　・しかく➡□■◇◆　・さんかく➡△▲▽▼
・ほし➡※★☆＊　・やじるし➡↑↓→←⇒⇔　・おなじ➡々〃ゝゞヽヾ
・たす➡＋　・ひく➡－　・かける➡×　・わる➡÷
・けいさん➡＋－±×÷＝≠〈〉≦≧∝∞√∫∬
・かっこ➡‘’“”()〔〕[]{}〈〉《》「」『』【】

?! **読みがわからない漢字を入力するには？**

IMEパッドは常に一番手前に表示されたままで，操作には影響しないが，不要になったら閉じる。

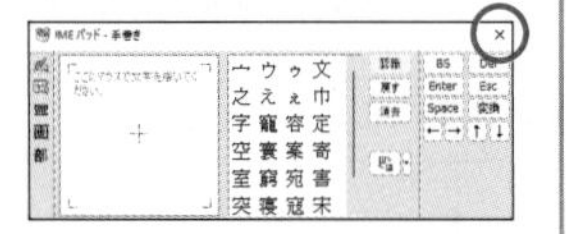

IMEパッドを利用すると，読みのわからない漢字や記号類を入力することができる。タスクバー上のIME( あ )を右クリックしIMEパッドをクリックする。IMEパッドが表示されるので，左側に縦に並んだアイコンでモードを切り替えて利用する。

●手書きパッド

左の記入欄にドラッグで漢字を描くと右欄にその候補一覧が表示されるので，その中から該当する漢字をクリックする。

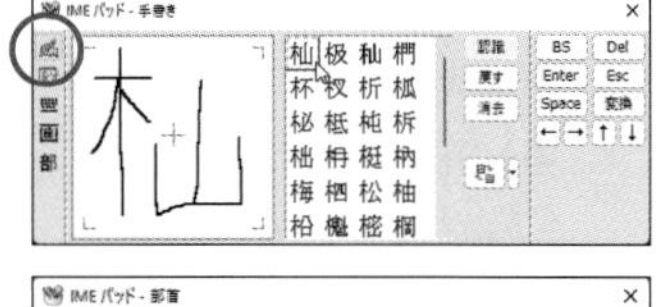

●部首パッド

部首の画数を指定して一覧から部首を選択すると，右欄に該当する文字が表示される。

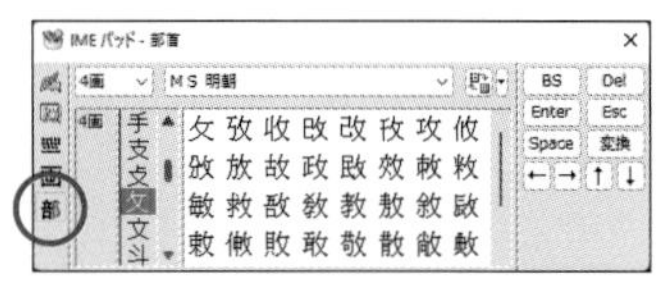

このほかに，

・文字一覧
・ソフトキーボード
・総画数

がある。

※右側の候補一覧から該当する漢字をクリックすると，文書中のカーソル位置に挿入されるので，[Enter] で確定する。

| ?! | |
|---|---|
| 入力したところを修正しようと入力したら，先に入力した部分がどんどん無くなっていくのだけど？ | 入力モードが「上書きモード」になっていることが考えられる。<br>通常は「挿入モード」なので入力した文字が割り込んで入っていくが，「上書きモード」では，先に書いた文字を上から書きつぶしていく。<br>［Insert］で切り替えられる。<br>また,ステータスバーを右クリックして「上書き入力」をクリックすると(✔の付いた状態にする)，ステータスバー上に現在の状態を表示でき，そこをクリックして切り替えができるようになる。<br>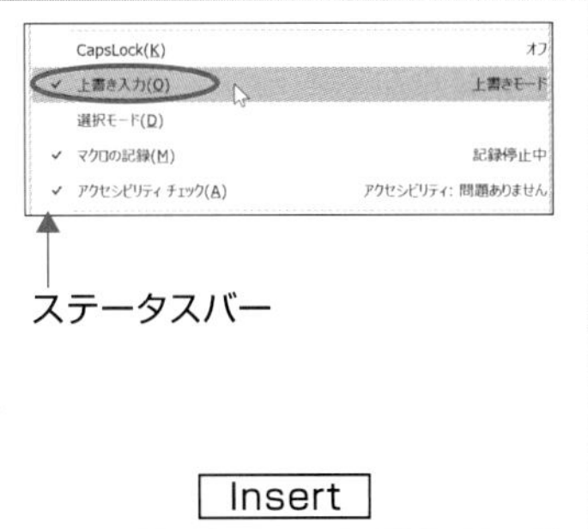<br> |
| テンキーで数字を入力できないのだけど!? | テンキーを数字キーとして使うときは，［NumLock］を押してオンにする必要がある。 |

## やってみよう

### Let's Try 次のような文章を入力してみよう。 （ファイル名：入力練習）

①校正　厚生　公正　後生　攻勢　更生　構成　後世　恒星　抗生
②平素は格別のご高配を賜り、厚く御礼申し上げます。
③Webサイト向けに、ユーザーの操作に反応するインタラクティブなアニメーションを作成した。
④LANは、Local Area Network の略です。
⑤公園の池ほとりのベンチに座り、家族と一緒に露店で買い求めた焼きそばやたこ焼きをほおばっていた。
⑥インターネットを使った代表的なサービスとして、Webページ、電子メール、ブログ、SNS（Social Networking Service）、ネットショッピング、クラウドサービスなどがある。
⑦夕方のゲリラ豪雨は、一部で電車が運転を見合わせるなど、帰りの足に影響が出た。○○市では、１時間で100ミリの猛烈な雨が降った。××市では、落雷で一時、およそ30万軒で停電が発生した。
⑧初心者向けパソコン教室の希望者は15名でした。定員が10名としたときの希望者の割合を求めましょう。「割合＝比べられる量÷もとにする量」の式にあてはめると、15÷10＝1.5となり、1.5倍です。これを百分率で表すと150％になります。
⑨サッカーの正式名称は、「アソシエーション･フットボール（association football）」である。サッカーの語源は、アソシエーションassociationの省略形であることが一般的に知られている。「soc」にcを重ね「er」を付け、「soccer」となった。
⑩「いま科学者の目は、海底に集まっている」という記事が目に留まった。そこには、深海底から300度を超える熱水が噴出していること、生命誕生に欠かせないアミノ酸が存在することなどが書かれていた。海底の裂け目でこのようなことが発見されているとは知らなかった。その噴出孔の調査では、周囲よりも10倍も高い濃度のグリシンというアミノ酸が発見されている。このようにして、私たちの知らない海底で、地球上の生命誕生の謎解きが進んでいる。「熱を好む菌には原始細胞の痕跡がある」、「高温、高圧の中で、アミノ酸からタンパク質が作られているのではないか」など、想像は膨らむ一方だ。

# 例題 5 文章を編集してみよう

（ファイル名：パート編成）

1 文章の入力

2 コピー&貼り付け

3 切り取り&貼り付け

4 ドラッグ&ドロップ

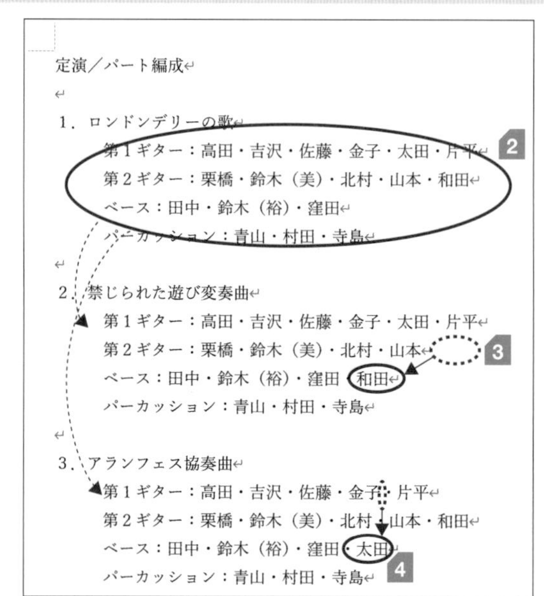
定演／パート編成

1．ロンドンデリーの歌
　第１ギター：高田・吉沢・佐藤・金子・太田・片平
　第２ギター：栗橋・鈴木（美）・北村・山本・和田
　ベース：田中・鈴木（裕）・窪田
　パーカッション：青山・村田・寺島

2．禁じられた遊び変奏曲
　第１ギター：高田・吉沢・佐藤・金子・太田・片平
　第２ギター：栗橋・鈴木（美）・北村・山本
　ベース：田中・鈴木（裕）・窪田・和田
　パーカッション：青山・村田・寺島

3．アランフェス協奏曲
　第１ギター：高田・吉沢・佐藤・金子・片平
　第２ギター：栗橋・鈴木（美）・北村・山本・和田
　ベース：田中・鈴木（裕）・窪田・太田
　パーカッション：青山・村田・寺島



## 操作のポイント

### 1 文章の入力

次のような文章を入力する。

定演／パート編成

1．ロンドンデリーの歌
　第１ギター：高田・吉沢・佐藤・金子・太田・片平
　第２ギター：栗橋・鈴木（美）・北村・山本・和田
　ベース：田中・鈴木（裕）・窪田
　パーカッション：青山・村田・寺島

2．禁じられた遊び変奏曲

3．アランフェス協奏曲

### 2 コピー&貼り付け

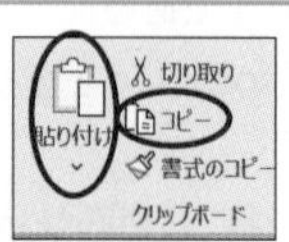


ボタンの下半分をクリックすると，貼り付けのオプションが表示される。

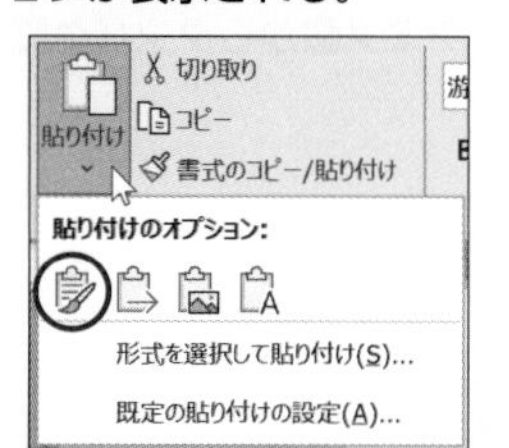


①次のようにコピー元となる4～7行目を選択し，ホームタブ→コピーをクリックする。

1．ロンドンデリーの歌
　第１ギター：高田・吉沢・佐藤・金子・太田・片平
　第２ギター：栗橋・鈴木（美）・北村・山本・和田
　ベース：田中・鈴木（裕）・窪田
　パーカッション：青山・村田・寺島

※段落(行)単位で選択するには，左余白部分を垂直方向にドラッグすると効率がよい。

②貼り付け先として10行1文字目にカーソルを移動して，ホームタブ→貼り付けをクリックする。

2．禁じられた遊び変奏曲

3．アランフェス協奏曲

③続けて16行1文字目にカーソルを移動して，貼り付けをクリックする。

※違う内容をコピー(または切り取り)するまでは，そのまま続けて同じ内容を貼り付けることができる。

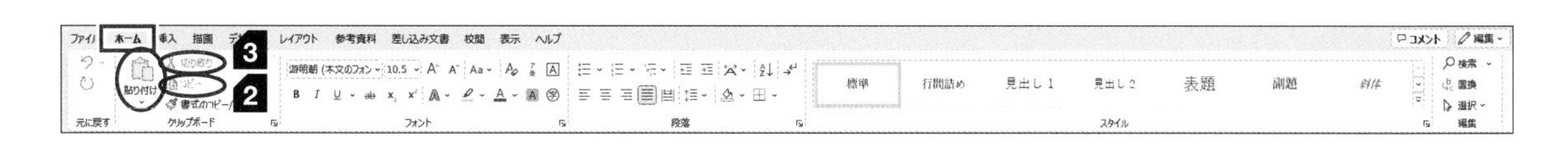


### 3 切り取り＆貼り付け

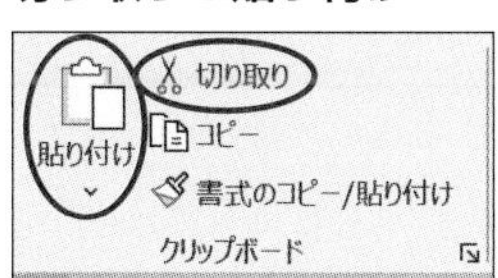


2曲目の第2ギターの「・和田」を，ベースの行に移動させる(切り取り＆貼り付け)。

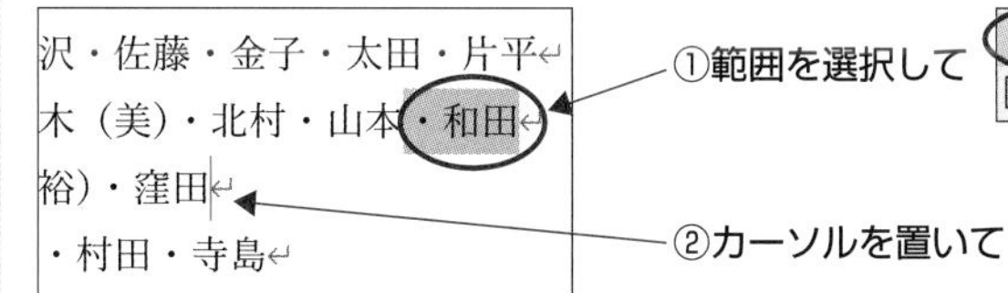


### 4 ドラッグ＆ドロップ

Ctrl キーを押しながらドラッグ＆ドロップするとコピーできる。

3曲目の第1ギターの「・太田」を，ベースの行に移動させる(ドラッグ＆ドロップ)。

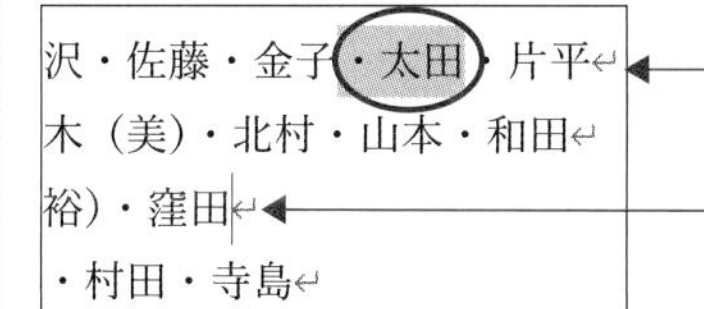


①範囲を選択し，マウスポインターの先端を反転部に置いた状態でドラッグする。

②カーソル位置を合わせてマウスから指をはなす(ドロップ)。

## こんなときどうする!?

### ?! ドラッグしたら変なところに移動しちゃった!?

ホームタブ→元に戻すをクリックすると，直前の操作について取り消しができる(移動に限らない)。▾ で表示される操作履歴を利用するとさらに前の操作(最新保存時の状態まで)も取り消すことができる。

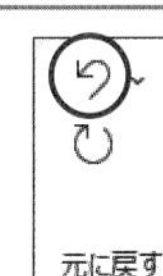


### ?! 貼り付けしたときに表示されるボタンは何!?

貼り付けのオプションとよばれるもので，これをクリックすると貼り付け先の書式を選択できる。

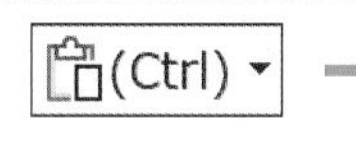


→

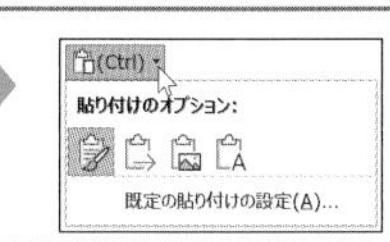


### ?! 文字列を選択したときに表示されるのは何!?

ミニツールバーとよばれるもので，ホームタブにある書式に関するボタンのうち，よく利用されるものが集められている。範囲を選択してそのまますぐに利用できるので便利である。

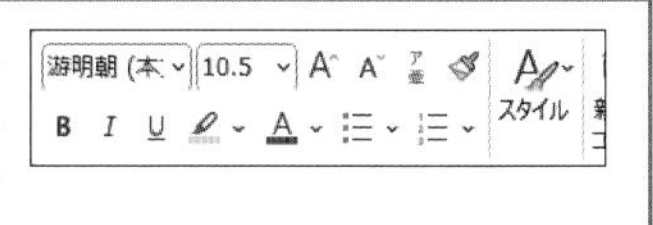


### ?! マウスの右ボタンをクリックしたら何か表示されてきたのだけど!?

ショートカットメニューとよばれるもので，マウスがポイントしている部分に対して実行できるコマンドの一覧である。ミニツールバー同様，選択した範囲の近くで選択できるので効率がよい。

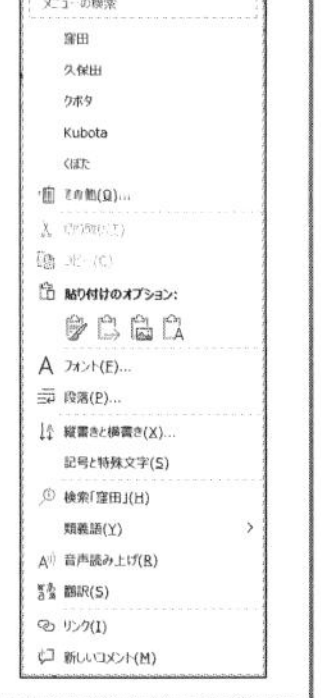

## 例題 6 入力に便利な機能を利用してみよう （ファイル名：送付状）

1. クリック＆タイプ
2. 入力オートフォーマット
3. 編集記号の表示／非表示
4. 字下げ（ Tab の利用）

20○○年7月30日
宝来市民会館館長　殿
宝来高等学校
校長　中西　進

書類送付のご案内

拝啓　盛夏の候、ますますご清栄のこととお慶び申し上げます。平素より本校の教育活動につきましてご理解とご協力を賜り厚くお礼申し上げます。
　さて、下記の書類を送付いたしますので、ご査収のほどよろしくお願い申し上げます
敬具

記
1．公演企画書　1部
2．利用許可申請書　1部
3．宝来市民会館申込者活動内容調査票　1部
以上

## 操作のポイント

### 1 クリック＆タイプ

文字は通常，行の左端から入力することが原則であるが，空白領域でマウスポインターが次のような形状のときにダブルクリックすると，入力位置と行揃えが指定できる。

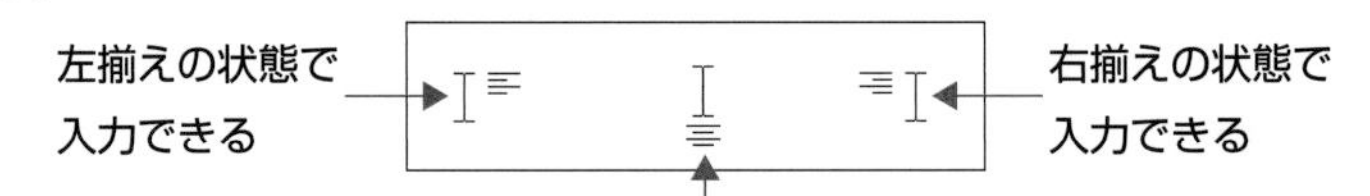


①1行目に ≡I を利用して「20○○年7月30日」を入力する。
②2行目に I≡ を利用して「宝来市民会館館長殿」を入力する。
③3・4行目に ≡I を利用して「宝来高等学校」「校長中西進」を入力する。
④5行目に I≡ を利用してカーソルを移動する。
⑤6行目に I を利用して「書類送付のご案内」を入力し， Enter で改行する。

### 2 入力オートフォーマット

8行目に I≡ を利用して「拝啓」（頭語）を入力して確定し， Space （ Enter でもよい）を押すと，「敬具」（結語）が右揃えで自動的に入力される。

拝啓

敬具

完成例を参照して本文の文章を入力する。
次に13行目に「記」を入力して確定し， Enter で改行すると，自動的に「以上」が右揃えで入力される。同時に「記」は中央揃えに設定される。

### 3 編集記号の表示／非表示

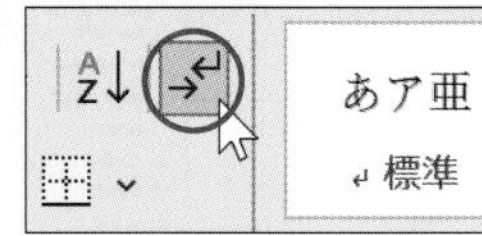


ホームタブ→編集記号の表示/非表示をクリックし，オンの状態（ ）にする。
これにより Space で入力した部分は□， Tab で入力した部分は→で画面に表示することができる。
※段落記号（ ↵ ）は常時表示される（既定の場合）。

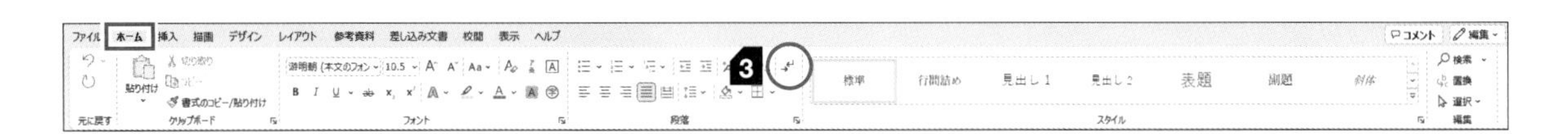

| | |
|---|---|
| **4 箇条書き(段落番号)**<br><br>連続番号の入力が不要になったときは、そのまま改行することで終了できる。 | 「1．公演企画書　1部」と入力して改行すると次の番号が自動的に入力される。続けて「利用許可申請書　1部」と入力して改行し，さらに「宝来市民会館申込者活動内容調査票　1部」と入力する。<br><br>1．公演企画書□1部↵<br>2．↵<br>→<br>1．公演企画書□1部↵<br>2．利用許可申請書□1部↵<br>3．宝来市民会館申込者活動内容調査票□1部↵ |
| **5 インデント( Tab の利用)**<br><br>Tab は設定された一定の間隔の位置(既定は左揃えで4字)にカーソルを移動する。 | 14行目にカーソルを置いて， Tab を2回押す(4字下げる)。また，部数の位置を揃えるため，次のように， Tab と Space を押す。<br><br>1．公演企画書→　→　→　□□□1部↵<br>2．利用許可申請書　→　→　□□□1部↵<br>3．宝来市民会館申込者活動内容調査票□1部↵<br>以上↵<br><br>Tab の代わりに Space を押してもよい。 |

## こんなときどうする!?

| | |
|---|---|
| **?! 日付を入力しようとしたら，何か表示されてきた!?** | 全角で「20」と入力して確定すると，文書作成当日の日付がポップヒントで表示される。<br><br>2000年1月23日（Enter を押すと挿入します）<br>20↵<br><br>当日の日付でよければ Enter で年月日を入力できる。<br>別の日付にしたい場合は，そのまま当該の年月日を入力する。 |
| **?! 自動的に箇条書きにならないようにしたい！** | ファイルタブ→オプション→文章校正で，オートコレクトのオプションをクリックする。入力オートフォーマットタブで「箇条書き(段落番号)」のチェックボックスをクリックして✔をはずし，OKをクリックする。<br> |
| **?! あいさつ文って苦手。簡単に入力する方法はないの？** | ①挿入タブ→あいさつ文→あいさつ文の挿入をクリックする。<br>②あいさつ文ダイアログボックスが表示される。月のあいさつ・安否のあいさつ・感謝のあいさつを選ぶことであいさつ文が入力できる。<br> |

# 体裁を整える

**SUBJECT**

ページ設定と文字列の体裁を整える
●ページ設定
●フォント ●文字飾り
●均等割り付け ●中央揃え・右揃え
●行間 ●インデント

ページ設定 ▶ 文字列の書式設定(文字単位・行単位)

## 例題 7 文章を入力し，ページ設定をしてみよう (ファイル名：合宿のご案内)

1 文字列の入力

2 ページ設定

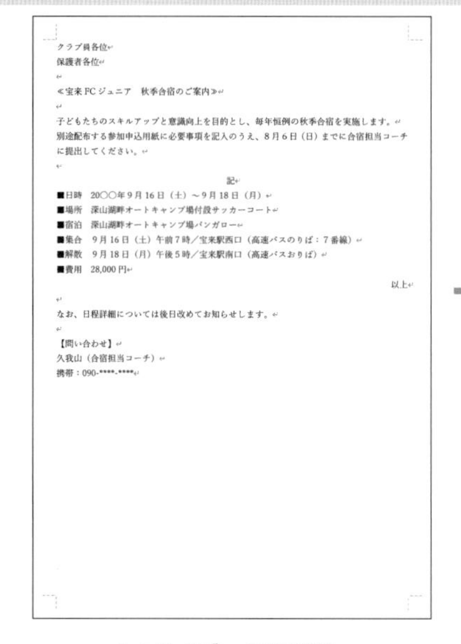

クラブ員各位
保護者各位

≪宝来 FC ジュニア　秋季合宿のご案内≫

子どもたちのスキルアップと意識向上を目的とし、毎年恒例の秋季合宿を実施します。
別途配布する参加申込用紙に必要事項を記入のうえ、8月6日（日）までに合宿担当コーチに提出してください。

記

■日時　20○○年9月16日（土）～9月18日（月）
■場所　深山湖畔オートキャンプ場付設サッカーコート
■宿泊　深山湖畔オートキャンプ場バンガロー
■集合　9月16日（土）午前7時／宝来駅西口（高速バスのりば：7番線）
■解散　9月18日（月）午後5時／宝来駅南口（高速バスおりば）
■費用　28,000円

以上

なお、日程詳細については後日改めてお知らせします。

【問い合わせ】
久我山（合宿担当コーチ）
携帯：090-****-****

A4サイズ・余白標準・
文字数と行数標準

→

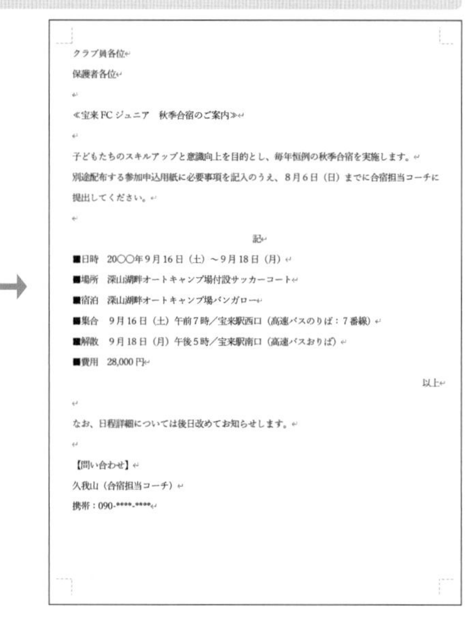

クラブ員各位
保護者各位

≪宝来 FC ジュニア　秋季合宿のご案内≫

子どもたちのスキルアップと意識向上を目的とし、毎年恒例の秋季合宿を実施します。
別途配布する参加申込用紙に必要事項を記入のうえ、8月6日（日）までに合宿担当コーチに提出してください。

記

■日時　20○○年9月16日（土）～9月18日（月）
■場所　深山湖畔オートキャンプ場付設サッカーコート
■宿泊　深山湖畔オートキャンプ場バンガロー
■集合　9月16日（土）午前7時／宝来駅西口（高速バスのりば：7番線）
■解散　9月18日（月）午後5時／宝来駅南口（高速バスおりば）
■費用　28,000円

以上

なお、日程詳細については後日改めてお知らせします。

【問い合わせ】
久我山（合宿担当コーチ）
携帯：090-****-****

B5サイズ・余白やや狭い・
1行41字・1ページ26行

## 操作のポイント

### 1 文字列の入力

文字に設定した書式は改行でそのまま次行に引き継がれていくので，入力中は文字飾りなどの書式設定をせず，左揃えですべて入力してしまうとよい。

次のように文字列を入力する(左詰めでかまわない)。

クラブ員各位
保護者各位

≪宝来 FC ジュニア　秋季合宿のご案内≫

子どもたちのスキルアップと意識向上を目的とし、毎年恒例の秋季合宿を実施します。
別途配布する参加申込用紙に必要事項を記入のうえ、8月6日（日）までに合宿担当コーチに提出してください。

記

■日時　20○○年9月16日（土）～9月18日（月）
■場所　深山湖畔オートキャンプ場付設サッカーコート
■宿泊　深山湖畔オートキャンプ場バンガロー
■集合　9月16日（土）午前7時／宝来駅西口（高速バスのりば：7番線）
■解散　9月18日（月）午後5時／宝来駅南口（高速バスおりば）
■費用　28,000円

以上

なお、日程詳細については後日改めてお知らせします。

【問い合わせ】
久我山（合宿担当コーチ）
携帯：090-****-****

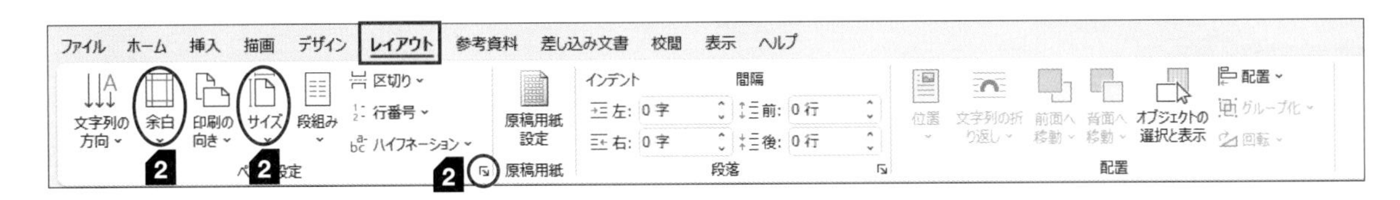

## 2 ページ設定

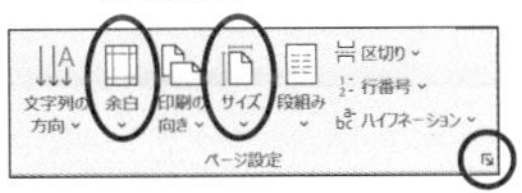

サイズや余白をページ設定ダイアログボックスの余白タブ，用紙タブを利用し，すべて一括で設定してもよい。

①レイアウトタブに切り替える。

②サイズから「B5(JIS)」をクリックする。

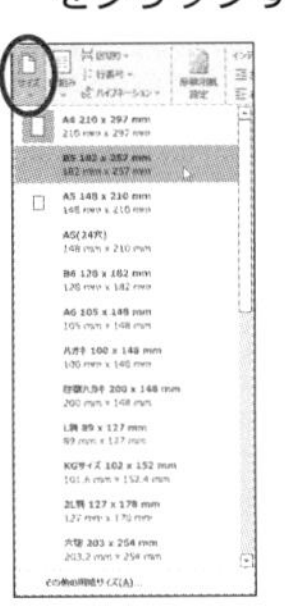

③余白から「やや狭い」をクリックする。

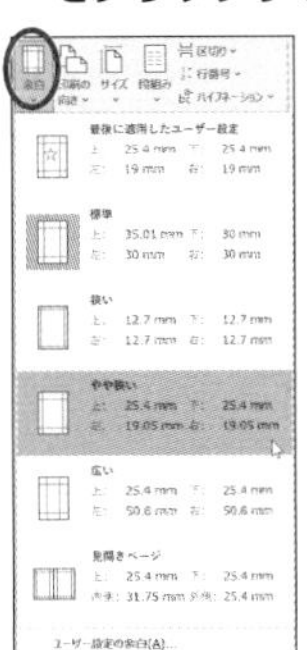

④ページ設定ダイアログボックスを表示する。

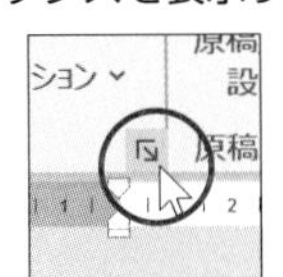

⑤ページ設定ダイアログボックスで右のように設定し，OKをクリックする。

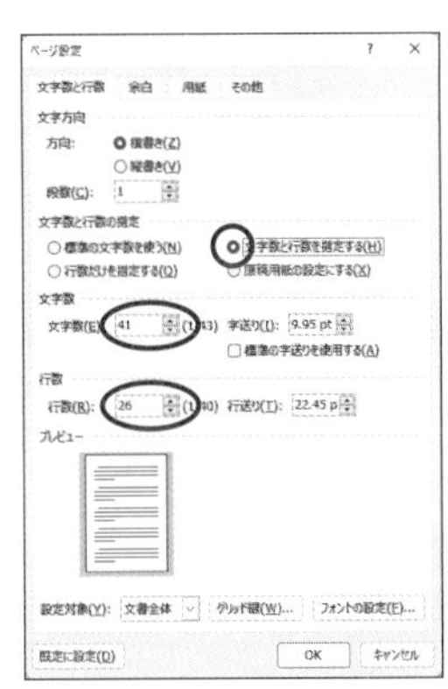

・「文字数と行数を指定する」にチェックを入れる
・文字数：41
・行数：26

## こんなときどうする!?

**?! 自分で新規に作成するとき，文字数や行数ってどれくらいにしたらいいか，よくわからないけど!?**

ページ設定を行うタイミングとしては，文書作成作業の最初がのぞましい。
文書中に図形や画像，表を挿入する場合，それらの位置やサイズを整えた後で用紙サイズや余白を変更すると，せっかく整えたレイアウトが崩れてしまう場合があるからである。
全体のレイアウトに関係する用紙サイズや余白の設定は作業の最初に行う。最低限，用紙サイズを決めてから作業に取り掛かろう。文字数，行数などは作成していきながら様子を見て，その都度設定してもよい。

**?! ページ全体の出来上がりの様子を見てみたいのだけど!?**

印刷プレビューで確認できる。
ファイルタブに切り替えて印刷をクリックすると，画面右に印刷プレビューが表示される。左側の「設定」部分を利用して印刷プレビューを見ながらページ設定ができる。
編集作業をしながらページ全体を確認するときは，表示タブのズームグループから1ページを選ぶ。

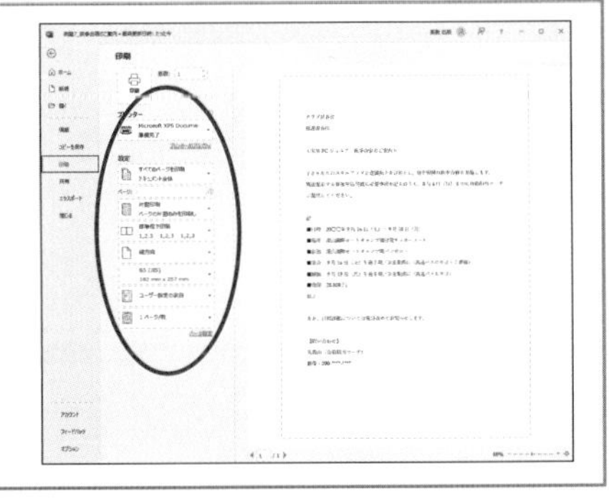

## 例題 8 文章に書式を設定してみよう　（ファイル名：合宿のご案内２）

1. フォント
2. フォントサイズ
3. 下線
4. フォントの色
5. 太字
6. 傍点
7. 蛍光ペン
8. 均等割り付け
9. 中央揃え・右揃え
10. 行間
11. インデント

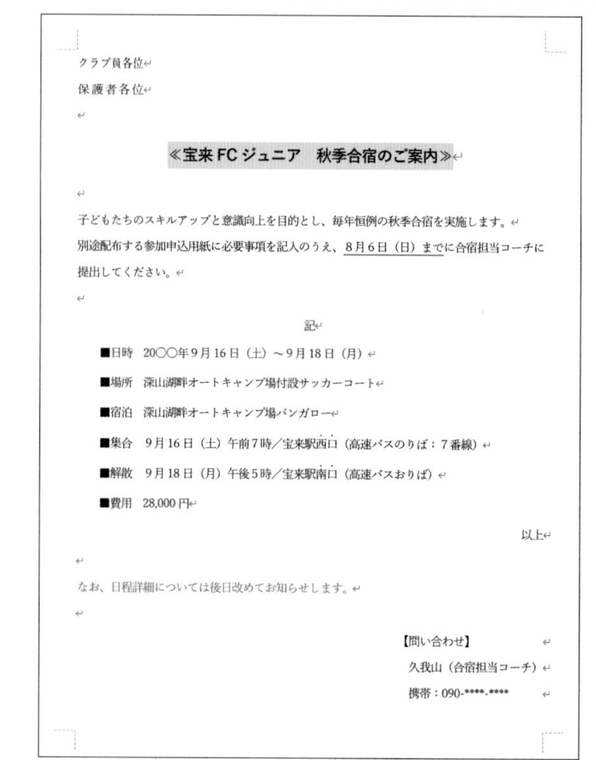

クラブ員各位

保護者各位

≪宝来 FC ジュニア　秋季合宿のご案内≫

子どもたちのスキルアップと意識向上を目的とし、毎年恒例の秋季合宿を実施します。

別途配布する参加申込用紙に必要事項を記入のうえ、8月6日（日）までに合宿担当コーチに提出してください。

記

■日時　20○○年9月16日（土）～9月18日（月）

■場所　深山湖畔オートキャンプ場付設サッカーコート

■宿泊　深山湖畔オートキャンプ場バンガロー

■集合　9月16日（土）午前7時／宝来駅西口（高速バスのりば：7番線）

■解散　9月18日（月）午後5時／宝来駅南口（高速バスおりば）

■費用　28,000円

以上

なお、日程詳細については後日改めてお知らせします。

【問い合わせ】

久我山（合宿担当コーチ）

携帯：090-****-****

（ページ設定／
Ｂ５サイズ・縦
余白やや狭い
１行41字
１ページ26行）

## 操作のポイント

### 1 フォント

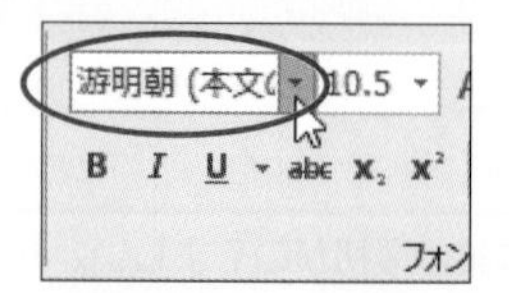


F4 は直前の操作を繰り返す。

①例題7で作成したB5サイズの「合宿のご案内」を開く。

②４行目を選択する。

≪宝来 FC ジュニア　秋季合宿のご案内≫

③ホームタブのフォントから「游ゴシック」を選択する。

④同様に21行目を選択し，F4 を押す。

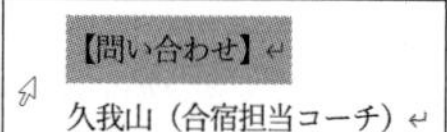

【問い合わせ】

久我山（合宿担当コーチ）

### 2 フォントサイズ

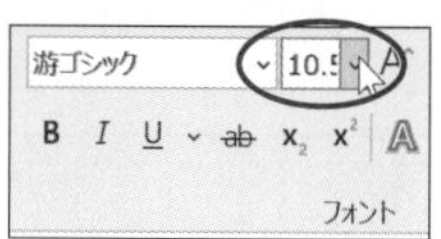


単位はポイント(pt)

①４行目を選択する。

≪宝来 FC ジュニア　秋季合宿のご案内≫

②フォントサイズから「14」を選択する。

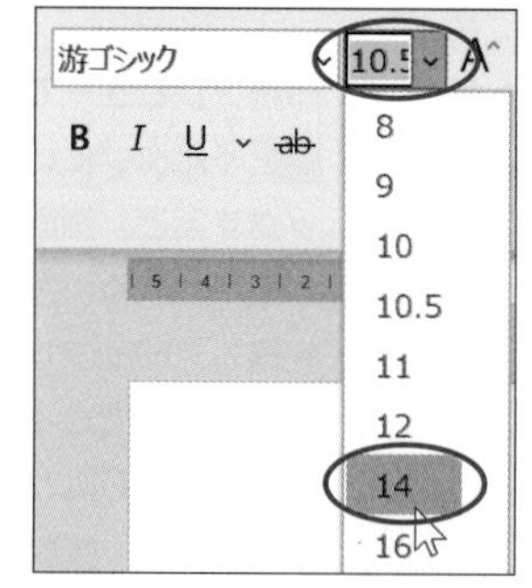

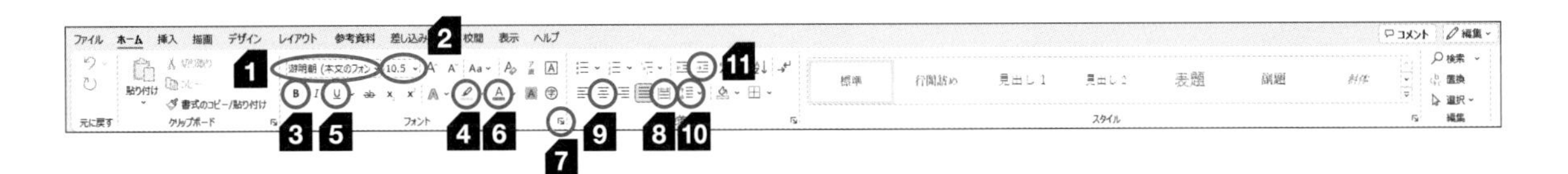

## 3 太字

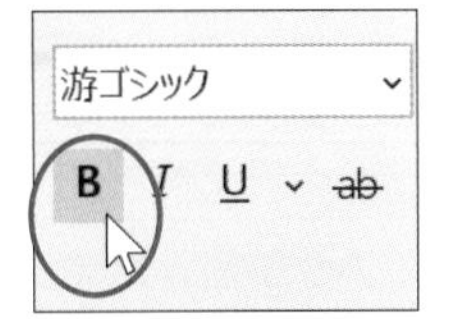

Ctrl を利用すると複数の範囲選択ができる。

①4行目を選択する。

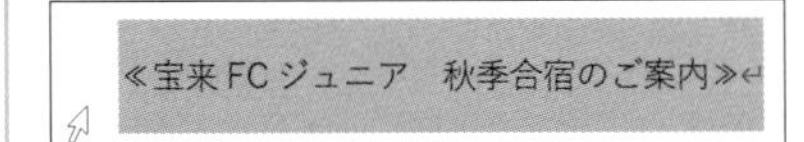


②太字をクリックする。

## 4 蛍光ペン

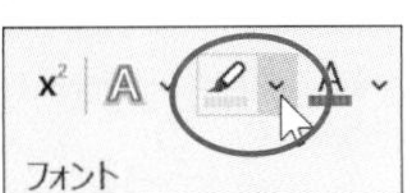


①4行目を選択する。

②蛍光ペンの色で「黄」を選択する。

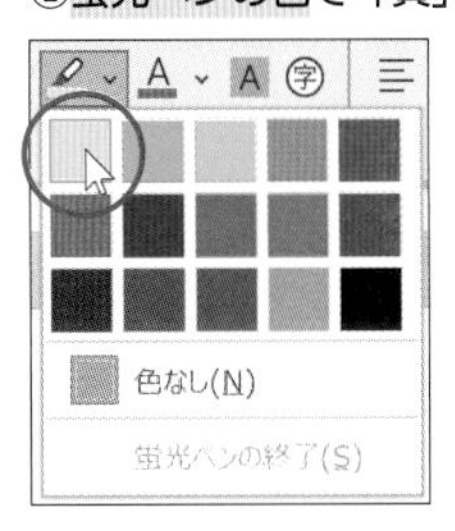


## 5 下線

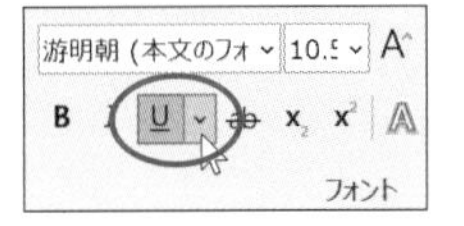


①7行目の「8月6日(日)まで」の部分を選択する。

②下線から「太線の下線」を選択する。

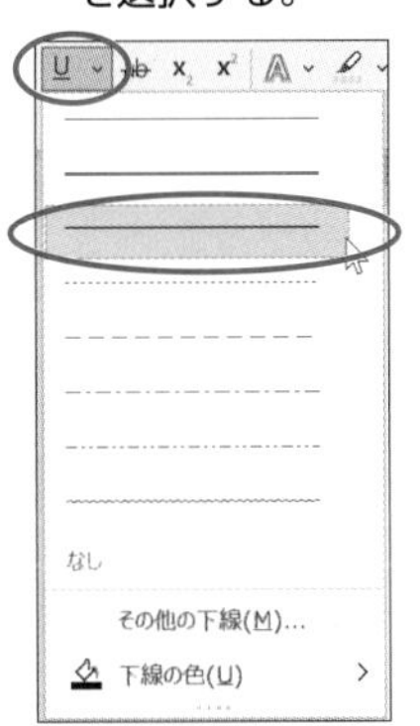


③下線の色から「赤」を選択する。

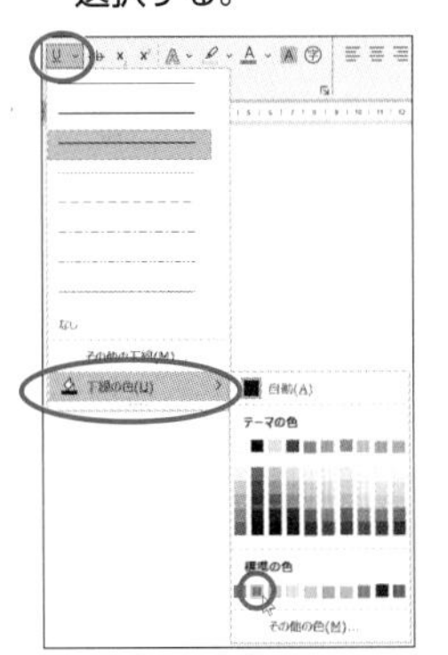

## 6 フォントの色

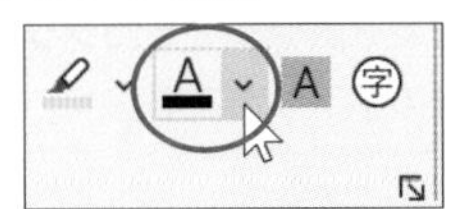

①19行目を選択する。

②フォントの色で「赤」を選択する。

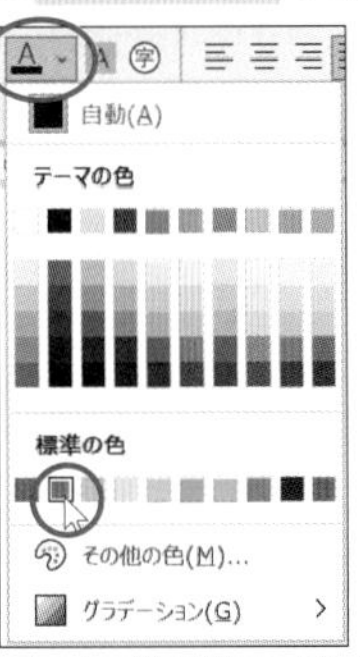

## 7 傍点(ぼうてん)

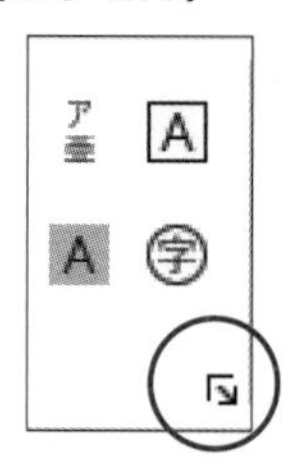

①14行目の「西口」を選択する。

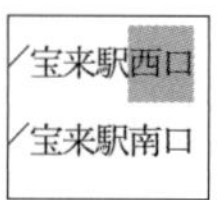


② Ctrl を押しながら15行目の「南口」を選択する。

③フォントのフォントからフォントダイアログボックスを表示し，「傍点」の「･」を選択し，OKをクリックする。

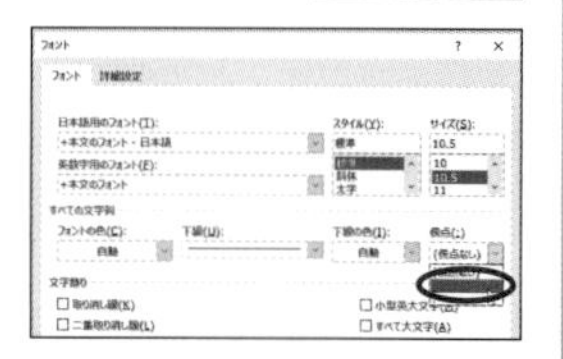

## 8 均等割り付け

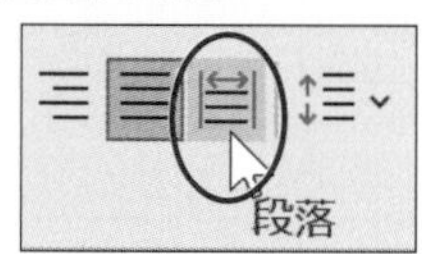


①1行目の「クラブ員各位」を，文字列単位で選択する。

② Ctrl を押しながら2行目の「保護者各位」を文字列単位で選択する。

③均等割り付けをクリックする。

④「新しい文字列の幅」を「6字」にしてOKをクリックする。

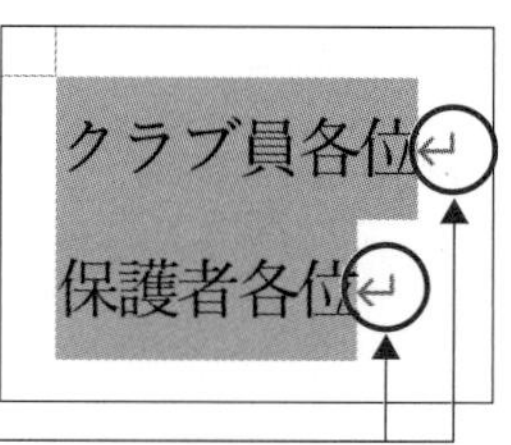


※「↵」が入らないように気をつける。

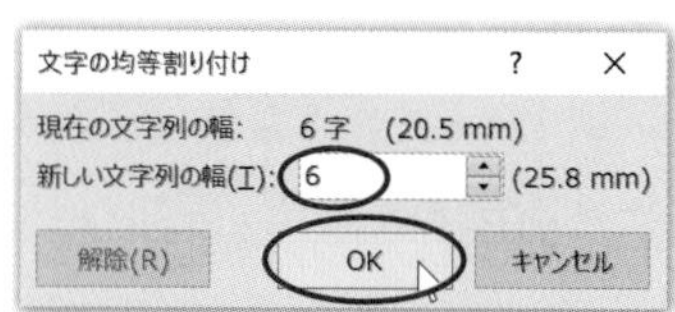


## 9 中央揃え・右揃え

①4行目にカーソルを置いて，中央揃えをクリックする。

※1行だけなのでカーソルを置くだけでよい。

②21〜23行目を選択し，右揃えをクリックする。

③21行目，23行目に Space を押して空白を入れる。

【問い合わせ】□□□□□□↵
久我山（合宿担当コーチ）↵
携帯：090-****-****□□□↵

## 10 行間

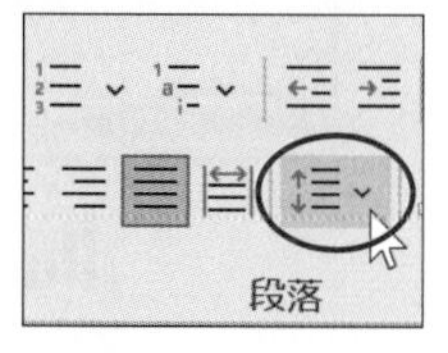


①11〜17行目(■日時〜以上)を行単位で選択する。

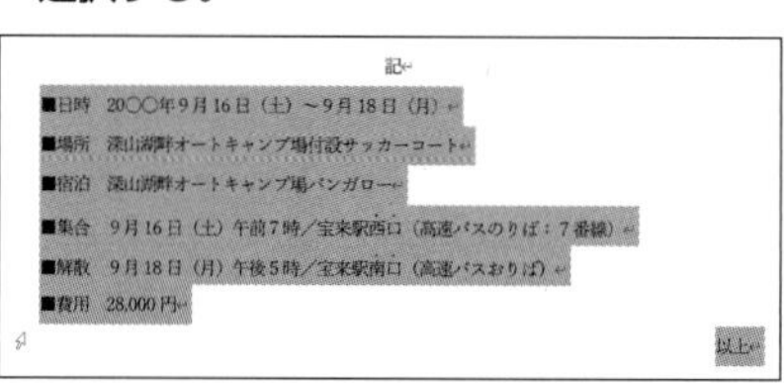


②行と段落の間隔で「1.15」を選択する。

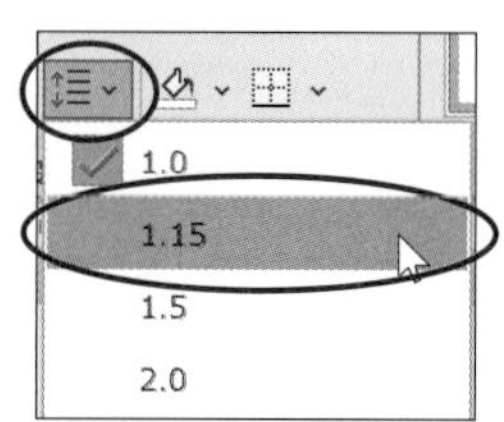


## 11 インデント

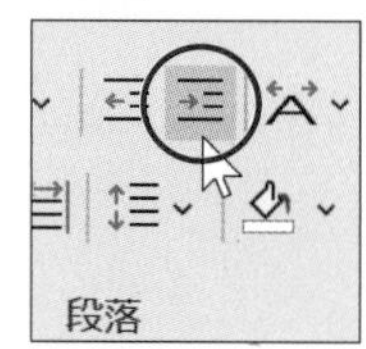


①11〜16行目(日時〜費用)を行単位で選択する。

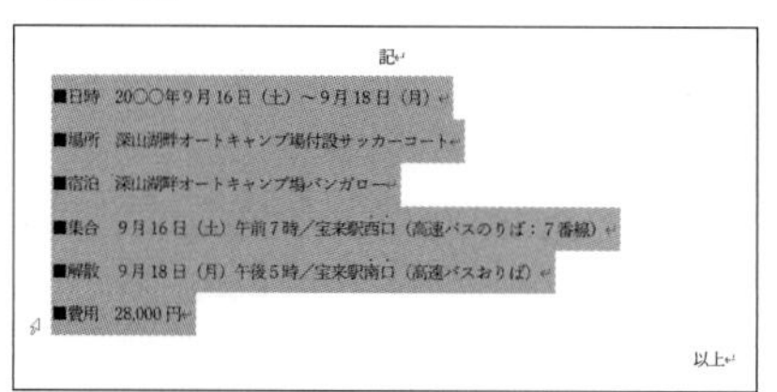


②インデントを増やすを2回クリックして2字分の字下げをする。

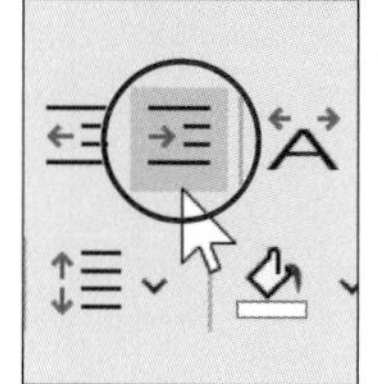

## こんなときどうする!?

### ?! フォントやフォントサイズを元に戻すには？

元に戻したい部分を範囲選択し，元のフォントやサイズをリストから選び直す。

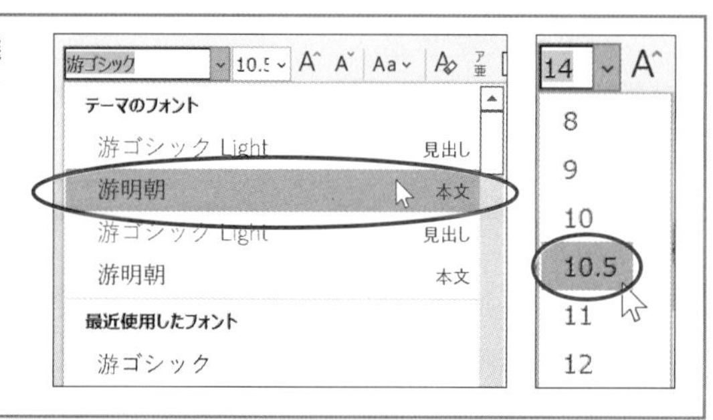


### ?! 下線や太字を元に戻すには？

太字や囲み線などは，B や A（オンの状態）をクリックすると B や A（オフの状態）になり，設定は解除される。
また複数の書式を一括して元に戻す（標準にする）には，ホーム→すべての書式をクリア をクリックする。

≪宝来 FC ジュニア　秋季合宿のご案内≫ → ≪宝来 FC ジュニア　秋季合宿のご案内≫

### ?! 蛍光ペンを元に戻すには？

蛍光ペンの色 で「色なし」を選択する。

色なし(N)

### ?! 太字にして改行し次の文字を入力したら，そこも太字になってしまうのだけど？

①書式を設定してある文字のところで改行すると，そのまま書式が次行にひきつがれてしまうが，これは，書式の設定が段落記号にも適用されてしまうためで，そこに文字を挿入していくことになるからである。
②これを解消するには，段落記号に適用されてしまった書式が解除できればよい。
③改行して新しい段落（行）の１列目にカーソルがある状態で Ctrl を押しながら Space を押す。
④その後は書式が適用されなくなる（標準に戻る）。

上の行：游ゴシック，14pt の設定

≪宝来 FC ジュニア　秋季合宿のご案内≫
子どもたちのスキルアップと意識向上を目的とし，

下の行：游ゴシック，14pt の設定がひきつがれる

≪宝来 FC ジュニア　秋季合宿のご案内≫

≪宝来 FC ジュニア　秋季合宿のご案内≫
子どもたちのスキルアップと意識向上を目的とし，毎年恒例の秋季

### ?! 均等割り付け部分に水色の下線があるのだけれど？

均等割り付けを設定した範囲内にカーソルをおいた場合に表示される。均等割り付け済みであることを示す表示記号で，カーソルがその範囲になければ表示されない。この下線は書式ではないので印刷されない。

### ?! 均等割り付けを解除するには？

均等割り付けをクリックして表示される文字の均等割り付けダイアログボックスで，解除をクリックする。
「新しい文字列の幅」を修正すると割り付け幅を修正できる。

**?! 均等割り付けをしたら行幅全体に割り付けられてしまったのだけど？**

範囲選択時に「↵（段落記号）」まで含めてしまうと，行幅全体に対しての均等割り付けとなってしまう。

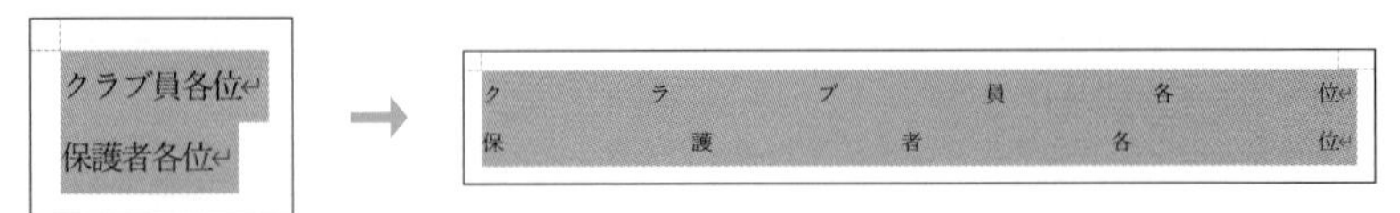


例題のように一定の文字列幅に均等割り付けする場合は，範囲選択時に段落記号を含まないように気を付ける。

**?! ページ全体を確認したり，大きくズームアップしたりするには？**

次のような方法がある。
①表示タブのズームグループを利用する。
②表示倍率ボタン
③拡大ボタン，縮小ボタン
④ズームスライダー

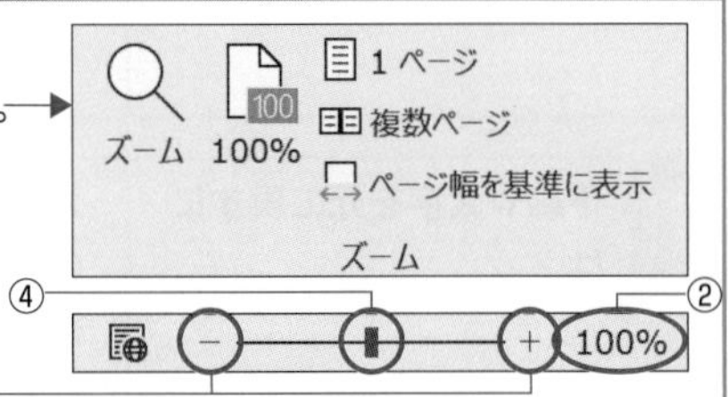


**?! いま何行目にカーソルがあるのかを簡単に確認できないの？**

カーソルが何行目の位置にあるかは，ステータスバーに表示することができる。
ステータスバーを右クリックして表示されるリストから「行番号」を選ぶ(✔の状態で表示状態になる)。
行番号以外にも表示する項目を自由に選ぶことができる。

**?! テーマの色ってあるけれどこれは何？ この色の組み合わせは変えられないの？**

配色は背景・テキスト(文字のこと)・アクセントカラーのバランスを考慮した8色で構成される。

効果は，画像や図形などに使われる影，光彩，反射などの視覚効果のこと。

「テーマ」とは，文書全体の配色・フォント・効果などの書式を組み合わせ名前を付けて登録したもので，標準では「Office」という名前のテーマに設定されている。すでに組み込まれているテーマの中から選ぶだけで，文書全体の書式を変更でき，見た目の統一感を出すことができる。また，3要素を個別に設定することもできる。例えば配色だけを変更することもできる。

●テーマの切り替え
デザインタブ→テーマから選択する。

●配色の変更
デザインタブ→配色で変更する。

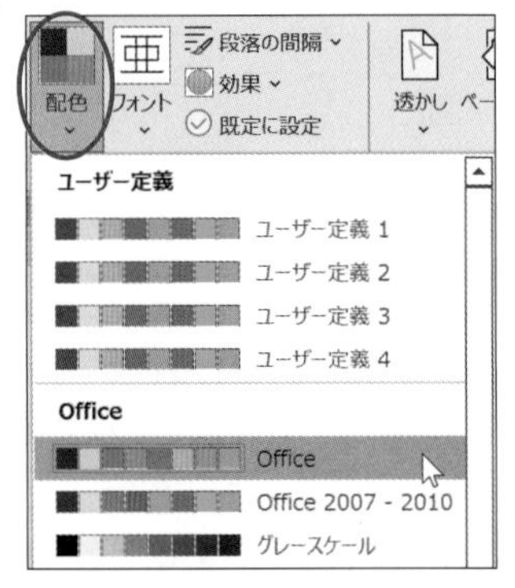

## やってみよう

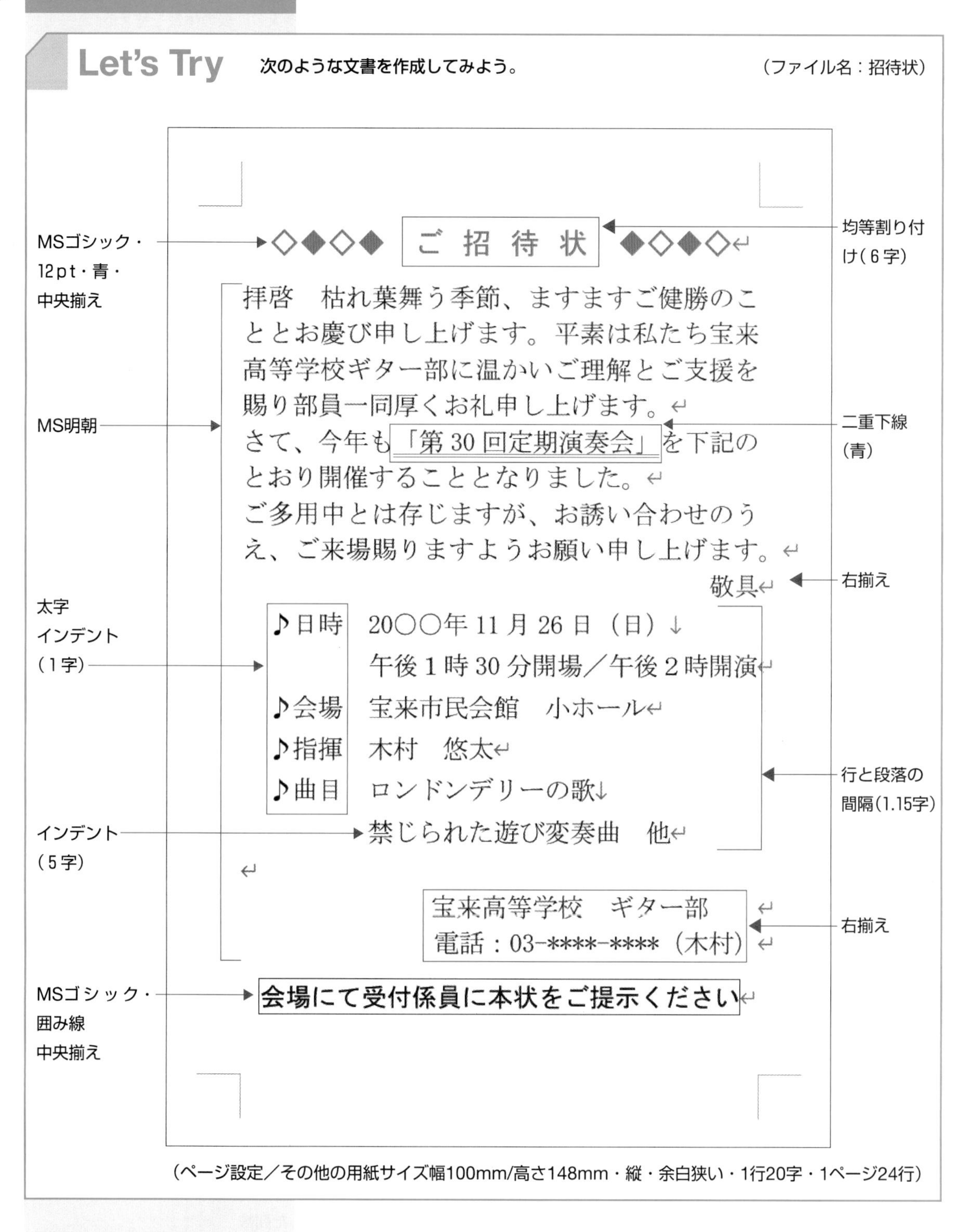
Let's Try 次のような文書を作成してみよう。
（ファイル名：招待状）
MSゴシック・12pt・青・中央揃え
◇◆◇◆ ご招待状 ◆◇◆◇
均等割り付け（6字）
拝啓　枯れ葉舞う季節、ますますご健勝のこととお慶び申し上げます。平素は私たち宝来高等学校ギター部に温かいご理解とご支援を賜り部員一同厚くお礼申し上げます。
MS明朝
さて、今年も「第30回定期演奏会」を下記のとおり開催することとなりました。
二重下線（青）
ご多用中とは存じますが、お誘い合わせのうえ、ご来場賜りますようお願い申し上げます。
敬具
右揃え
太字 インデント（1字）
♪日時　20○○年11月26日（日）
午後1時30分開場／午後2時開演
♪会場　宝来市民会館　小ホール
♪指揮　木村　悠太
♪曲目　ロンドンデリーの歌
禁じられた遊び変奏曲　他
行と段落の間隔（1.15字）
インデント（5字）
宝来高等学校　ギター部
電話：03-****-****（木村）
右揃え
MSゴシック・囲み線 中央揃え
会場にて受付係員に本状をご提示ください
（ページ設定／その他の用紙サイズ幅100mm/高さ148mm・縦・余白狭い・1行20字・1ページ24行）

# 3 表を作成する

表の挿入 ▶ 表内文字の入力 ▶ 表の体裁を整える

**SUBJECT**

文書内に表を挿入し，表の体裁を整える
●表の挿入 ●セルの結合 ●罫線の線種変更
●表内文字列の入力 ●列幅・行高の調整
●表内文字列の配置 ●セルの塗りつぶし

## 例題 9 表を作成してみよう （ファイル名：参加申込用紙）

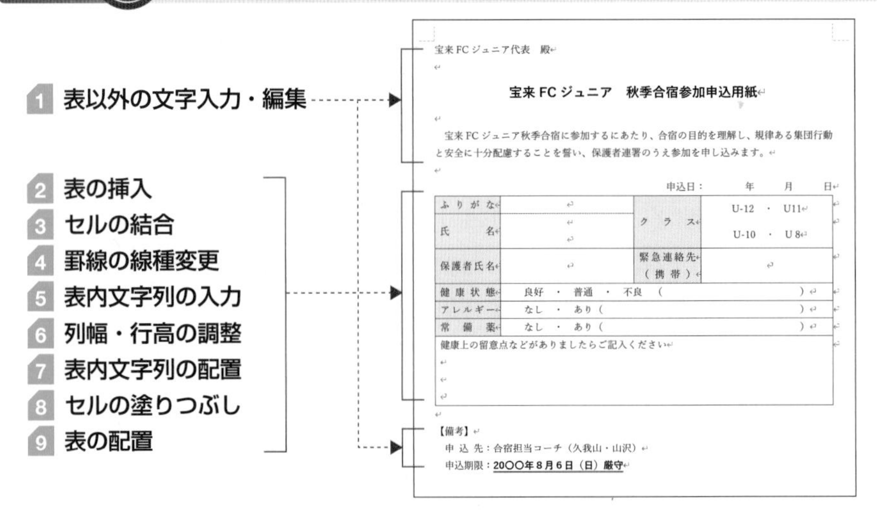


宝来 FC ジュニア代表　殿

**宝来 FC ジュニア　秋季合宿参加申込用紙**

宝来 FC ジュニア秋季合宿に参加するにあたり、合宿の目的を理解し、規律ある集団行動と安全に十分配慮することを誓い、保護者連署のうえ参加を申し込みます。

申込日：　　年　　月　　日

| ふりがな |  | クラス | U-12 ・ U11<br>U-10 ・ U8 |
|---|---|---|---|
| 氏名 |  |  |  |
| 保護者氏名 |  | 緊急連絡先（携帯） |  |
| 健康状態 | 良好 ・ 普通 ・ 不良 （　　　　） | | |
| アレルギー | なし ・ あり（　　　　） | | |
| 常備薬 | なし ・ あり（　　　　） | | |
| 健康上の留意点などがありましたらご記入ください | | | |

【備考】
申込先：合宿担当コーチ（久我山・山沢）
申込期限：**20〇〇年8月6日（日）厳守**

（ページ設定／A４サイズ・縦・余白標準・文字数と行数標準）

## 操作のポイント

### 1 表以外の文字の入力・編集

①表以外の文字を入力する。 ②書式を設定する。

宝来 FC ジュニア代表□殿

**宝来 FC ジュニア□秋季合宿参加申込用紙** ◀ 游ゴシック 14pt・太字

□宝来 FC ジュニア秋季合宿に参加するにあたり、合宿の目的を理解し、規律ある集団行動と安全に十分配慮することを誓い、保護者連署のうえ参加を申し込みます。

申込日：□□□□年□□□月□□□日

【備考】
申·込·先：合宿担当コーチ（久我山・山沢）
□申込期限：**20〇〇年8月6日（日）厳守** ◀ 游ゴシック 太字 二重下線

### 2 表の挿入

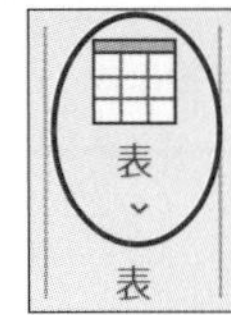


①9行1列の位置にカーソルをおく。

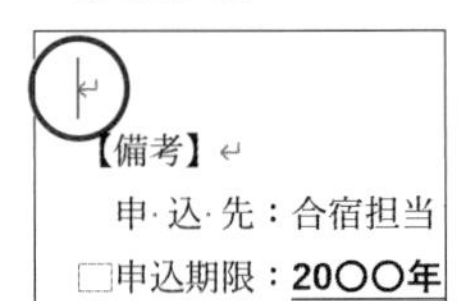


②挿入タブ→表をクリックし，マス目から7行×4列の位置をクリックする。

※行幅全体を指定した列数で均等に分割して表が挿入される。

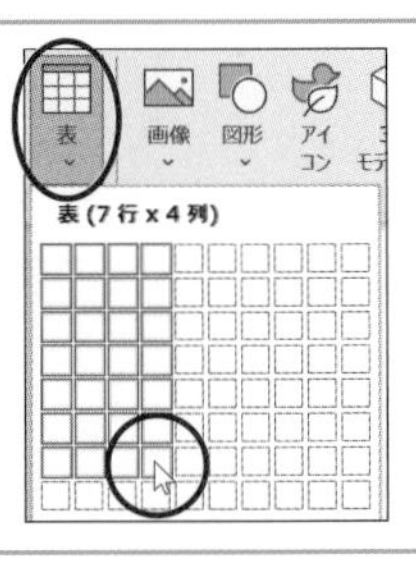

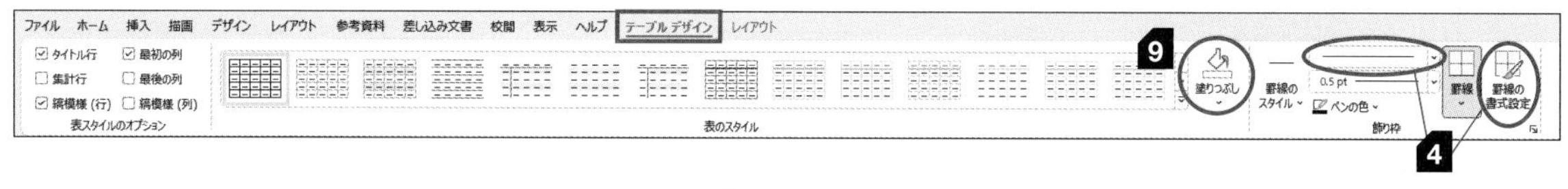


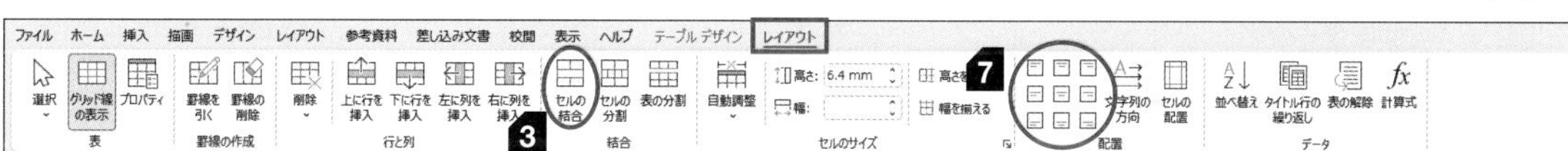


## 3 セルの結合

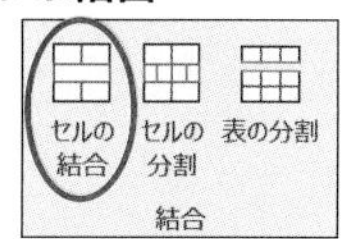


F4 で直前の操作を繰り返す。

①3列目1～2行目のセルを選択する。

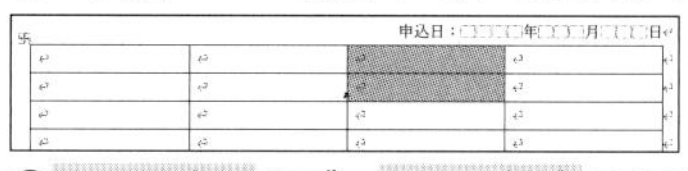

②レイアウトタブ→セルの結合をクリックする。

③4列目1～2行目のセルを選択して F4 を押す。

④4～6行目は行ごとに2～4列目のセルを選択して F4 を押す。

⑤7行目1～4列目のセルを選択して F4 を押す。

## 4 罫線の線種変更

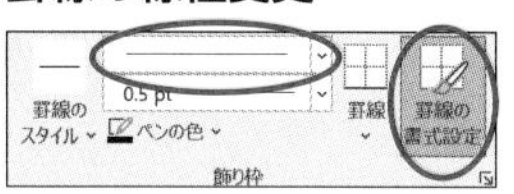


表内にカーソルを置くとテーブルデザインタブとレイアウトタブが表示される。

①テーブルデザインタブ→ペンのスタイルから点線を選ぶ。

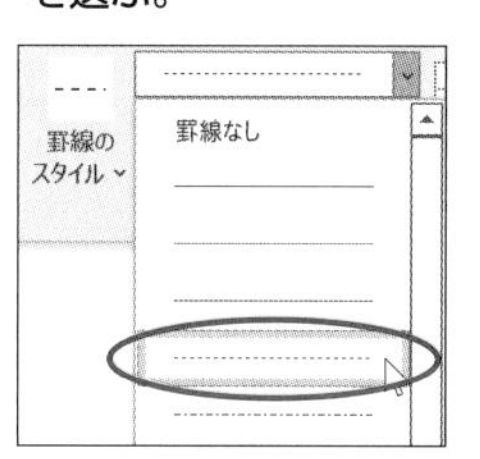


②罫線の書式設定がオンになっている(マウスポインターの形状が変わる)ことを確認し，変更したい罫線上をドラッグする。

罫線の書式設定

③罫線の書式設定をクリックしてオフにする。ESC を押してもよい。

## 5 表内文字列の入力

改行すると自動的に行の高さが増えるので，不要な改行で高くなったセルは BackSpace で戻す。

セルに文字列を入力する。

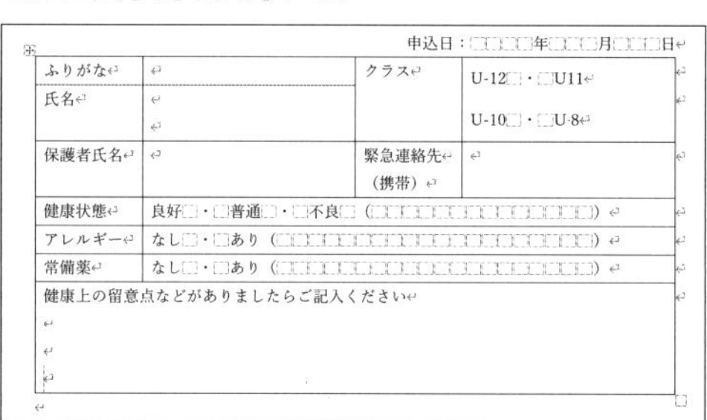

申込日：□□□年□□□月□□□日

| | | | |
|---|---|---|---|
| ふりがな | | クラス | U-12□・□U11 / U-10□・□U-8 |
| 氏名 | | | |
| 保護者氏名 | | 緊急連絡先（携帯） | |
| 健康状態 | 良好□・□普通□・□不良□（□□□□□□□□□□□□□□□） | | |
| アレルギー | なし□・□あり（□□□□□□□□□□□□□□□□□） | | |
| 常備薬 | なし□・□あり（□□□□□□□□□□□□□□□□□） | | |
| 健康上の留意点などがありましたらご記入ください | | | |

※表中のカーソルは矢印キーの他，Tab で右に移動できるが，表の最下行最右列で Tab を押すと下に新しく行が追加される。また表の各行最右列の外側で Enter を押しても行が追加されるので注意が必要である。

## 6 列幅・行高の調整

列の右の縦罫線をポイントし，マウスポインターが +||+ に変わってからダブルクリックすると，文字数に合わせて列幅を自動調整できる(表全体の幅も調整される)。

①列幅は縦罫線にマウスポインターを近づけ，形状が +||+ に変わったらドラッグする(表全体の幅は変わらない)。

行の高さは横罫線にマウスポインターを近づけ，形状が ÷ に変わったらドラッグする(今回は改行で調整)。

## 7 セルの内容の配置

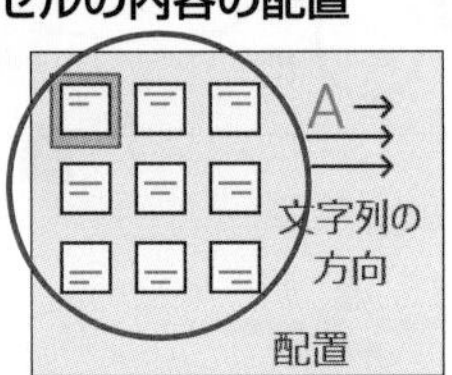


①行単位で1～6行目を選択する。

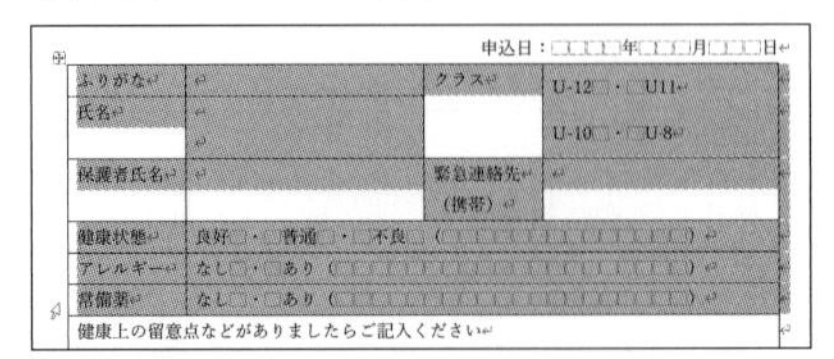
申込日：□□□□年□□□月□□□日
ふりがな クラス U-12□・□U11
氏名 U-10□・□U-8
保護者氏名 緊急連絡先（携帯）
健康状態 良好□・□普通□・□不良□（□□□□□□□□□□□□）
アレルギー なし□・□あり（□□□□□□□□□□□□□□□）
常備薬 なし□・□あり（□□□□□□□□□□□□□□□）
健康上の留意点などがありましたらご記入ください

②レイアウトタブ→中央揃えをクリックする。

## 8 セルの内容の均等割り付け

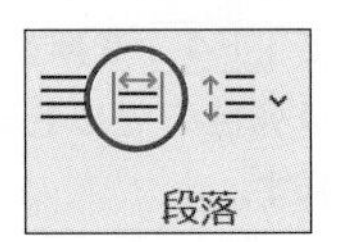


①1列目1～6行目を選択する。

② Ctrl を押しながら3列目1～3行目を選択する。

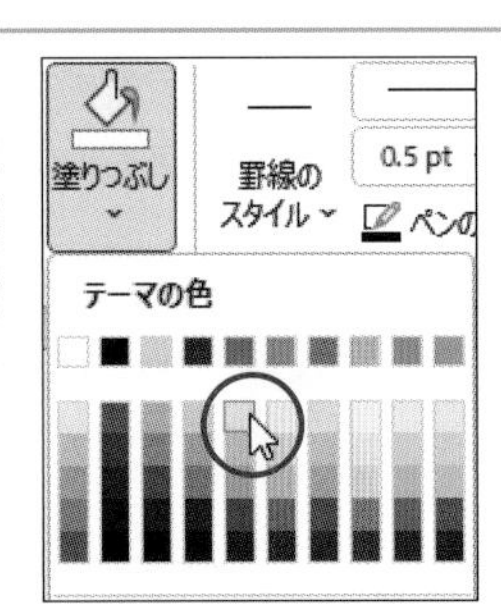
申込日：□□□□年□□□月□□□日
ふりがな U-12□・□U11
氏名 クラス U-10□・□U-8
保護者氏名 緊急連絡先（携帯）
健康状態 良好□・□普通□・□不良□（□□□□□□□□□□□□）
アレルギー なし□・□あり（□□□□□□□□□□□□□□□）
常備薬 なし□・□あり（□□□□□□□□□□□□□□□）
健康上の留意点などがありましたらご記入ください

③ホームタブ→均等割り付けをクリックする。

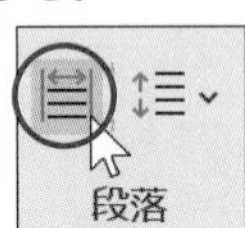


セルを選択したまま 9 へ。

## 9 セルの塗りつぶし

①1列目1～6行目と3列目1～3行目を選択したまま，テーブルデザインタブ→塗りつぶしで「青、アクセント1、白+基本色80%」を選択する。

※ホームタブ→塗りつぶしでもよい。

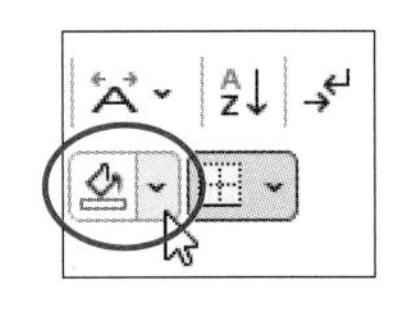

## こんなときどうする!?

### ?! セルや列などを選択するには？

ポイントする位置によってマウスポインターの形状が変わり，選択する対象が異なる。

### ?! 行や列が多い／足りないときは!?

行や列が多い場合は，その行や列を選択して削除する。足りない場合は，選択した行の上や下，列の右や左に，新しい行や列を挿入できる。また，表の左側や上側をポイントしたときに表示される ⊕ をクリックすると，その部分に行や列がそれぞれ挿入できる。

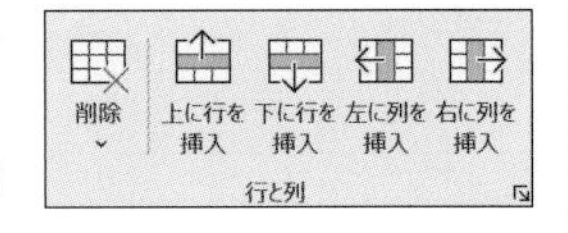


### ?! 文字を入力したら列の幅が足りなくて行が高くなってしまった!?

列の幅を調整すると行高の変更が解消される。

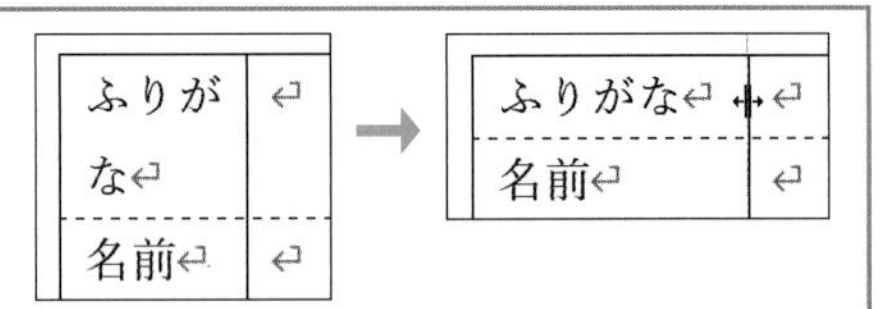

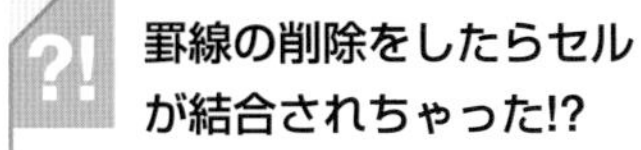

### ?! 罫線の削除をしたらセルが結合されちゃった!?

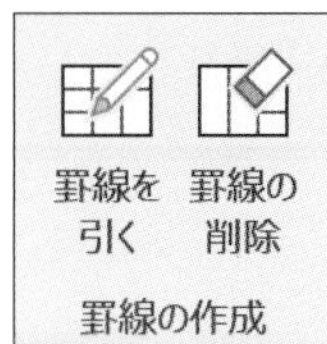


セルとセルの間の罫線を削除するとセルが結合される。

セルを結合せずに罫線のみ消したい場合は，テーブルデザインタブ→罫線なしを選択し，消したい部分をドラッグする。

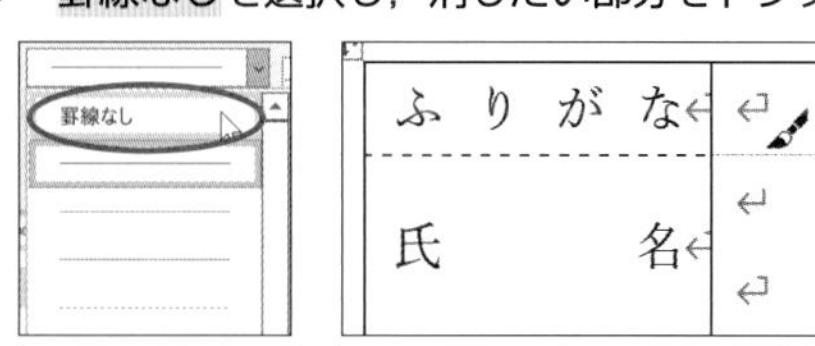


セルまたは表全体の罫線を消したい場合はセル，また表を選択し，テーブルデザイン→罫線から「枠なし」をクリックする。

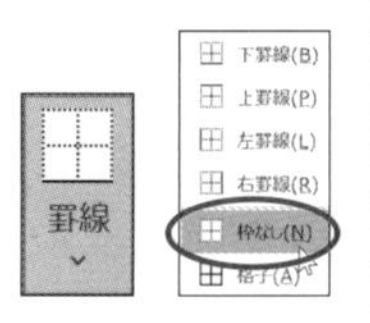


セルを分割する場合は，レイアウトタブ→セルの分割をクリックし，列数・行数を指定する。

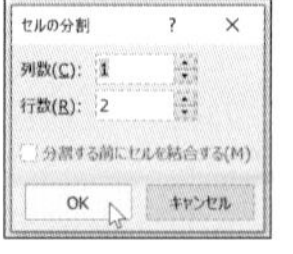


### ?! 複数の行を同じ高さに揃えるには!?

揃えたい行を全部選択して，レイアウトタブ→高さを揃えるをクリックすると，範囲の行を均等にすることができる。列の場合も同様に幅を揃えるを利用できる。

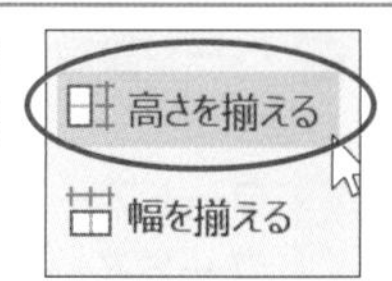


### ?! 横幅が短い小さな表をページの中央や右に移動させるには？

表全体を選択し，ホームタブ→中央揃えや右揃えをクリックすることで，表をページの中央や右に配置できる。

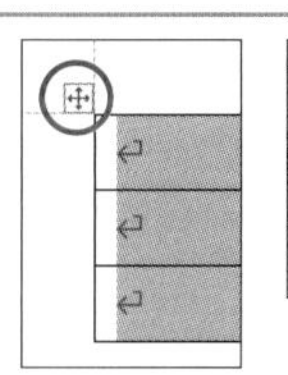

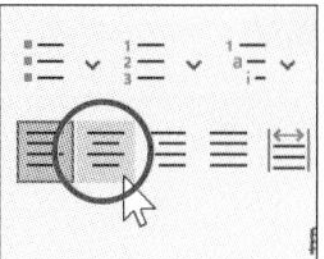

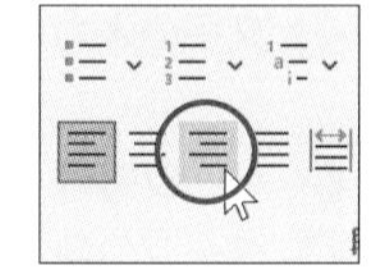

## やってみよう

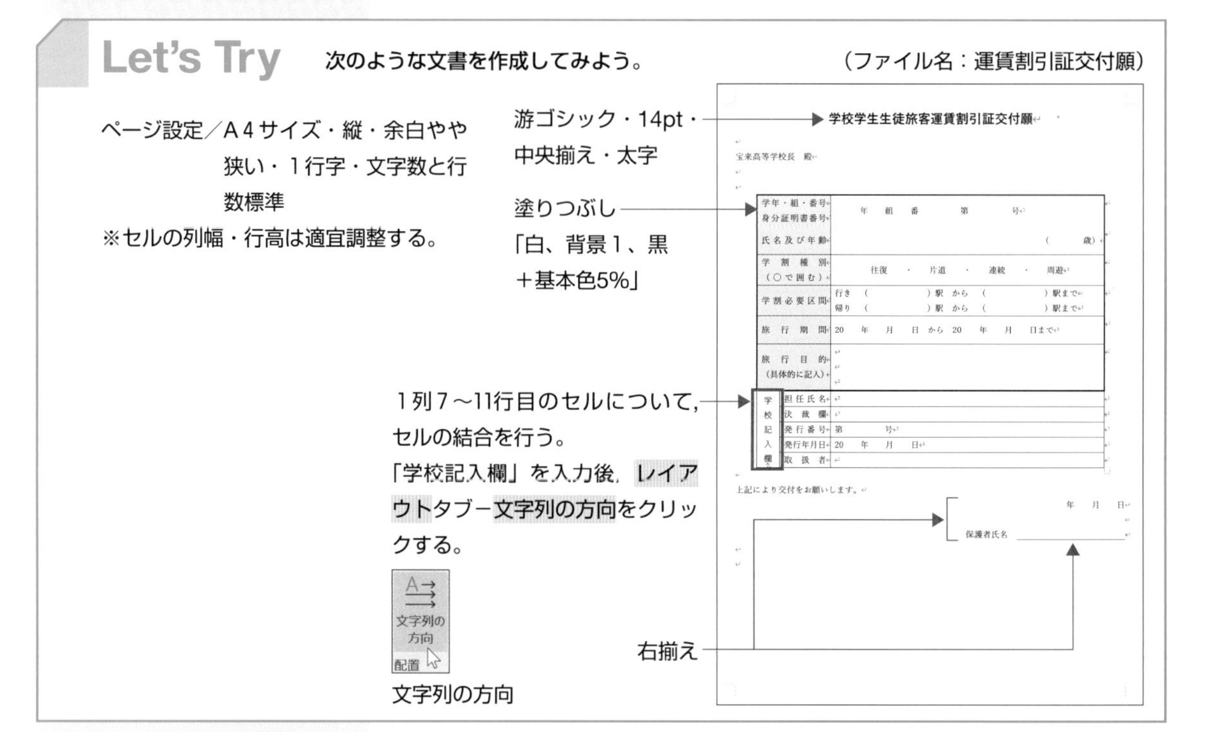

### Let's Try　次のような文書を作成してみよう。

（ファイル名：運賃割引証交付願）

ページ設定／A４サイズ・縦・余白やや狭い・１行字・文字数と行数標準

※セルの列幅・行高は適宜調整する。



**学校学生生徒旅客運賃割引証交付願**

宝来高等学校長　殿

| | |
|---|---|
| 学年・組・番号／身分証明書番号 | 年　組　番　第　号 |
| 氏名及び年齢 | （　歳） |
| 学割種別（○で囲む） | 往復　・　片道　・　連続　・　周遊 |
| 学割必要区間 | 行き（　）駅から（　）駅まで<br>帰り（　）駅から（　）駅まで |
| 旅行期間 | 20　年　月　日から 20　年　月　日まで |
| 旅行目的（具体的に記入） | |

| 学校記入欄 | | |
|---|---|---|
| | 担任氏名 | |
| | 決裁欄 | |
| | 発行番号 | 第　号 |
| | 発行年月日 | 20　年　月　日 |
| | 取扱者 | |

上記により交付をお願いします。

年　月　日

保護者氏名

# 4 ビジュアルな文書を作成する

ワードアートの挿入・編集 ▶ ページ罫線 ▶ 図形描画と編集 ▶ 画像の挿入と編集

**SUBJECT**

ビジュアルな文書を作成する
- ●ワードアートの挿入と編集
- ●ページ罫線
- ●図形描画と編集
- ●画像の挿入と編集

## 例題 10 ワードアートを挿入してみよう （ファイル名：定演校内掲示）

1 ページ設定

2 ワードアート①
3 ワードアート②

4 文字の入力と編集

5 ページ罫線
6 ページの色

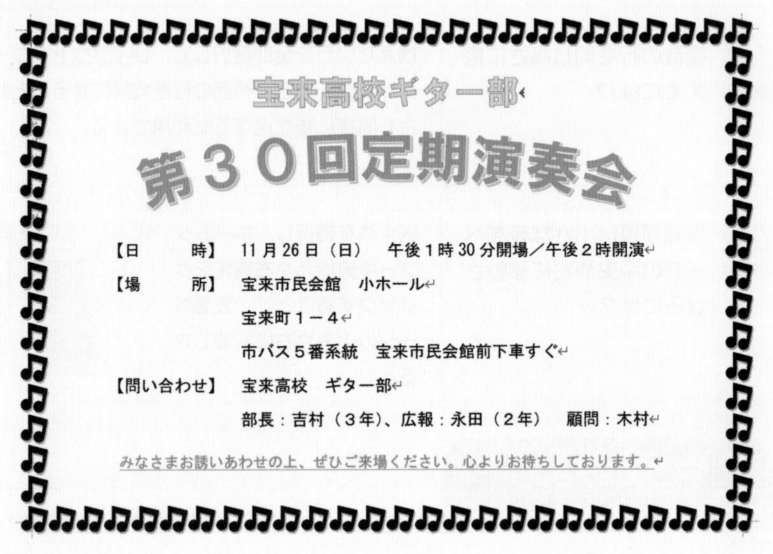

宝来高校ギター部

第３０回定期演奏会

【日　　時】　11 月 26 日（日）　午後 1 時 30 分開場／午後 2 時開演
【場　　所】　宝来市民会館　小ホール
　　　　　　　宝来町１－４
　　　　　　　市バス５番系統　宝来市民会館前下車すぐ
【問い合わせ】　宝来高校　ギター部
　　　　　　　部長：吉村（３年）、広報：永田（２年）　顧問：木村

みなさまお誘いあわせの上、ぜひご来場ください。心よりお待ちしております。

## 操作のポイント

### 1 ページ設定

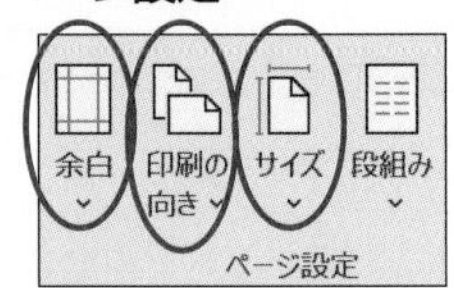


①レイアウトタブに切り替え，次のとおり設定する。
　サイズ：A４
　印刷の向き：横
　余白：狭い
② Enter で９行改行し，３行目にカーソルをおく。

### 2 ワードアート①

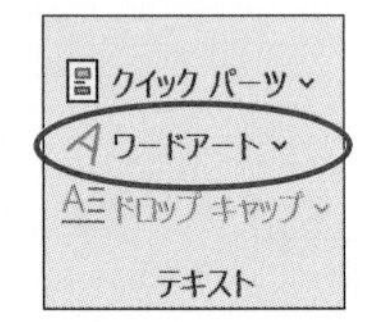


※更新プログラムの適用状況により，ワードアートや文字の効果の名称が異なることがある。

①挿入タブ→ワードアートの挿入から「塗りつぶし：オレンジ、アクセント カラー２；輪郭：オレンジ、アクセント カラー２」を選択する。

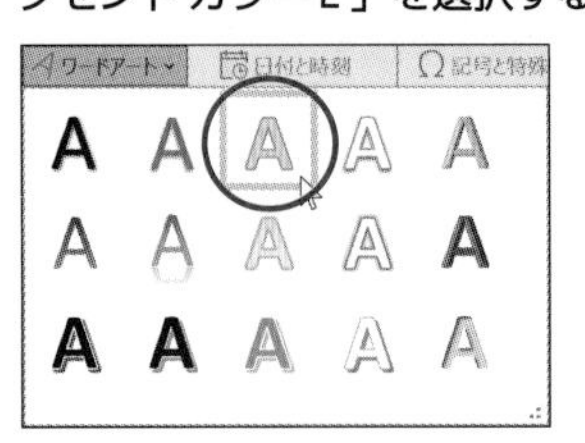


②「ここに文字を入力」を削除し，「宝来高校ギター部」と入力する。

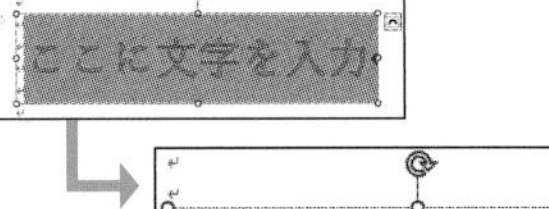


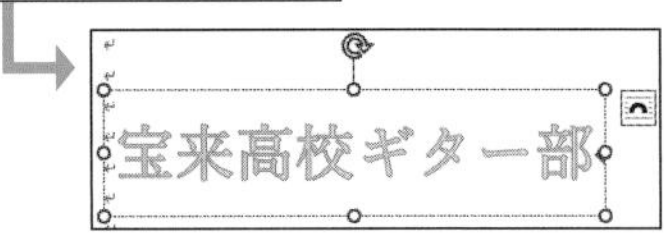

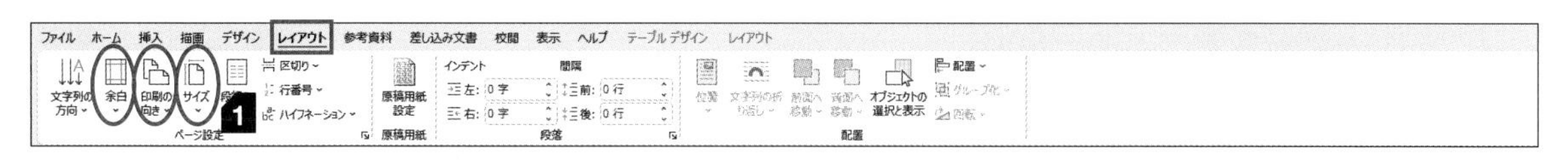

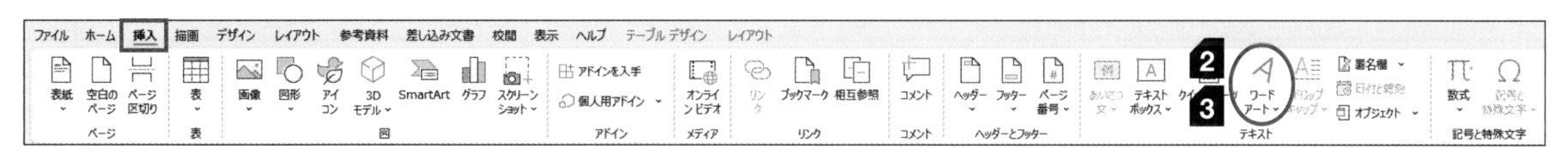

（２の続き）

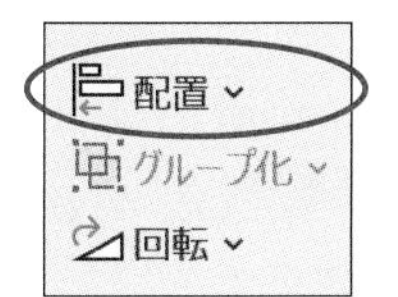


③ワードアートの枠線（点線）をクリックして全体を選択し（枠線は実線になる），ホームタブ→フォントから「メイリオ」を選択する。

④図形の書式タブに切り替え，配置から「左右中央揃え」を選択する。

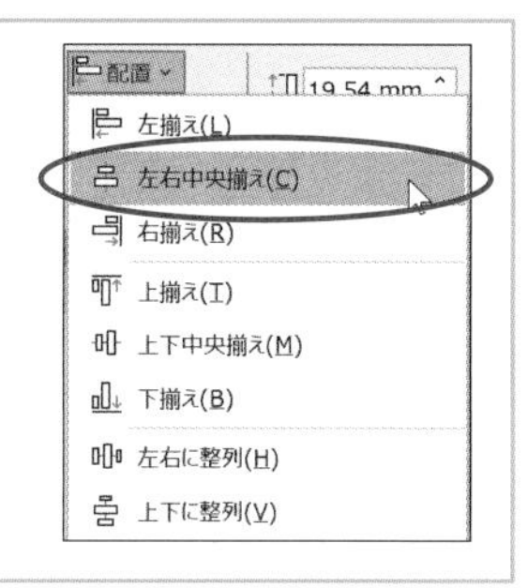


## 3 ワードアート②

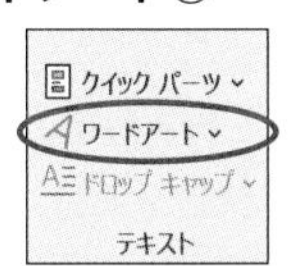


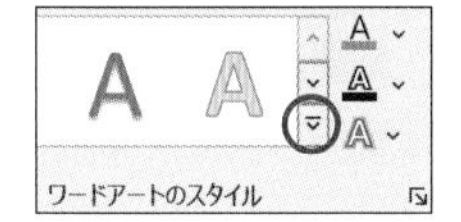


①７行目にカーソルをおいて挿入タブに切り替え，ワードアートの挿入から「塗りつぶし：青、アクセント カラー５；輪郭：白、背景色１；影（ぼかしなし）：青、アクセント カラー５」を選択する。

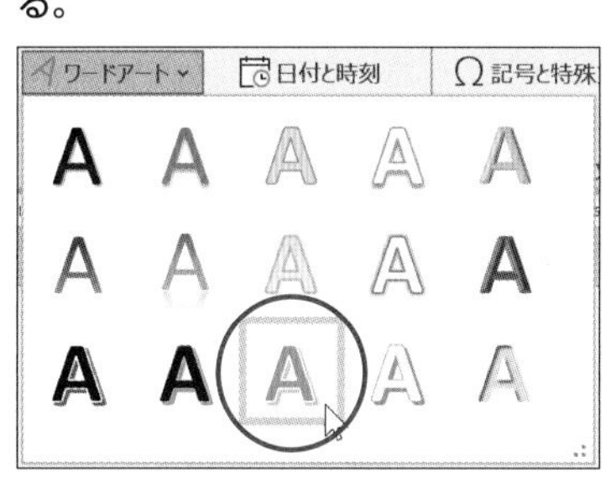


②「ここに文字を入力」を削除し，「第30回定期演奏会」と入力する。

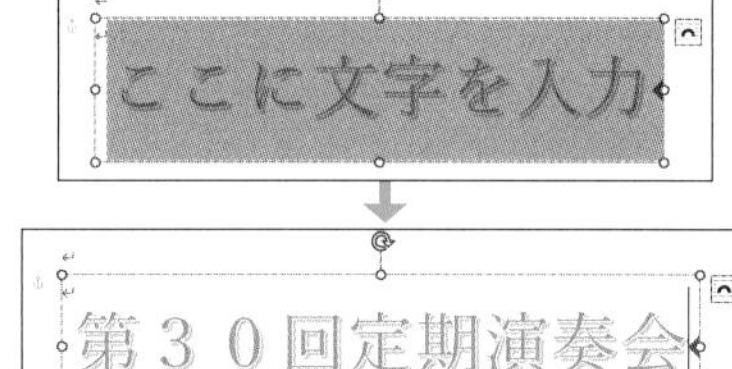


③図形の書式タブに切り替え，文字の効果→変形から「アーチ」を選択する。

④操作のポイント２を参考に，フォントを「メイリオ」，配置を「左右中央揃え」にし，ホームタブ→フォントサイズから「72」を選択する。

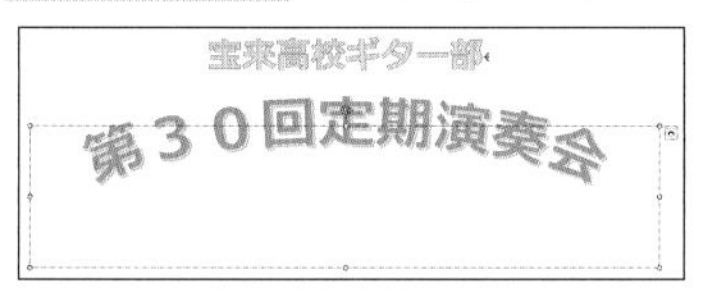


⑤ワードアートを右クリックして図形の書式設定→図形のオプション→上余白を「９mm」にする。

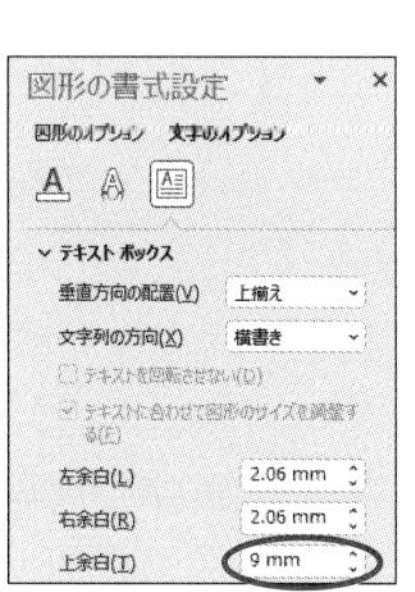

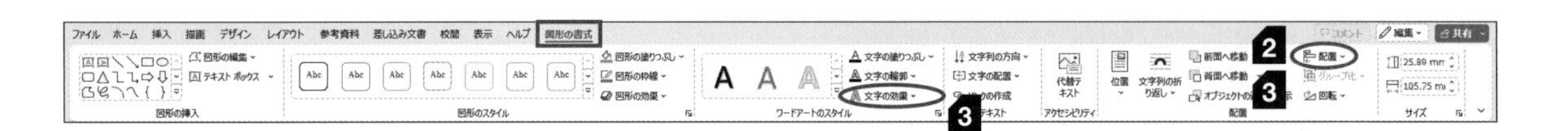

## 4 文字の入力と編集

13行目以降に次のように入力し，体裁を整える。

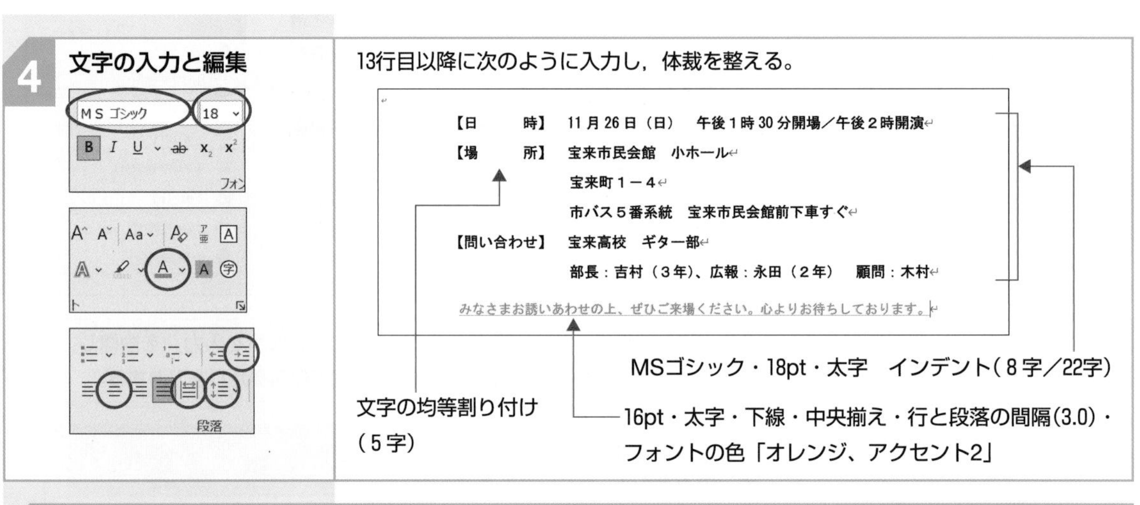


## 5 ページ罫線

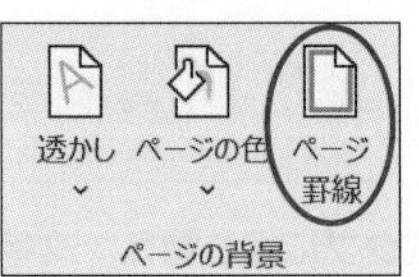


デザインタブに切り替えて，ページ罫線をクリックし，線種とページ罫線と網かけの設定ダイアログボックスで，ページ罫線の色，絵柄，線の太さなどを設定する。

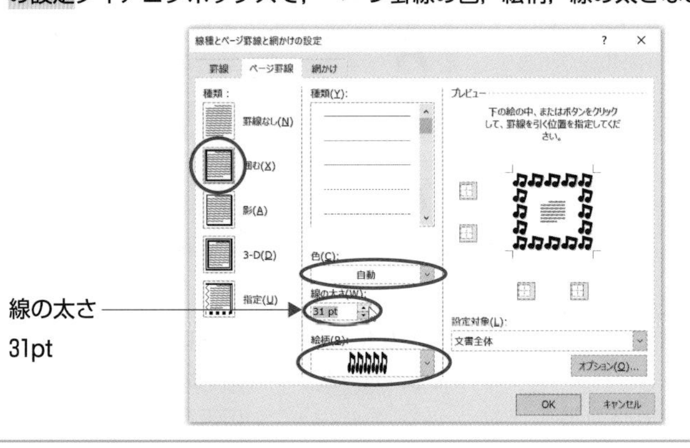


線の太さ
31pt

## 6 ページの色

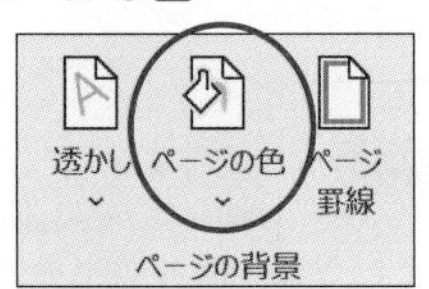


①ページの色をクリックし，「その他の色」をクリックする。
②色の設定ダイアログボックスで薄い黄色系の色を選び，OKをクリックする。

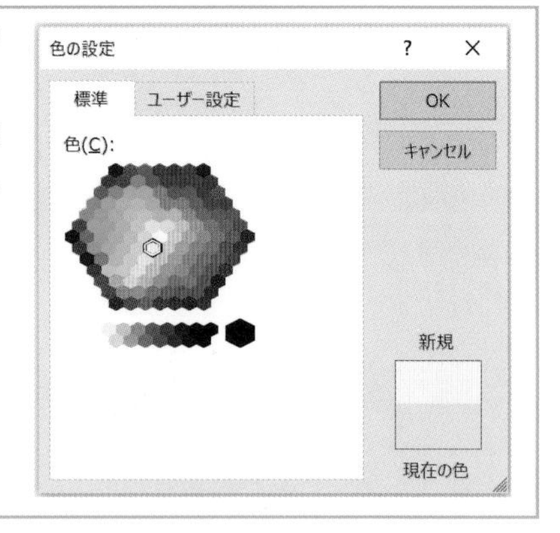

## こんなときどうする!?

**?! ワードアートの文字を修正したいのだけど?!**

①修正したいワードアートの文字の上をクリックするとカーソルが表示される。　②通常の文字列同様に修正する。

第２０回定期演奏会 → 第２０回定期演奏会 → 第３０回定期演奏会

**?! ワードアートを違うデザインに変えたいのだけど?!**

図形の書式タブのワードアートのスタイルの一覧から選択し直す。
もっと別のデザインにするためには，ワードアートのスタイルを構成する文字の塗りつぶし，文字の輪郭，文字の効果を利用して，好みの組み合わせにするとよい。
また，ワードアートの枠に対しても図形のスタイル（図形の塗りつぶし，図形の枠線，図形の効果）が設定できる。

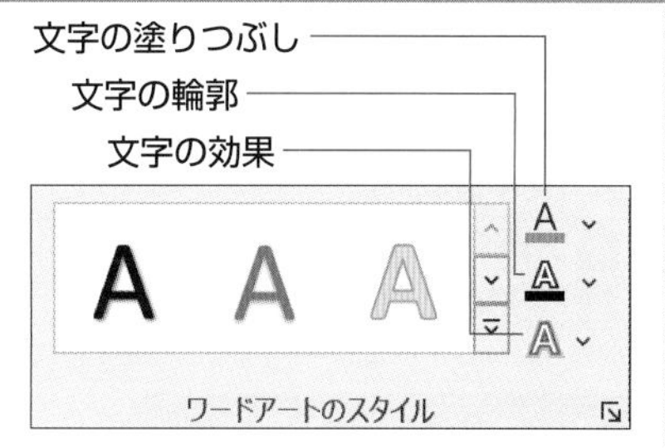


**?! ページの色は印刷されないの?!**

ページの色を印刷するには，次の操作が必要である。
①ファイルタブでオプションをクリックする。
②表示の[印刷オプション] で「背景の色とイメージを印刷する」を✔にしてOKをクリックする。
（ただし実際に印刷するより用紙そのものを色用紙にしたほうがきれいで経済的。）

## やってみよう

**Let's Try**　次のような文書を工夫して作成してみよう。　（ファイル名：クーポン）

ページ設定／その他の用紙サイズ幅148mm/高さ100mm・横・余白狭い・１行36字・１ページ14行

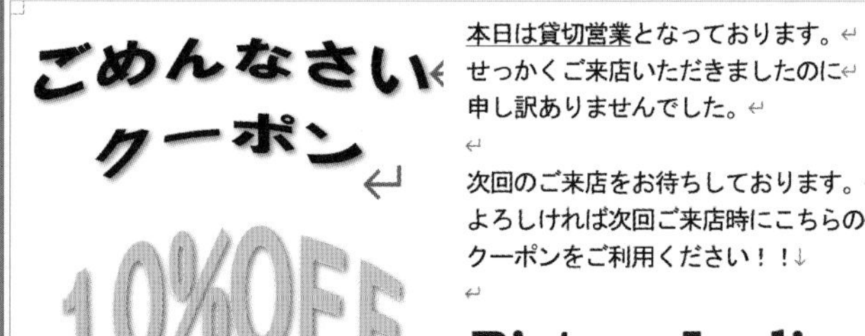


ヒント

①行全体に左インデントを設定（18字程度）

②ワードアート
塗りつぶし：黒、文字色1；影
HG創英角ポップ体，28ptと48pt
変形：凹レンズ：上、凸レンズ：下

③ページ罫線
色：青、アクセント1,
線の太さ：6pt，絵柄

④本文中のフォント
MSゴシック，Bookman Old Style

⑤フォントサイズ
適宜工夫すること

## 例題 11 図形を描いてみよう

（ファイル名：案内掲示）

1 ページ設定と１ページ表示
2 長方形
3 下リボン
4 左矢印
5 重なりの順序
6 テキストボックス・文字の効果と体裁
7 テキストボックス・文字書式
8 円形吹き出しと回転
9 図形のスタイルと効果

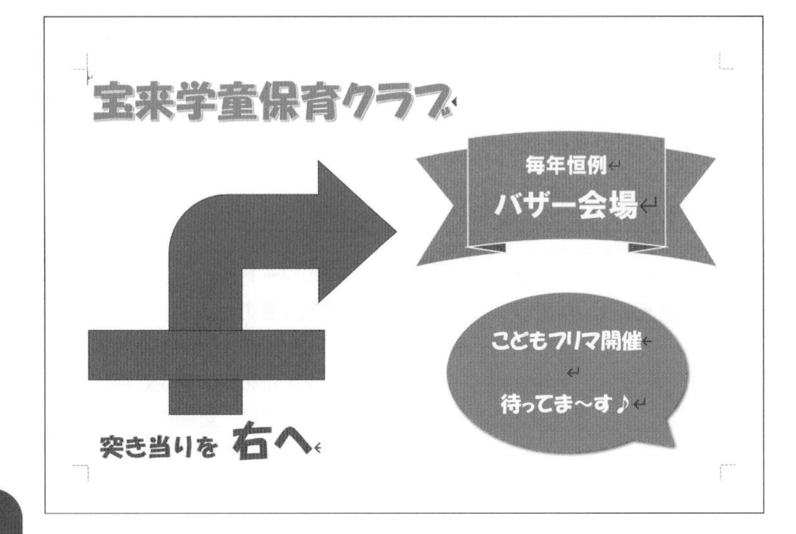


## 作成のポイント

### 1 ページ設定と１ページ表示

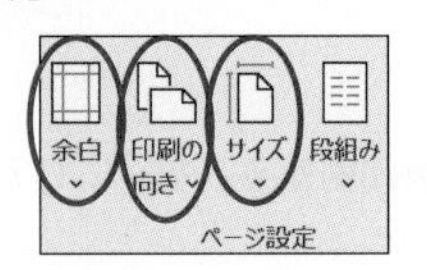


①レイアウトタブに切り替え，次のとおり設定する。

サイズ：A4
印刷の向き：横
余白：狭い

②表示タブに切り替え，１ページをクリックし，ページ全体が表示されるようにする。

### 2 ワードアート

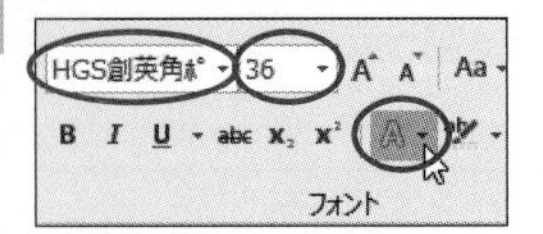


①挿入タブ→ワードアートから「塗りつぶし：青、アクセント カラー5；輪郭：白、背景色1；影(ぼかしなし)：青、アクセントカラー5」を選択する。

②「宝来学童保育クラブ」と入力する。

③ワードアートの枠線をクリックして全体を選択する。

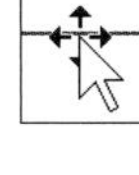

④ホームタブに切り替えてフォントから「HG創英角ポップ体」，フォントサイズから「48」を選択する。

⑤ワードアートの位置を調整する。

### 3 長方形

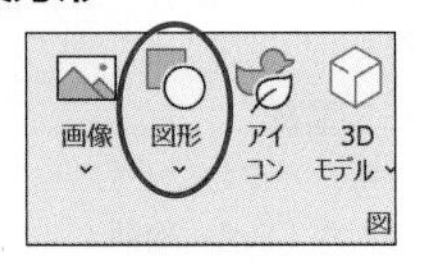


①挿入タブに切り替え，図形から「正方形/長方形」を選択する。

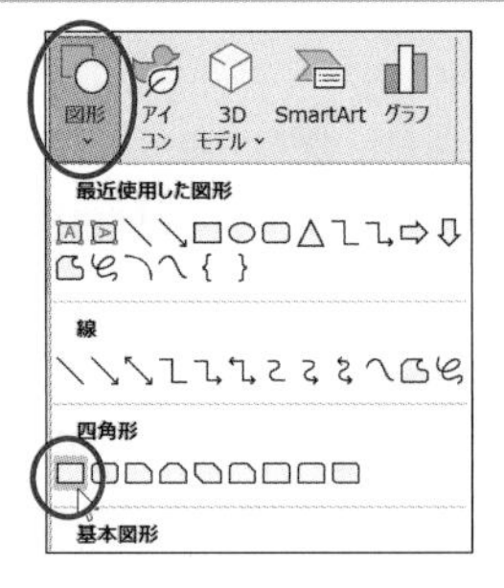


②マウスポインターが＋に変わるので四角形の対角線を描くように斜め方向にドラッグし，横に長い長方形を描く。

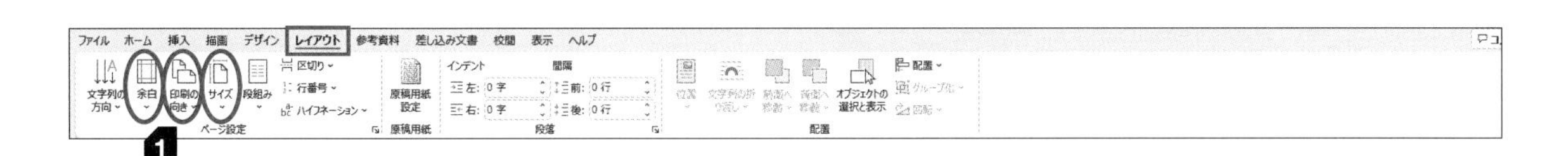

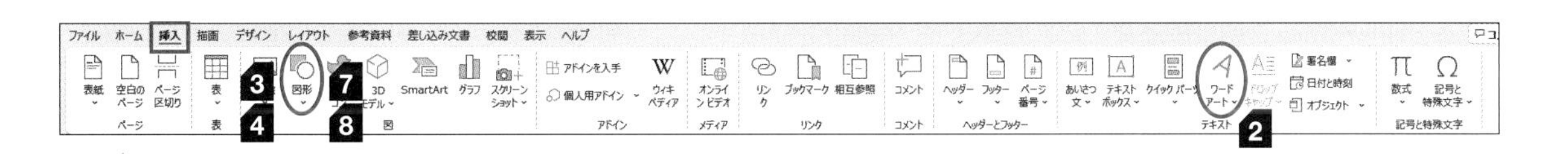

| | |
|---|---|
| （3の続き） | ③サイズ変更ハンドルをポイントしてマウスポインターの形状が ⇔ に変わったら，適宜ドラッグしてサイズを調整する。<br>④図形の枠線上をポイントしてマウスポインターの形状が ✥ に変わったら，適宜ドラッグして移動する。 |

## 4 折線矢印

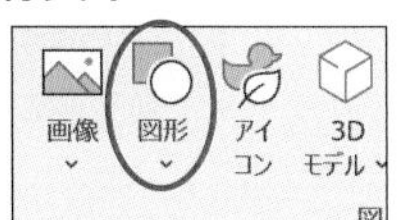

※更新プログラムの適用状況により，図形の名称が異なることがある。

①挿入タブ→図形から「矢印：折線」を選択する。

②マウスポインターが ＋ に変わるので対角線を描くように斜め方向にドラッグし，折線矢印を描く。

③黄色の調整ハンドルをポイントし，マウスポインターが ▷ に変わったら少し右にドラッグする。

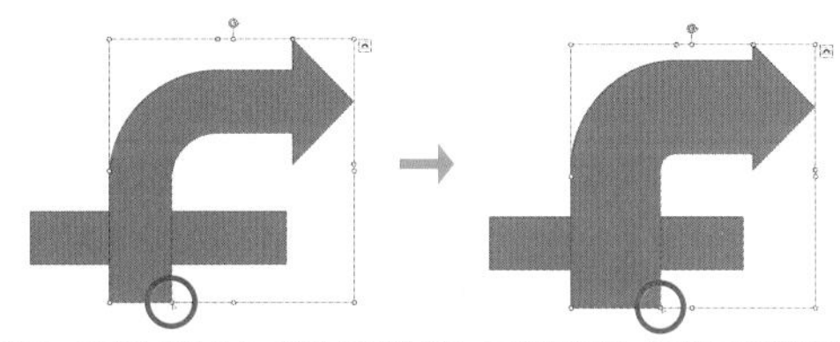

④サイズ変更ハンドルを利用して適宜サイズを調整する。

⑤調整ハンドルを少し下にドラッグして，矢じりの大きさを適宜調整する。

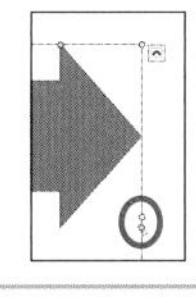

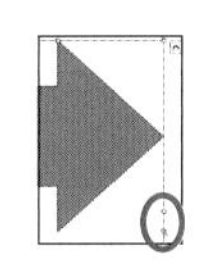

## 5 重なりの順序

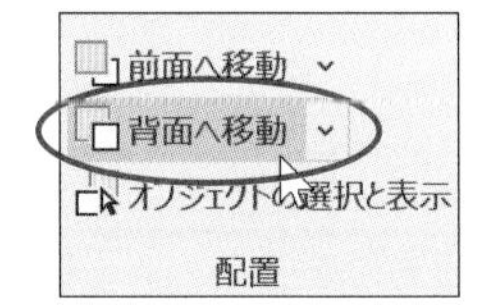

①折線矢印を選択し，図形の書式タブに切り替え，背面へ移動をクリックする。

②折線矢印のサイズを調整する。

③完成例を参考に，長方形，折線矢印のサイズや位置を調整する。

## 6 テキストボックス・文字書式

①折線矢印の下に「テキストボックス」を描き，「突き当りを 右へ」と入力する。

②文字列単位で範囲を選択し，次のように設定する。

フォント：HG創英角ポップ体
フォントの色：赤
フォントサイズ：28pt・48pt
中央揃え
図形の枠線：枠線なし

③テキストボックスのサイズと位置を調整する。

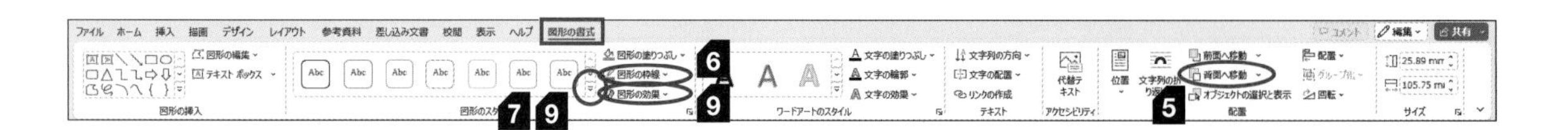


## 7 図形の挿入・図形のスタイル

※更新プログラムの適用状況により，図形のスタイルの名称が異なることがある。

①**挿入**タブ→**図形**から「リボン：カーブして上方向に曲がる」を選び，適宜描く。

②リボンを右クリック→「テキストの追加」を選び，「毎年恒例バザー会場」（2行）と入力する（フォント：HGP創英角ゴシックUB、フォントサイズ：24pt・36pt）。

③**図形の書式**タブに切り替え，**図形のスタイル**から「枠線-淡色1、塗りつぶし-オレンジ、アクセント2」を選択する。

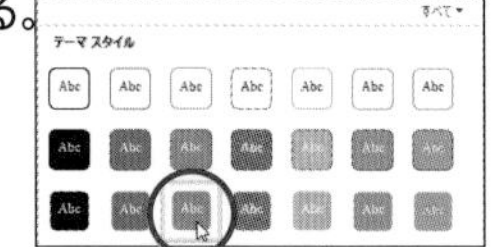

## 8 円形吹き出しと回転

塗りつぶしの面のある図形は，選択した状態で文字を入力できる。

①**挿入**タブ→**図形**から「吹き出し：円形」を選び，対角線を描くように斜め方向にドラッグして適宜描く。

②「こどもフリマ開催
待ってま〜す♪」（2行）と入力する。

③回転ハンドルを利用して適宜回転する。

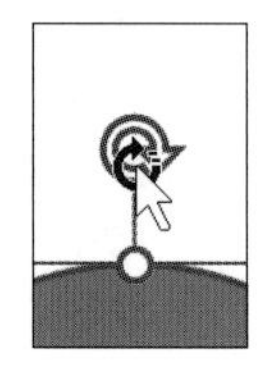

④調整ハンドルをドラッグして吹き出し位置を調整する。

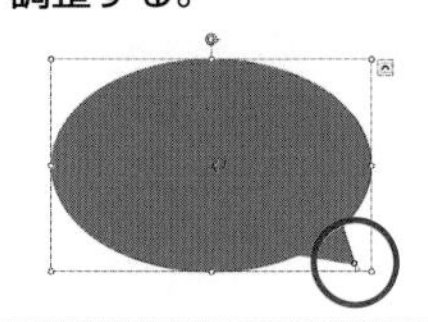

## 9 図形のスタイルと効果

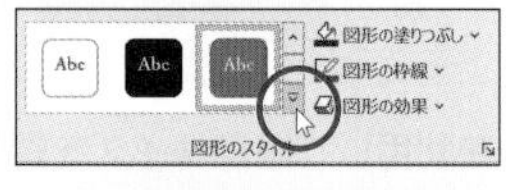


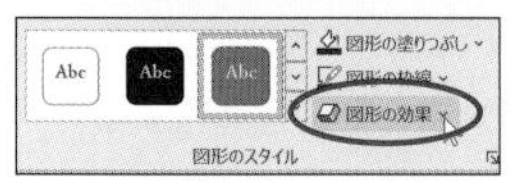


※更新プログラムの適用状況により，図形の効果，図形のスタイルの名称が異なることがある。

①円形吹き出しを選択し，次のとおり文字の書式を設定する。
フォント：HGP創英角ポップ体
フォントサイズ：24pt

②**図形の書式**タブに切り替え，**図形のスタイル**から「塗りつぶし青、アクセント5、アウトラインなし」を選択する。

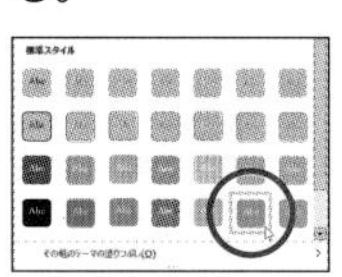

③**図形の効果**→**影**から「オフセット：右下」を選択する。

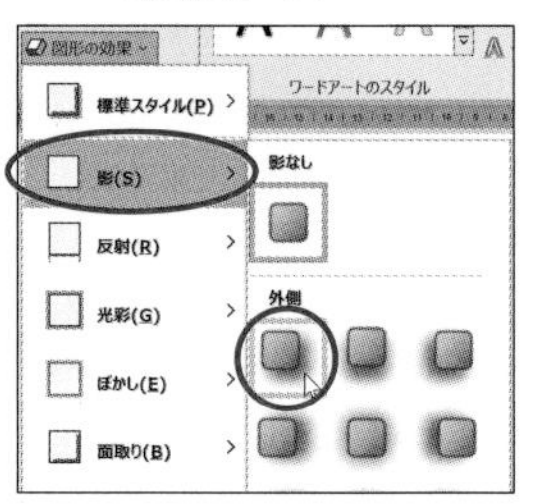


## こんなときどうする!?

### ?! 真ん丸や真四角が描きたいのだけど？

図形を描くときに，Shift を押しながらドラッグする。例えば「楕円」の場合は正円を，「正方形/長方形」の場合は正方形を描くことができる。

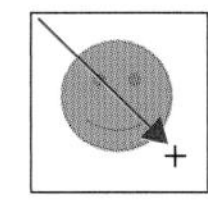

### ?! オブジェクトや文字には重なる順序があるの？

通常は文字を一番下（背面）にして，図形は作成した順に，上（前面）に上（前面）に重なっていく。

※文字入力→円→ハート→下矢印の順に描画

重なり

※下矢印を選んで**背面へ移動**

重なり

※下矢印を選んで**最背面へ移動**

※下矢印を選んで**テキストの背面へ移動**

**?! 図形を簡単にコピーしたり，少しずつ移動したりしたいのだけど？**

ホームタブに切り替え，通常のコピーと貼り付けをしてもよいが，［Ctrl］を押しながらドラッグ＆ドロップする方法がある。このとき，同時に［Shift］を併用すると，真横や真上にコピーすることができる。

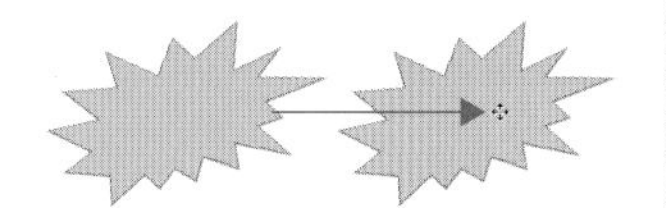

また，図形を細かく移動するときは，［Ctrl］＋［→］［←］［↑］［↓］が利用できる。

**?! 複数の図形を同時に選択するには？**

［Shift］を押しながら図形を１つずつクリックする。

あるいはホームタブ→選択で「オブジェクトの選択」をクリックし（オンの状態），選択する図形全体をドラッグして囲む。選択後は「オブジェクトの選択」をオフにする。

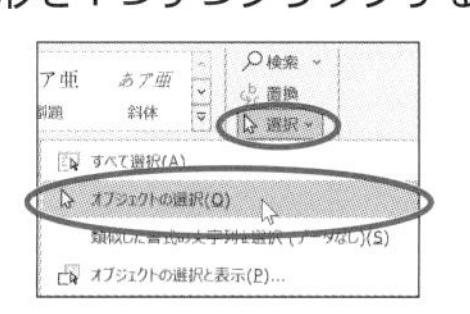


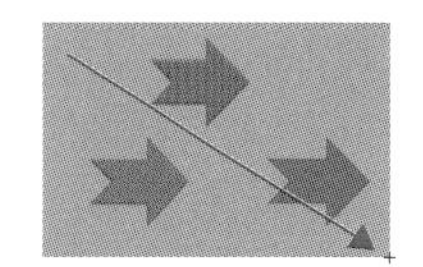

**?! 複数の図形をキレイに並べたいのだけど？**

並べたい図形を選択し，図形の書式タブ→配置で指定する。

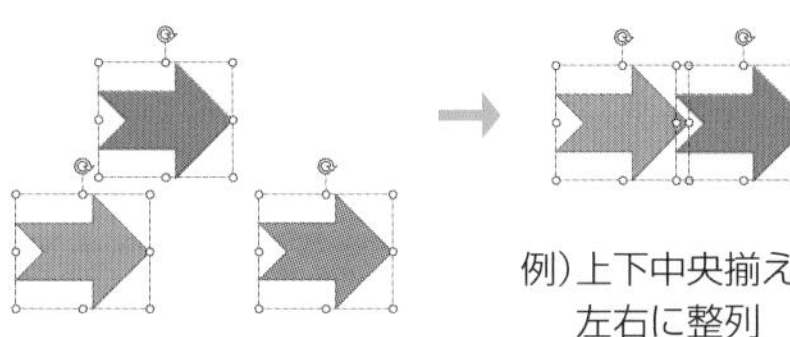

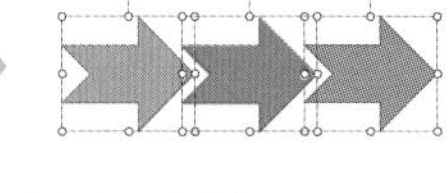

例）上下中央揃え
左右に整列

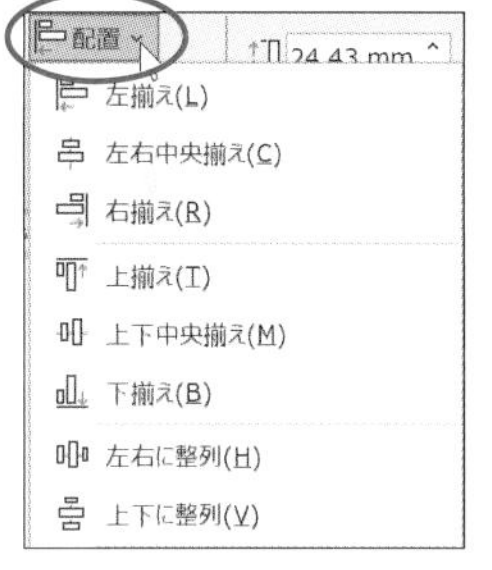


## やってみよう

**Let's Try**　次のような文書を作成してみよう。　（ファイル名：ランチメニュー）

●四角形：角度付き
図形の塗りつぶし：白、背景１、黒＋基本色5%
図形の枠線：黒、テキスト１

●楕円
図形の塗りつぶし：青、アクセント１
図形の枠線：枠線なし
図形の効果：影（オフセット：右下）

●正方形/長方形
図形の塗りつぶし：白、背景１
図形の枠線：黒、テキスト１

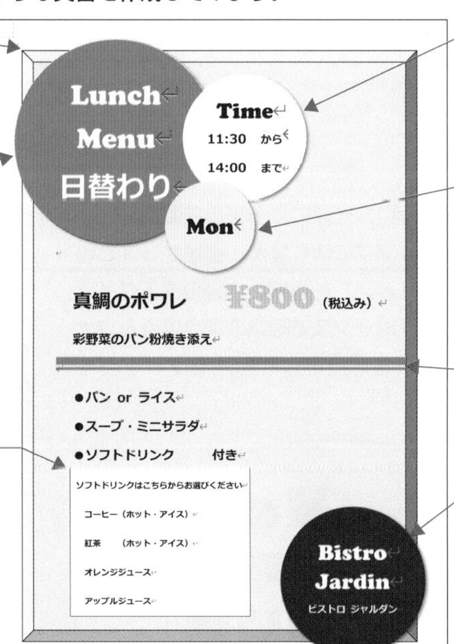


（ページ設定／Ａ４サイズ・縦・余白狭い・文字と行数標準）

●楕円
図形の塗りつぶし：白、背景１
図形の枠線：枠線なし
図形の効果：影（オフセット：右下）

●楕円
図形の塗りつぶし：青、アクセント１、白＋基本色80%
図形の枠線：枠線なし
図形の効果：影（オフセット：右下）

●線
図形の枠線：青、アクセント１
16pt・太線＋細線

●楕円
図形の塗りつぶし：濃い青
図形の枠線：枠線なし
図形の効果：影（オフセット：右下）

## 例題 12 画像を取り込んでみよう

（ファイル名：水質調査報告）

1 文書の入力・編集

2 画像の挿入とサイズ変更

3 文字列の折り返しと位置

4 図のスタイル設定

**２０〇〇年度　宝来川水質調査報告**

宝来高校サイエンス部生物班

**1．はじめに**

宝来川は、その源を〇〇山に発し、△△盆地を貫流し、□□川などの支川を合わせて××湾に注ぐ、幹川流路延長 118km、流域面積 1,830km$^2$ の一級河川であり、米どころである宝来市に豊かな水を運んでいる。

しかし、高度経済成長期（1955 年度から 1972 年度あたりまで）の頃から化学物質の使用・排出等による河川への影響が懸念されている。

私たち宝来高校サイエンス部は、長年にわたり宝来川上流・中流・下流の 13 採水地点におき、塩化物イオンや硫酸イオンの量をみて水質を調べている。本報告書では、２０〇〇年度の結果をまとめるとともに、先輩たちの結果と自分たちの結果を比較しながら、環境変化と水質の関連について考察する。

（ページ設定／A4サイズ・縦　余白標準　文字数と行数標準）

## 操作のポイント

### 1 文書の入力・編集

これまで学習した内容をふまえ，左のような文書を作成する。

**２０〇〇年度　宝来川水質調査報告**

宝来高校サイエンス部生物班

**1．はじめに**

宝来川は、その源を〇〇山に発し、△△盆地を貫流し、□□川などの支川を合わせて××湾に注ぐ、幹川流路延長 118km、流域面積 1,830km$^2$ の一級河川であり、米どころである宝来市に豊かな水を運んでいる。

しかし、高度経済成長期（1955 年度から 1972 年度あたりまで）の頃から化学物質の使用・排出等による河川への影響が懸念されている。

私たち宝来高校サイエンス部は、長年にわたり宝来川上流・中流・下流の 13 採水地点におき、塩化物イオンや硫酸イオンの量をみて水質を調べている。本報告書では、２０〇〇年度の結果をまとめるとともに、先輩たちの結果と自分たちの結果を比較しながら、環境変化と水質の関連について考察する。

### 2 画像の挿入とサイズ変更

※本書の例題およびLet's Tryで使用している画像は，実教出版Webページ(http://www.jikkyo.co.jp/download/)からダウンロードすることができます。

① 8 行目の先頭にカーソルを置く。

②挿入タブに切り替え，画像から「このデバイス」を選択し，図の挿入ダイアログボックスで画像の保存場所とファイル名を指定して挿入をクリックする。

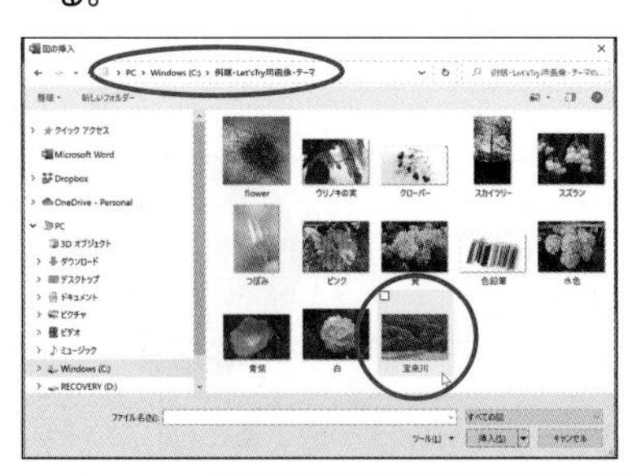

③行幅いっぱいに挿入されるので，右下のハンドルを利用してサイズ変更する（1/4程度）。

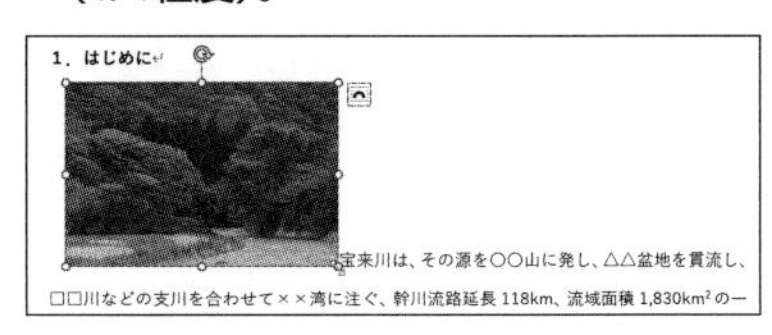


（ここでは「宝来川.jpg」）

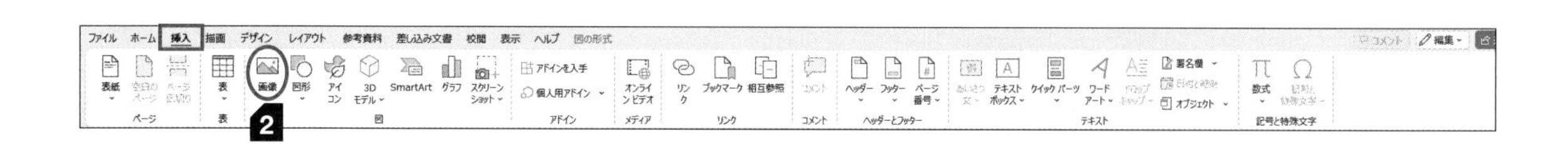


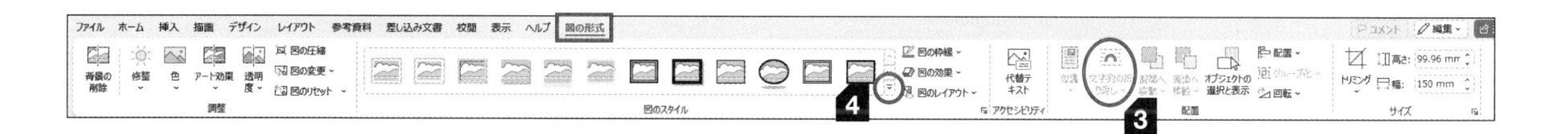


## 3 文字列の折り返しと位置

図の形式タブ→文字列の折り返しを利用してもよい。

①画像を選択して画像の右上に表示されるレイアウトオプションをクリックし，「四角形」を選択する。

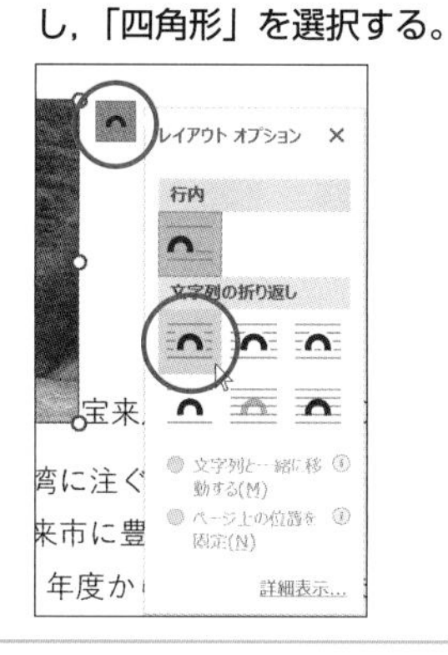


② Shift を押しながら画像を右にドラッグして位置を調整する。

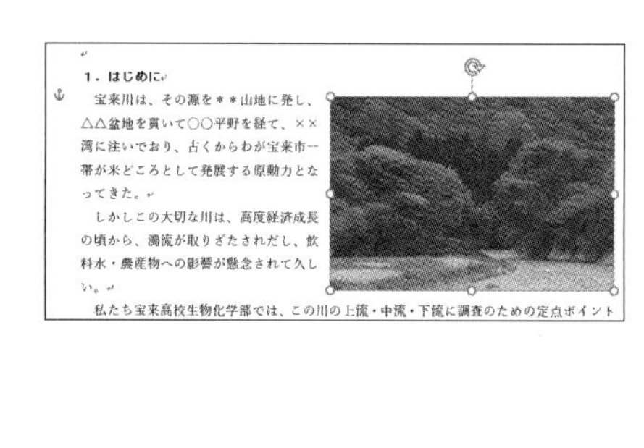

## 4 図のスタイル設定

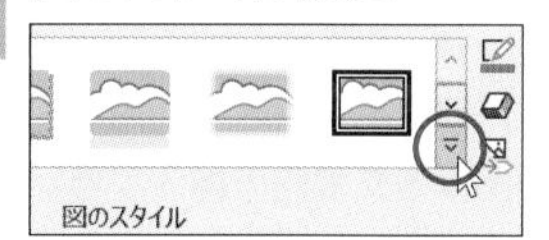


図の形式タブに切り替え，図のスタイルから「四角形，背景の影付き」を選択する。

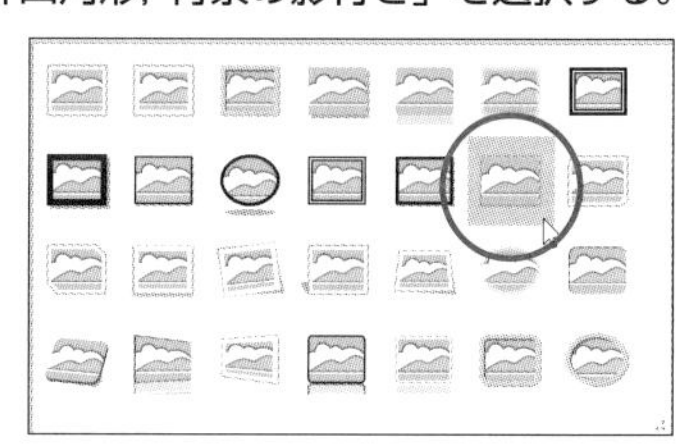

## こんなときどうする!?

### ?! 画像全体ではなくて一部分だけを利用したいのだけど？

画像を選択し，図の形式タブ→トリミング→トリミングをクリックする。黒い線状のハンドルが表示されるので，ドラッグして不要な部分を調整する。終了時はもう一度トリミングをクリックするか画像の選択を解除する。

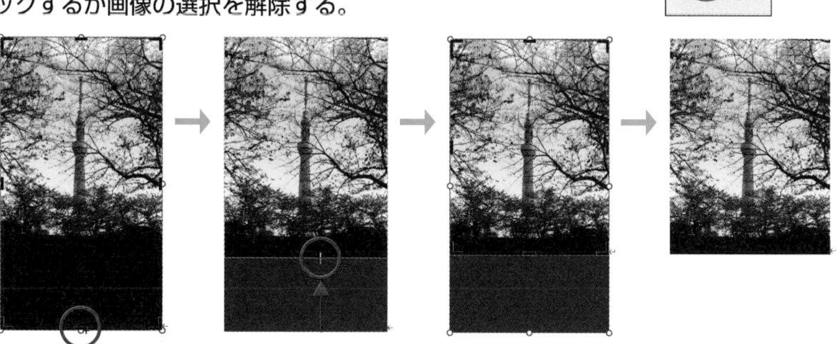


元の画像(ここでは「スカイツリー.jpg」)

**?! 画像をハート型に切り抜いたりできる？**

図の形式タブ→トリミング→図形に合わせてトリミングをポイントし，基本図形から「ハート」をクリックする。

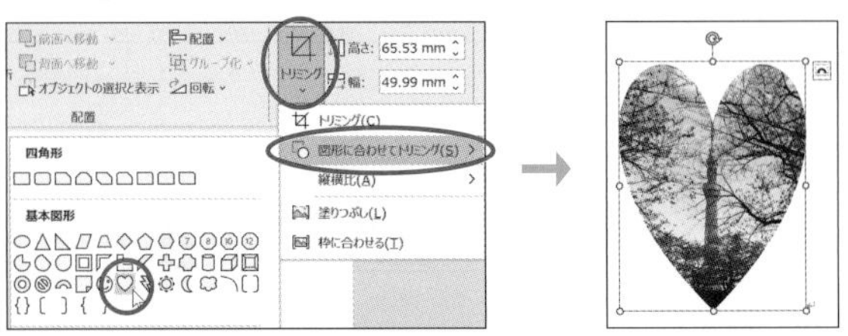

**?! 写真がちょっと暗いんだけど，なんとかならない？**

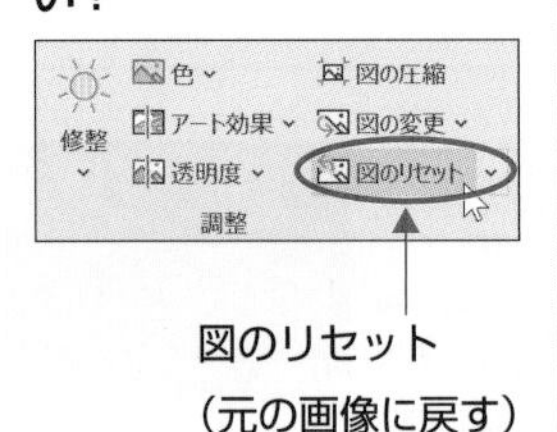

図のリセット
（元の画像に戻す）

図の形式タブの修整，色，アート効果などを利用し，それぞれリストから選択する（これらは組み合わせることができる）。

元の画像
（ここでは「青紫.jpg」）

明るさ＋20%
コントラスト＋20%

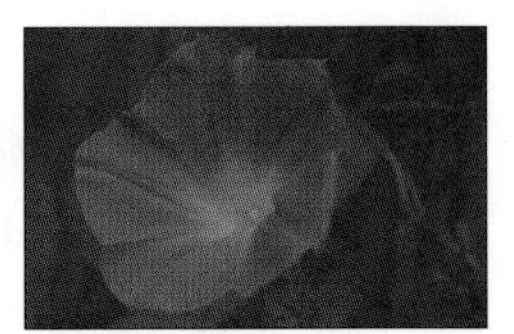

明るさ－20%
コントラスト－20%

背景の削除

色の変更：セピア

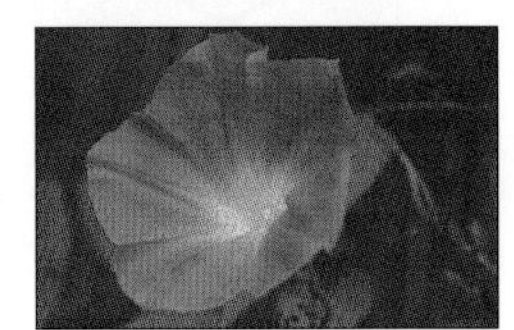

アート効果：テクスチャライザー

**?! 画像とオンライン画像は何が違うの？**

クリエイティブ・コモンズ ライセンスが付けられた画像が検索される。

※作成者名表記などを使用条件としている場合もあるので，著作権には十分注意をすること。

挿入タブの画像→このデバイスでは，図の挿入ダイアログボックスを利用し，パソコン内の場所（フォルダーやドライブ）に保存済みの画像を文書内に挿入する。

オンライン画像では検索用のオンライン画像の画面が表示され，検索ボックスに適宜検索キーワードを入力して Enter を押す。

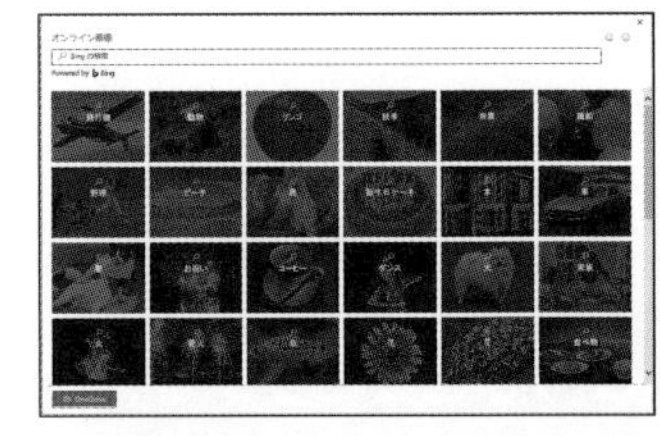

検索結果（写真やイラスト）が表示されたら，文書内に挿入したい画像を選んで挿入をクリックする。ただし，Bingイメージ検索で表示される画像は，文書に挿入する前にライセンスを確認する必要があるため注意しなければならない。挿入したい画像を選択すると，画像の下に ･･･ が表示される。これをクリックすると，サイズと入手元がわかる。

ストック画像ではOffice製品で使用する限りは著作権を気にせずに使用できる素材が用意されている。

なお，オンライン画像やストック画像を利用するにはインターネットに接続している必要があり，接続されていない場合は「問題が発生しました」と表示される。

## やってみよう

### Let's Try

次のような文書を作成してみよう。 （ファイル名：押し花絵教室）

●ワードアート
塗りつぶし：
灰色アクセントカラー3；
面取り（シャープ）
文字の効果：
変形→上アーチ
フォント：Segoe Script

Flower Shop Murota

押し花体験教室

●フォント：
HG丸ゴシックM-PRO

●画像
ファイル：クローバー.jpg
図のスタイル：シンプルな枠、白

■6月17日（土） 9時～12時
■受講費無料・材料費1,000円
■お申し込み 6月15日（木）締め切り
押し花デザイナー 室田 彩花
Tel ：03-****-****
Mail：murota@example.co.jp
**※定員（15名）になり次第締め切ります**

●フォント：
HG創英角ゴシックUB

※文字数と行数や，フォントのサイズ，色，画像の位置・サイズは適宜調整する。

（ページ設定／その他の用紙サイズ幅148mm/高さ100mm・縦・余白狭い）

## 実習問題

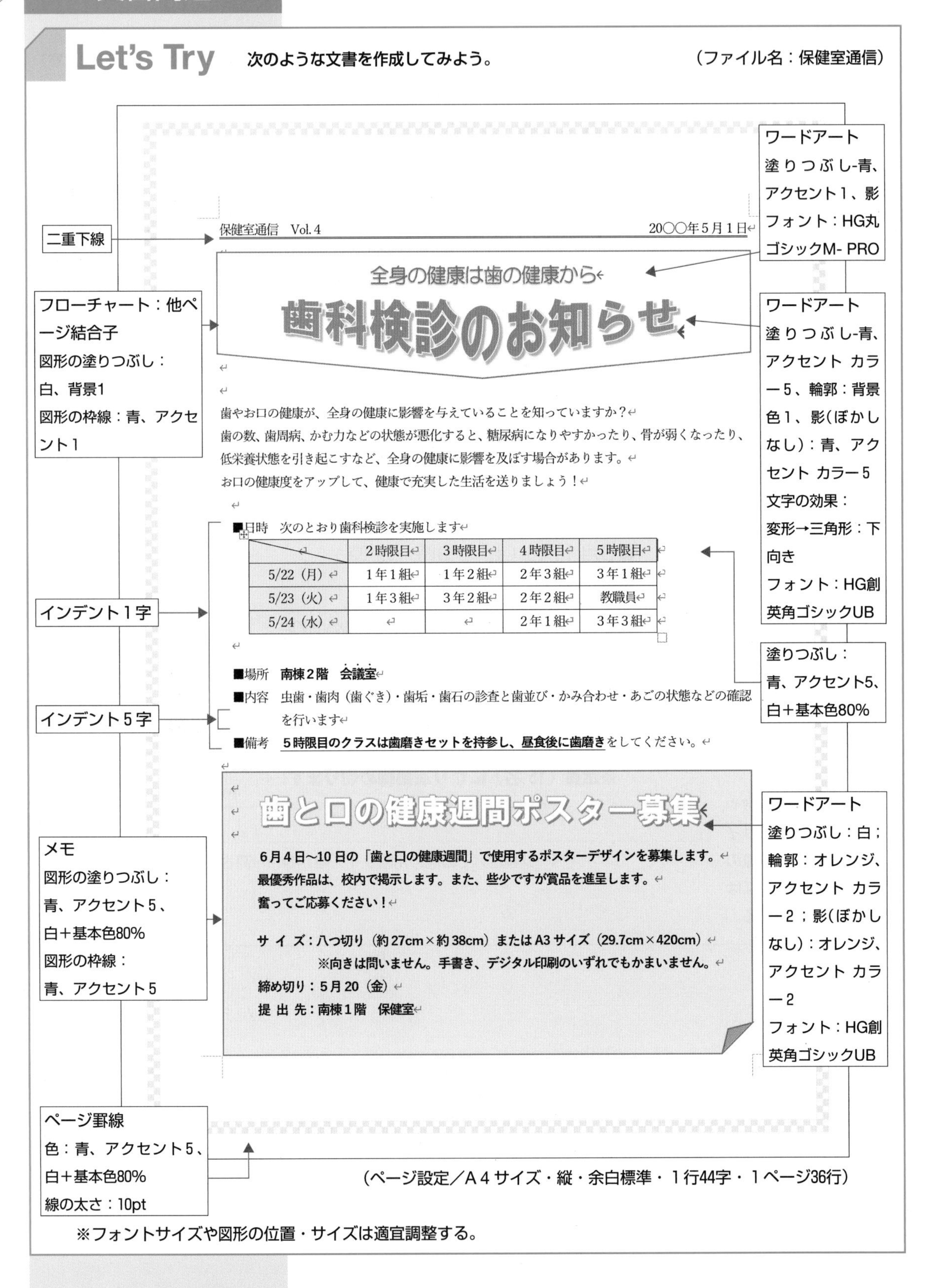

**Let's Try** 次のような文書を作成してみよう。 （ファイル名：保健室通信）

保健室通信 Vol. 4　　20○○年5月1日

全身の健康は歯の健康から

# 歯科検診のお知らせ

歯やお口の健康が、全身の健康に影響を与えていることを知っていますか？
歯の数、歯周病、かむ力などの状態が悪化すると、糖尿病になりやすかったり、骨が弱くなったり、低栄養状態を引き起こすなど、全身の健康に影響を及ぼす場合があります。
お口の健康度をアップして、健康で充実した生活を送りましょう！

■日時　次のとおり歯科検診を実施します

| | 2時限目 | 3時限目 | 4時限目 | 5時限目 |
|---|---|---|---|---|
| 5/22（月） | 1年1組 | 1年2組 | 2年3組 | 3年1組 |
| 5/23（火） | 1年3組 | 3年2組 | 2年2組 | 教職員 |
| 5/24（水） | | | 2年1組 | 3年3組 |

■場所　**南棟2階　会議室**
■内容　虫歯・歯肉（歯ぐき）・歯垢・歯石の診査と歯並び・かみ合わせ・あごの状態などの確認を行います
■備考　**5時限目のクラスは歯磨きセットを持参し、昼食後に歯磨き**をしてください。

**歯と口の健康週間ポスター募集**

**6月4日～10日の「歯と口の健康週間」で使用するポスターデザインを募集します。**
**最優秀作品は、校内で掲示します。また、些少ですが賞品を進呈します。**
**奮ってご応募ください！**

**サ イ ズ：八つ切り（約27cm×約38cm）または A3 サイズ（29.7cm×420cm）**
**※向きは問いません。手書き、デジタル印刷のいずれでもかまいません。**
**締め切り：5月20（金）**
**提 出 先：南棟1階　保健室**



（ページ設定／A4サイズ・縦・余白標準・1行44字・1ページ36行）

※フォントサイズや図形の位置・サイズは適宜調整する。

## Let's Try　次のような文書を作成してみよう。

（ファイル名：色彩セミナー）

●画像(ファイル)
ファイル：色鉛筆.jpg

●ワードアート
塗りつぶし:黒、文字1；輪郭：背景1、影(ぼかしなし)：背景1
フォント：HGP創英角ゴシックUB

●正方形/長方形
塗りつぶし：白、背景1
透明性：20%

色でデザインする！

色彩と配色の基礎1Dayセミナー

●フォント：游ゴシック

セミナーの詳細

ファッションやインテリア、広告やWebのデザインなどで、「お洒落だな」「落ち着くな」と感じる色もあれば、「いまいちパッとしないな」「なんだか居心地がよくないな」と感じる色もあります。
私たちの身の回りには、さまざまな"色"があふれています。
モノや空間の色彩と配色が変わるだけで、人が感じる印象は大きく変わります。

本セミナーでは、色彩の専門家が、"色"が私たちの心や行動に与える影響についてご説明します。
また、色選びのワークショップをとおして、"色"の活用方法について楽しく実践的に学びます。

1. 開催日時　20○○年9月17日（日）　午後1時〜午後4時
2. 開催場所　オンライン
3. 講　　師　△△カラーデザイン協会　山崎　涼子　氏
4. 参 加 費　9,800円（レッスン代、テキスト、配色カード一冊、資料送付送料）
5. 定　　員　40名
6. そ の 他　セミナー当日は、「筆記用具」「はさみ」「のり」をご用意ください。

●段落番号
※文字数と行数や，フォントのサイズ，色，画像の位置・サイズは適宜調整する。

●段落罫線
空白の行を行単位で選択し、ホームタブ→線種とページ罫線と網かけの設定をクリックし，次のように設定する。

| 参加申込書 | 【送信先】FAX：03-****-**** | | |
|---|---|---|---|
| フリガナ | | | |
| お 名 前 | | | |
| ご 住 所 | | | |
| 電　　話 | | メ ー ル | |

●均等割り付け

【問い合わせ先】✉ seminar@example.com　☎ 03-****-****(担当:田道)

●記号と特殊文字
挿入タブ→記号と特殊文字→その他の記号→フォントから「Wingdings」を選択し，✉と☎を挿入する。

●フォント：HG創英角ゴシックUB

※フォントサイズや色，図形の位置・サイズは適宜調整する。

（ページ設定／A4サイズ・縦・余白上下15mm、左右20mm）

# 第3章 Excel

# 1 データを入力する

データの入力 ▶ データの編集

**SUBJECT**

基本的なデータをセルに入力する
- 英文字・数値・日本語の入力
- オートコンプリート機能
- オートフィル機能
- 修正・削除
- 行・列の挿入と削除
- 移動　●コピー　●連番の入力

## 例題13 データを入力してみよう　（ファイル名：レッスン）

1. 英文字の入力
2. 数値の入力
3. 日本語の入力
4. オートコンプリートを利用した入力
5. オートフィルを利用した入力

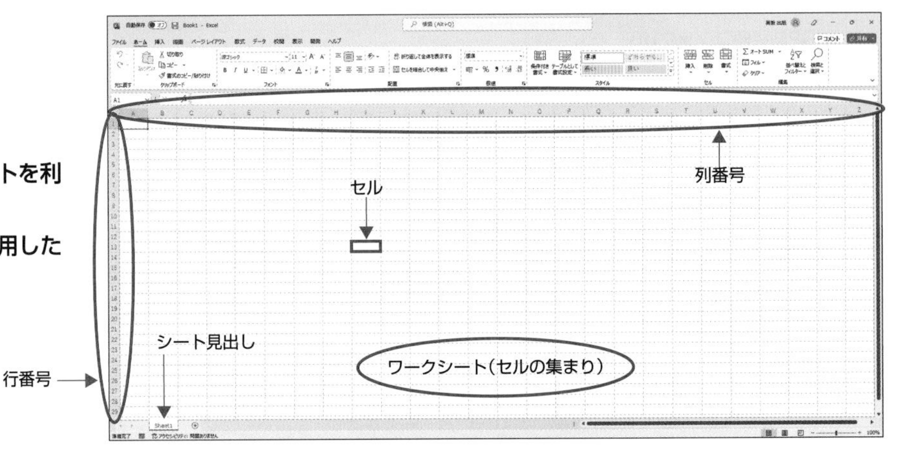


## 操作のポイント

### 1 英文字の入力

Shift を押しながら入力すると大文字になる。

①A１をクリックする。

| | A | B |
|---|---|---|
| 1 | | |
| 2 | | |

→ ②「Lesson」と入力する。

| | A | B |
|---|---|---|
| 1 | Lesson | |
| 2 | | |

→ ③ Enter を押す。

| | A | B |
|---|---|---|
| 1 | Lesson | |
| 2 | | |

### 2 数値の入力

文字はセルの左に，数値は右に詰めて配置される。

①A３をクリックする。

| | A | B |
|---|---|---|
| 1 | Lesson | |
| 2 | | |
| 3 | | |
| 4 | | |
| 5 | | |

→ ②「1」と入力する。

| | A | B |
|---|---|---|
| 1 | Lesson | |
| 2 | | |
| 3 | 1 | |
| 4 | | |
| 5 | | |

③ Enter を押す。

| | A | B |
|---|---|---|
| 1 | Lesson | |
| 2 | | |
| 3 | 1 | |
| 4 | | |
| 5 | | |

→ ④A４に「2」と入力し，Enter を押す。

| | A | B |
|---|---|---|
| 1 | Lesson | |
| 2 | | |
| 3 | 1 | |
| 4 | 2 | |
| 5 | | |

## 3 日本語の入力

**日本語入力のON**
Excel起動直後はOFFになっているので，[半角／全角] でONにする。
OFFも同じ操作。

ON　　OFF
あ　　A

① [半角／全角] で日本語入力をONにする。

② B 3 をクリックする。

| | A | B | C |
|---|---|---|---|
| 1 | Lesson | | |
| 2 | | | |
| 3 | 1 | | |
| 4 | 2 | | |
| 5 | | | |

③「英会話 1」と入力し，変換 [Enter] で確定する。

| | A | B | C |
|---|---|---|---|
| 1 | Lesson | | |
| 2 | | | |
| 3 | 1 | 英会話 1 | |
| 4 | 2 | | |
| 5 | | | |

→

④確定後に [Enter] を押すと，ひとつ下へ移る。

| | A | B | C |
|---|---|---|---|
| 1 | Lesson | | |
| 2 | | | |
| 3 | 1 | 英会話 1 | |
| 4 | 2 | | |
| 5 | | | |

※日本語入力の場合は入力の確定と次のセルへの入力のために [Enter] を 2 度押すことが必要。

## 4 オートコンプリートを利用した入力

**オートコンプリート**
同じ列に入力されたデータのうち，最初の数文字(今回の場合は「え」)が一致するデータが 1 種類だけあると，それを自動的に入力候補にする機能。

①「え」と入力すると，「英会話 1」と表示される。

| | A | B | C |
|---|---|---|---|
| 1 | Lesson | | |
| 2 | | | |
| 3 | 1 | 英会話 1 | |
| 4 | 2 | え英会話 1 | |
| 5 | | | |

→

② [Enter] を押す。

| | A | B | C |
|---|---|---|---|
| 1 | Lesson | | |
| 2 | | | |
| 3 | 1 | 英会話 1 | |
| 4 | 2 | 英会話 1 | |
| 5 | | | |

③ [BackSpace] で「1」を削除する。

| | A | B | C |
|---|---|---|---|
| 1 | Lesson | | |
| 2 | | | |
| 3 | 1 | 英会話 1 | |
| 4 | 2 | 英会話 | |
| 5 | | | |

④「2」を入力し [Enter] を押す。

| | A | B | C |
|---|---|---|---|
| 1 | Lesson | | |
| 2 | | | |
| 3 | 1 | 英会話 1 | |
| 4 | 2 | 英会話 2 | |
| 5 | | | |

## 5 オートフィルを利用した入力

**オートフィル**
日付，曜日，連番など規則性のあるデータや，文字列と数値の組み合わせなどのデータ，連続データなどをドラッグ操作で入力できる機能。

①C3に「9月」と入力し，[Enter] で確定する。

| | A | B | C |
|---|---|---|---|
| 1 | Lesson | | |
| 2 | | | |
| 3 | 1 | 英会話 1 | 9 月 |
| 4 | 2 | 英会話 2 | |
| 5 | | | |

→

②C 3 をクリックする。太枠の右下の■をポイントし，マウスポインターの形状を＋に変化させる。

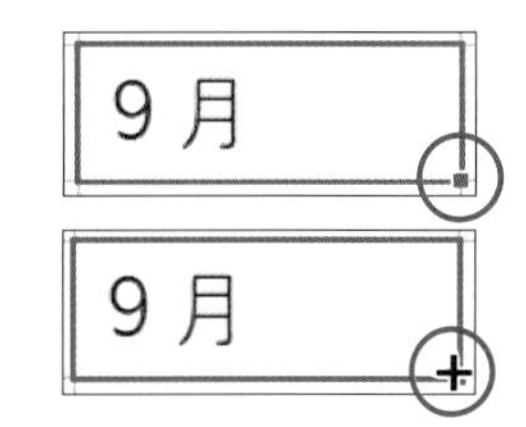


③＋になったらC 4 までドラッグする。

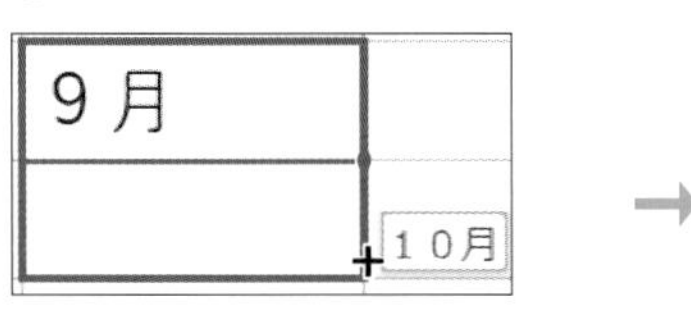


→

④「1 0月」が自動的に入力される。

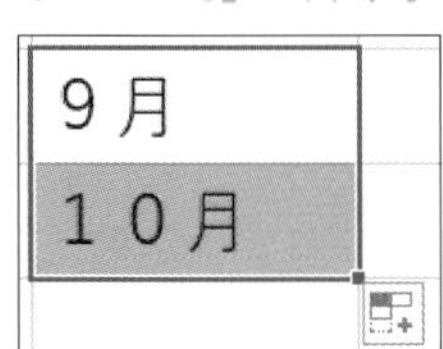

## こんなときどうする!?

### ?! オートコンプリートで候補にあげられる文字を利用したくないのだけど？

え英会話 1

候補が表示されても，無視して入力を続けてよい。
同列に入力済みのデータのうち，入力した文字と最初の数文字の一致するデータがなくなれば，自動的に候補は消える。
また，強制的に消したい場合は，入力中に Esc を押す。

### ?! オートコンプリートを利用したいのに候補が出ないのだけど？

①途中に空白行を設けると，入力済みデータの候補は表示されない。

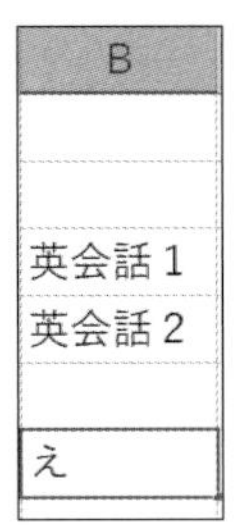


②B 4では「え」だけの入力で候補が表示されるが，B 5では「え」だけだと「英会話 1」と「英会話 2」のいずれを候補にしたらよいか絞れないので，「えいかいわ 1」まで入力してはじめて候補が表示される。

| B | C |
|---|---|
| | |
| | |
| 英会話 1 | |
| 英会話 2 | |
| えいかいわ1 | 英会話 1 |

### ?! オートフィル機能で入力できるデータには，ほかに何があるの？

数字のほかに曜日なども入力できる。なお，ドラッグする方向は上下左右いずれでもよい。

| | A | B | C | D | E | F | G | H | I | J |
|---|---|---|---|---|---|---|---|---|---|---|
| 1 | 6月1日 | 月 | Mon | 1組 | | 6月1日 | 6月2日 | 6月3日 | 6月4日 | 6月5日 |
| 2 | 6月2日 | 火 | Tue | 2組 | | 月 | 火 | 水 | 木 | 金 |
| 3 | 6月3日 | 水 | Wed | 3組 | | Mon | Tue | Wed | Thu | Fri |
| 4 | 6月4日 | 木 | Thu | 4組 | | 1組 | 2組 | 3組 | 4組 | 5組 |
| 5 | 6月5日 | 金 | Fri | 5組 | | | | | | |
| 6 | 6月6日 | 土 | Sat | 6組 | | | | | | |
| 7 | 6月7日 | 日 | Sun | 7組 | | | | | | |
| 8 | 6月8日 | 月 | Mon | 8組 | | | | | | |
| 9 | 6月9日 | 火 | Tue | 9組 | | | | | | |
| 10 | 6月10日 | 水 | Wed | 10組 | | | | | | |

### ?! オートフィル機能のあとに表示されるこれは何？

オートフィルオプションボタンといい，クリックすると，連続データにするのか，単なるコピーのデータを作成するのかを選択できる。セルのコピーを選択すると，下図のようになる。なお，オートフィルオプションボタンは印刷されないので，表示状態のままにしておいてもよい。消したい場合は選択範囲以外の空白セルをクリックし， Back Space を押す。

**?! 1から連番を入力したいのだけど，オートフィルだとコピーになってしまう！**

Ctrl を押しながらオートフィルしてもよい。

オートフィルオプションボタンの▼をクリックし，連続データをクリックする。

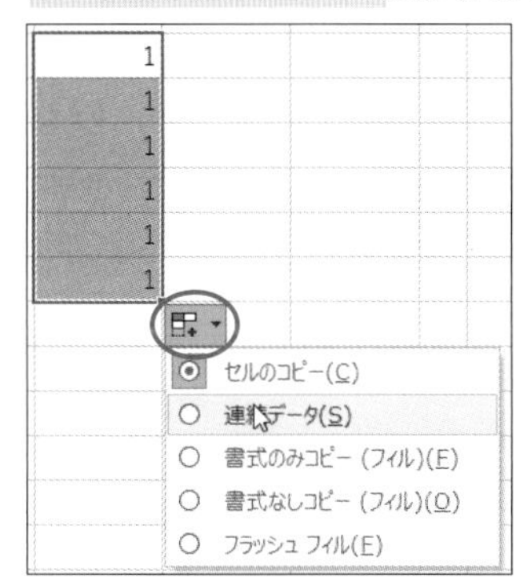


→

1
2
3
4
5
6

**?! 10から10きざみで100までの連番を入力したいのだけど？**

①始まりと2番目までの数値を入力する。

10
20

②2つを選択する。

10
20

③オートフィルを実行する。

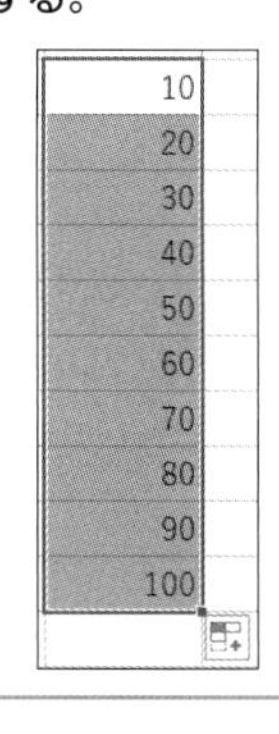


**?! データを範囲選択(ドラッグ)すると表示されるこれは何？**

クイック分析ボタンといい，クリックすると選択したデータに対して書式，グラフ，合計などの設定が簡単にできる。

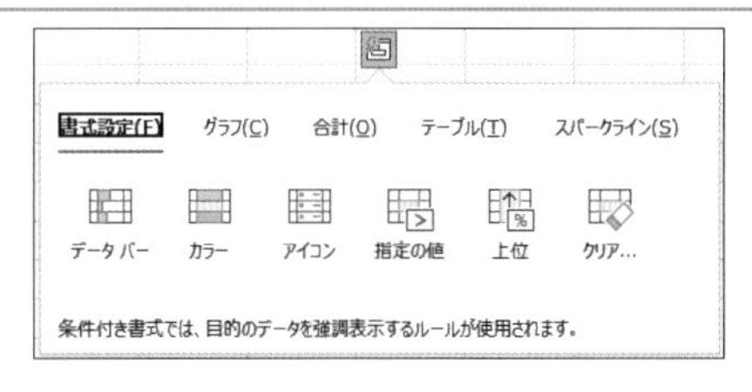


## やってみよう

**Let's Try**　次のデータを入力してみよう。　（ファイル名：英語部勉強会）

| | A | B | C | D |
|---|---|---|---|---|
| 1 | 英語部勉強会一覧 | | | |
| 2 | | | | |
| 3 | No. | 活動月 | 内容 | 定員 |
| 4 | 1 | 4月 | 英語基礎 | 20 |
| 5 | 2 | 5月 | 英語応用 | 20 |
| 6 | 3 | 6月 | Eメール1 | 20 |
| 7 | 4 | 7月 | Eメール2 | 20 |
| 8 | 5 | 8月 | Eメール3 | 20 |

## 例題14 データを編集してみよう （ファイル名：修学旅行コース別研修アンケート）

1. 上書き修正
2. 元のデータを生かして修正
3. データの削除
4. 行の挿入
5. データの移動
6. データのコピー
7. 行の削除
8. 列の挿入
9. 連番の入力

| | A | B | C | D |
|---|---|---|---|---|
| 1 | 修学旅行コース別研修アンケート結果 | | | |
| 2 | | | | |
| 3 | ○○年３月現在 | | | |
| 4 | 順位 | コース | | |
| 5 | 1 | 海遊館 | | |
| 6 | 2 | 扇子の絵付け体験 | | |
| 7 | 3 | 通天閣 | | |
| 8 | 4 | 八つ橋作り体験 | | |
| 9 | 5 | うず潮遊覧船 | | |

↳

| | A | B | C | D |
|---|---|---|---|---|
| 1 | 修学旅行コース別研修アンケート結果 | | | |
| 2 | | | | |
| 3 | | ○○年１０月現在 | | |
| 4 | 順位 | 前回順位 | コース | |
| 5 | 1 | 6 | 清水寺 | |
| 6 | 2 | 4 | 八つ橋作り体験 | |
| 7 | 3 | 1 | 海遊館 | |
| 8 | 4 | 3 | 通天閣 | |

## 操作のポイント

### 1 上書き修正

あらかじめ修正前のデータをファイル名「修学旅行コース別研修アンケート」で保存しておく。

①修正するＡ６をクリックする。

| | A | B | C | D |
|---|---|---|---|---|
| 1 | 修学旅行コース別研修アンケート結果 | | | |
| 2 | | | | |
| 3 | ○○年３月現在 | | | |
| 4 | 順位 | コース | | |
| 5 | 1 | 海遊館 | | |
| 6 | 2 | 扇子の絵付け体験 | | |
| 7 | 3 | 通天閣 | | |
| 8 | 4 | 八つ橋作り体験 | | |
| 9 | 5 | うず潮遊覧船 | | |

②そのまま「６」と入力し，Enter を押す。

| | A | B | C | D |
|---|---|---|---|---|
| 1 | 修学旅行コース別研修アンケート結果 | | | |
| 2 | | | | |
| 3 | ○○年３月現在 | | | |
| 4 | 順位 | コース | | |
| 5 | 1 | 海遊館 | | |
| 6 | 6 | 扇子の絵付け体験 | | |
| 7 | 3 | 通天閣 | | |
| 8 | 4 | 八つ橋作り体験 | | |
| 9 | 5 | うず潮遊覧船 | | |

③同様にＢ６をクリックし，「清水寺」と入力して Enter を押す。

### 2 元のデータを生かして修正

修正するセルをクリックして F2 を押しても編集状態にできる。

①修正するＡ３をダブルクリックする。

| | A | B | C | D |
|---|---|---|---|---|
| 1 | 修学旅行コース別研修アンケート結果 | | | |
| 2 | | | | |
| 3 | ○○年３月現在 | | | |
| 4 | 順位 | コース | | |
| 5 | 1 | 海遊館 | | |
| 6 | 6 | 清水寺 | | |
| 7 | 3 | 通天閣 | | |
| 8 | 4 | 八つ橋作り体験 | | |
| 9 | 5 | うず潮遊覧船 | | |

②カーソルを修正箇所に移動し，「３」を「１０」に修正して Enter を押す。

| | A | B | C | D |
|---|---|---|---|---|
| 1 | 修学旅行コース別研修アンケート結果 | | | |
| 2 | | | | |
| 3 | ○○年１０月現在 | | | |
| 4 | 順位 | コース | | |
| 5 | 1 | 海遊館 | | |
| 6 | 6 | 清水寺 | | |
| 7 | 3 | 通天閣 | | |
| 8 | 4 | 八つ橋作り体験 | | |
| 9 | 5 | うず潮遊覧船 | | |

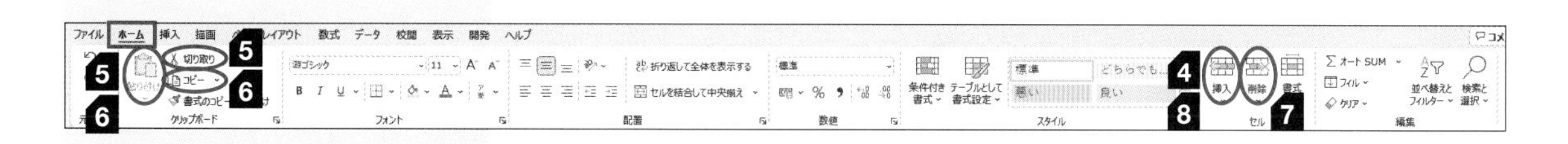

## 3 データの削除

A９からB９をドラッグで選択して Delete を押す。

| | A | B | C | D |
|---|---|---|---|---|
| 1 | 修学旅行コース別研修アンケート結果 | | | |
| 2 | | | | |
| 3 | ○○年１０月現在 | | | |
| 4 | 順位 | コース | | |
| 5 | 1 | 海遊館 | | |
| 6 | 6 | 清水寺 | | |
| 7 | 3 | 通天閣 | | |
| 8 | 4 | 八つ橋作り体験 | | |
| 9 | 5 | うず潮遊覧船 | | |

→

| | A | B | C | D |
|---|---|---|---|---|
| 1 | 修学旅行コース別研修アンケート結果 | | | |
| 2 | | | | |
| 3 | ○○年１０月現在 | | | |
| 4 | 順位 | コース | | |
| 5 | 1 | 海遊館 | | |
| 6 | 6 | 清水寺 | | |
| 7 | 3 | 通天閣 | | |
| 8 | 4 | 八つ橋作り体験 | | |
| 9 | | | | |

## 4 行の挿入

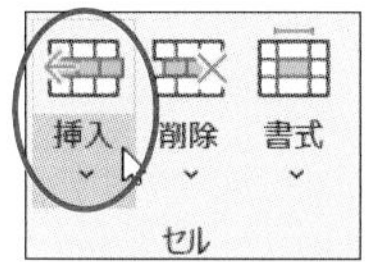


挿入したい行番号を右クリックし，表示されるショートカットメニューから挿入でもできる。

行番号「7」を選択して挿入をクリックする。

| | A | B | C | D |
|---|---|---|---|---|
| 1 | 修学旅行コース別研修アンケート結果 | | | |
| 2 | | | | |
| 3 | ○○年１０月現在 | | | |
| 4 | 順位 | コース | | |
| 5 | 1 | 海遊館 | | |
| 6 | 6 | 清水寺 | | |
| 7 | 3 | 通天閣 | | |
| 8 | 4 | 八つ橋作り体験 | | |

→

| | A | B | C | D |
|---|---|---|---|---|
| 1 | 修学旅行コース別研修アンケート結果 | | | |
| 2 | | | | |
| 3 | ○○年１０月現在 | | | |
| 4 | 順位 | コース | | |
| 5 | 1 | 海遊館 | | |
| 6 | 6 | 清水寺 | | |
| 7 | | | | |
| 8 | 3 | 通天閣 | | |

## 5 データの移動

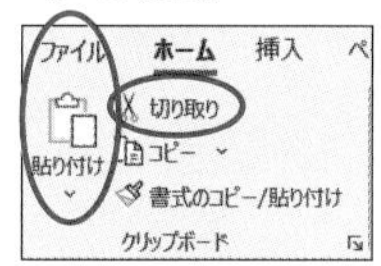


**マウスでの移動**

移動範囲の端をポイントし，マウスポインターの形状が下図のようになったら移動先へ向けてドラッグする。

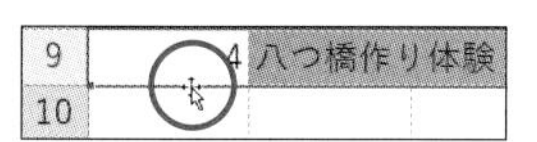


①移動元A９～B９をドラッグして 切り取りをクリックする。

| | A | B | C | D |
|---|---|---|---|---|
| 1 | 修学旅行コース別研修アンケート結果 | | | |
| 2 | | | | |
| 3 | ○○年１０月現在 | | | |
| 4 | 順位 | コース | | |
| 5 | 1 | 海遊館 | | |
| 6 | 6 | 清水寺 | | |
| 7 | | | | |
| 8 | 3 | 通天閣 | | |
| 9 | 4 | 八つ橋作り体験 | | |

→

②移動先のA７→ 貼り付けの順にクリックする。

| | A | B | C | D |
|---|---|---|---|---|
| 1 | 修学旅行コース別研修アンケート結果 | | | |
| 2 | | | | |
| 3 | ○○年１０月現在 | | | |
| 4 | 順位 | コース | | |
| 5 | 1 | 海遊館 | | |
| 6 | 6 | 清水寺 | | |
| 7 | 4 | 八つ橋作り体験 | | |
| 8 | 3 | 通天閣 | | |

③同様にA８～B８をA９に移動する。

| | A | B | C | D |
|---|---|---|---|---|
| 1 | 修学旅行コース別研修アンケート結果 | | | |
| 2 | | | | |
| 3 | ○○年１０月現在 | | | |
| 4 | 順位 | コース | | |
| 5 | 1 | 海遊館 | | |
| 6 | 6 | 清水寺 | | |
| 7 | 4 | 八つ橋作り体験 | | |
| 8 | 3 | 通天閣 | | |

→

| | A | B | C | D |
|---|---|---|---|---|
| 1 | 修学旅行コース別研修アンケート結果 | | | |
| 2 | | | | |
| 3 | ○○年１０月現在 | | | |
| 4 | 順位 | コース | | |
| 5 | 1 | 海遊館 | | |
| 6 | 6 | 清水寺 | | |
| 7 | 4 | 八つ橋作り体験 | | |
| 8 | | | | |
| 9 | 3 | 通天閣 | | |

## 6 データのコピー

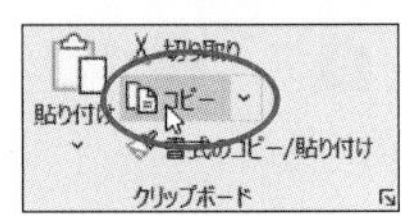


**マウスでのコピー**
コピー元範囲の端を［Ctrl］を押しながらポイントし，マウスポインターの形状が下図のようになったらコピー先へ向けてドラッグする。

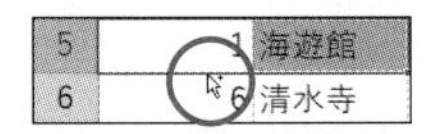

| | | |
|---|---|---|
| 5 | 1 | 海遊館 |
| 6 | 6 | 清水寺 |

①コピー元のＡ５～Ｂ５をドラッグし，コピーをクリックする。

| | A | B | C | D |
|---|---|---|---|---|
| 1 | 修学旅行コース別研修アンケート結果 | | | |
| 2 | | | | |
| 3 | ○○年１０月現在 | | | |
| 4 | 順位 | コース | | |
| 5 | 1 | 海遊館 | | |
| 6 | 6 | 清水寺 | | |
| 7 | 4 | 八つ橋作り体験 | | |
| 8 | | | | |
| 9 | 3 | 通天閣 | | |

②コピー先のＡ８をクリックし，貼り付けをクリックする。

| | A | B | C | D |
|---|---|---|---|---|
| 1 | 修学旅行コース別研修アンケート結果 | | | |
| 2 | | | | |
| 3 | ○○年１０月現在 | | | |
| 4 | 順位 | コース | | |
| 5 | 1 | 海遊館 | | |
| 6 | 6 | 清水寺 | | |
| 7 | 4 | 八つ橋作り体験 | | |
| 8 | 1 | 海遊館 | | |
| 9 | 3 | 通天閣 | | |

③［Esc］でコピー元の点滅を解除する。

## 7 行の削除

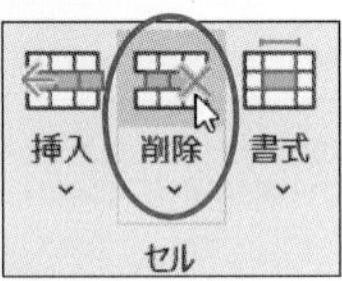


**列の削除**
列の場合は列番号(アルファベット)の部分をクリック→削除。

行番号「５」をクリックし，削除をクリックする。

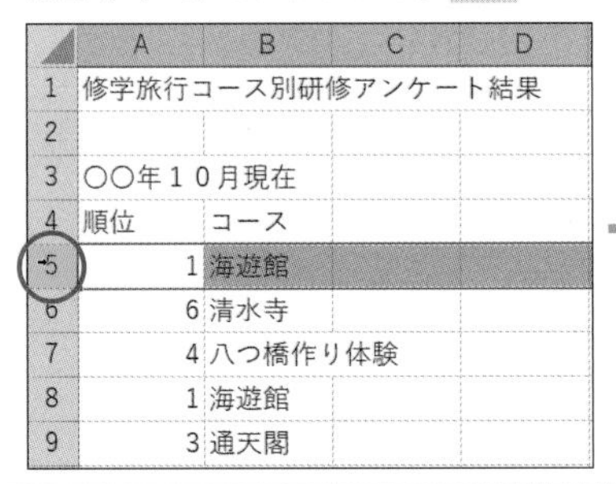

| | A | B | C | D |
|---|---|---|---|---|
| 1 | 修学旅行コース別研修アンケート結果 | | | |
| 2 | | | | |
| 3 | ○○年１０月現在 | | | |
| 4 | 順位 | コース | | |
| 5 | 1 | 海遊館 | | |
| 6 | 6 | 清水寺 | | |
| 7 | 4 | 八つ橋作り体験 | | |
| 8 | 1 | 海遊館 | | |
| 9 | 3 | 通天閣 | | |

| | A | B | C | D |
|---|---|---|---|---|
| 1 | 修学旅行コース別研修アンケート結果 | | | |
| 2 | | | | |
| 3 | ○○年１０月現在 | | | |
| 4 | 順位 | コース | | |
| 5 | 6 | 清水寺 | | |
| 6 | 4 | 八つ橋作り体験 | | |
| 7 | 1 | 海遊館 | | |
| 8 | 3 | 通天閣 | | |

## 8 列の挿入

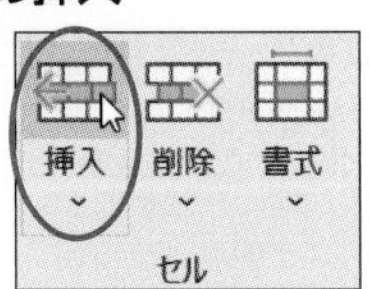


挿入したい列番号を右クリックし，表示されるショートカットメニューから挿入でもできる。

列番号「Ａ」をクリックし，挿入をクリックする。

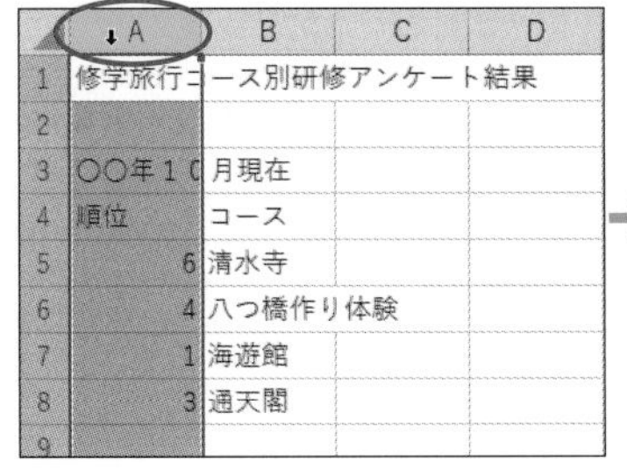

| | A | B | C | D |
|---|---|---|---|---|
| 1 | 修学旅行コース別研修アンケート結果 | | | |
| 2 | | | | |
| 3 | ○○年１０月現在 | | | |
| 4 | 順位 | コース | | |
| 5 | 6 | 清水寺 | | |
| 6 | 4 | 八つ橋作り体験 | | |
| 7 | 1 | 海遊館 | | |
| 8 | 3 | 通天閣 | | |

| | A | B | C | D | E |
|---|---|---|---|---|---|
| 1 | | 修学旅行コース別研修アンケート結果 | | | |
| 2 | | | | | |
| 3 | | ○○年１０月現在 | | | |
| 4 | | 順位 | コース | | |
| 5 | | 6 | 清水寺 | | |
| 6 | | 4 | 八つ橋作り体験 | | |
| 7 | | 1 | 海遊館 | | |
| 8 | | 3 | 通天閣 | | |

## 9 連番の入力

①Ａ５に「１」を入力し，オートフィル(＋マーク)でＡ８までドラッグする。

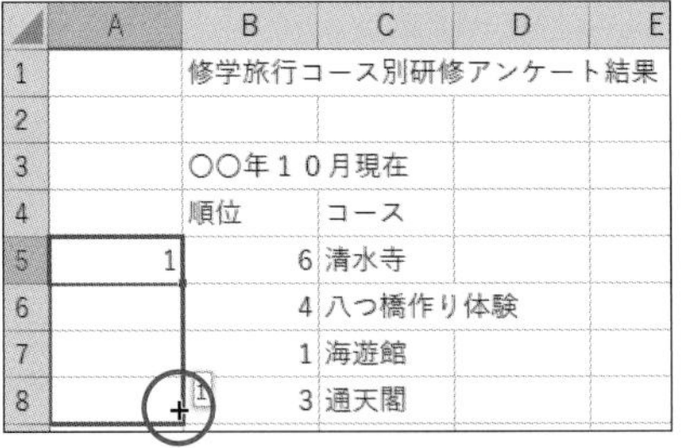

| | A | B | C | D | E |
|---|---|---|---|---|---|
| 1 | | 修学旅行コース別研修アンケート結果 | | | |
| 2 | | | | | |
| 3 | | ○○年１０月現在 | | | |
| 4 | | 順位 | コース | | |
| 5 | 1 | 6 | 清水寺 | | |
| 6 | | 4 | 八つ橋作り体験 | | |
| 7 | | 1 | 海遊館 | | |
| 8 | | 3 | 通天閣 | | |

②オートフィルオプションボタンの▼をクリックし，連続データを選択する。

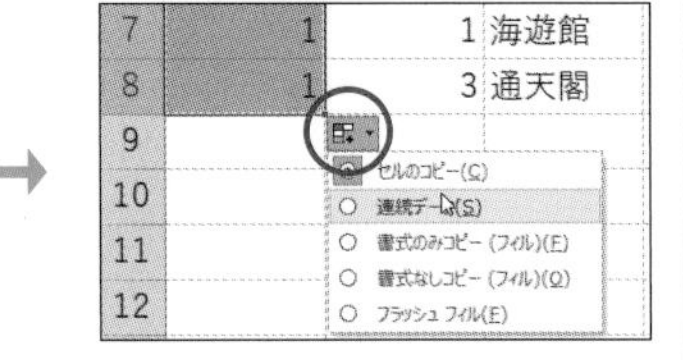

| | | | |
|---|---|---|---|
| 7 | 1 | 1 | 海遊館 |
| 8 | 1 | 3 | 通天閣 |
| 9 | | | |
| 10 | | | |
| 11 | | | |
| 12 | | | |



③Ｂ１をＡ１に，Ｂ３をＡ３に移動し，Ａ４に「順位」と入力し，Ｂ４を「前回順位」に修正して完成。

## こんなときどうする!?

**?! 移動やコピーで「貼り付け」たあとに表示されるボタンは何？**

(Ctrl)

貼り付けのオプションボタンといい，貼り付け方法を選ぶことができる。

**?! セルを削除したら表が崩れてしまった！**

下図はデータの入れ物「セル」そのものを削除した例。セルを選択→削除では，だるま落としのようにセルが詰まってしまう。中身のデータだけを消したい場合は，Delete を押すか，クリア→すべてクリアをクリックする。

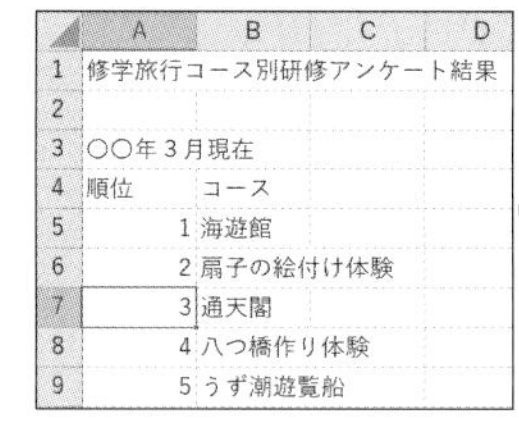

| | A | B | C | D |
|---|---|---|---|---|
| 1 | 修学旅行コース別研修アンケート結果 | | | |
| 2 | | | | |
| 3 | ○○年３月現在 | | | |
| 4 | 順位 | コース | | |
| 5 | 1 | 海遊館 | | |
| 6 | 2 | 扇子の絵付け体験 | | |
| 7 | 3 | 通天閣 | | |
| 8 | 4 | 八つ橋作り体験 | | |
| 9 | 5 | うず潮遊覧船 | | |

→

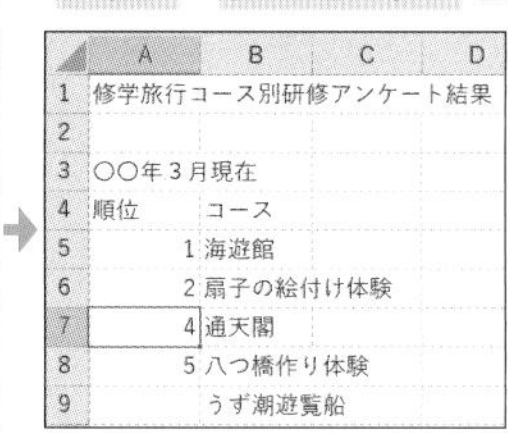

| | A | B | C | D |
|---|---|---|---|---|
| 1 | 修学旅行コース別研修アンケート結果 | | | |
| 2 | | | | |
| 3 | ○○年３月現在 | | | |
| 4 | 順位 | コース | | |
| 5 | 1 | 海遊館 | | |
| 6 | 2 | 扇子の絵付け体験 | | |
| 7 | 4 | 通天閣 | | |
| 8 | 5 | 八つ橋作り体験 | | |
| 9 | | うず潮遊覧船 | | |

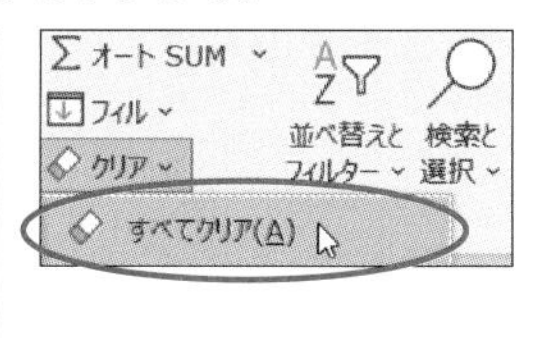


**?! リボンがなくなった!?**

リボンのタブ(どれでもよい)をダブルクリックすると，リボンの非表示⇔表示を切り替えることができる。

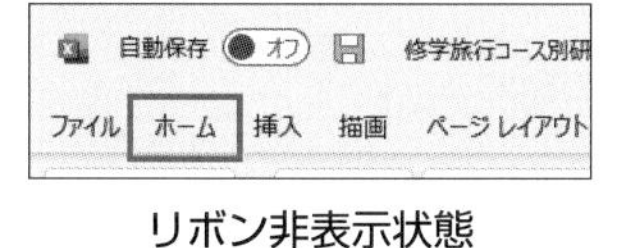


リボン非表示状態

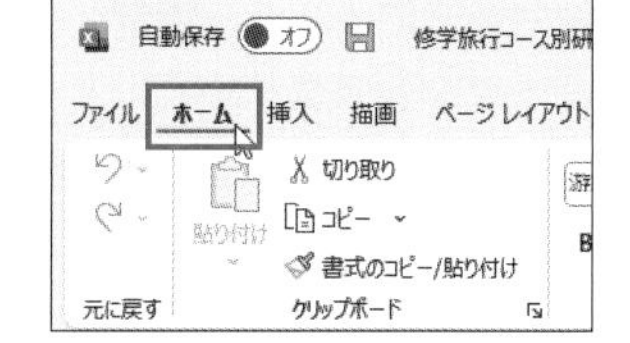


リボン表示状態

**?! 間違った操作を取り消したい!**

ホームタブの 元に戻すをクリックすると，直前の操作を取り消すことができる。

## やってみよう

**Let's Try**　**例題14「修学旅行コース別研修アンケート」の元の表を，次のように修正してみよう。**

（ファイル名：修学旅行コース別研修アンケート修正）

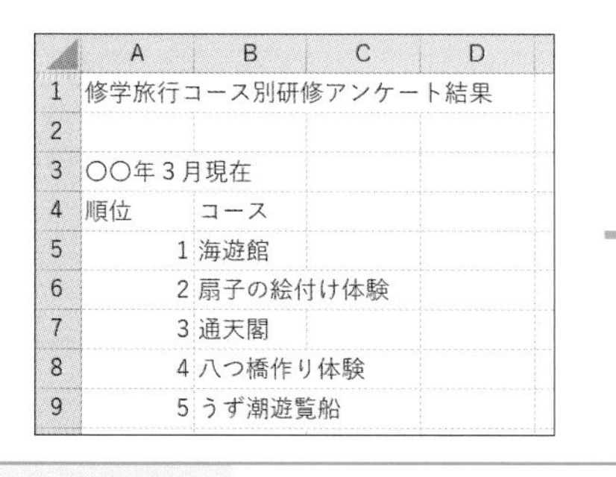

| | A | B | C | D |
|---|---|---|---|---|
| 1 | 修学旅行コース別研修アンケート結果 | | | |
| 2 | | | | |
| 3 | ○○年３月現在 | | | |
| 4 | 順位 | コース | | |
| 5 | 1 | 海遊館 | | |
| 6 | 2 | 扇子の絵付け体験 | | |
| 7 | 3 | 通天閣 | | |
| 8 | 4 | 八つ橋作り体験 | | |
| 9 | 5 | うず潮遊覧船 | | |

→

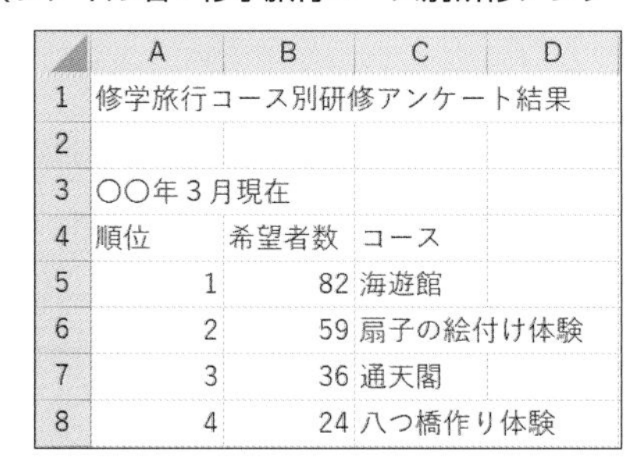

| | A | B | C | D |
|---|---|---|---|---|
| 1 | 修学旅行コース別研修アンケート結果 | | | |
| 2 | | | | |
| 3 | ○○年３月現在 | | | |
| 4 | 順位 | 希望者数 | コース | |
| 5 | 1 | 82 | 海遊館 | |
| 6 | 2 | 59 | 扇子の絵付け体験 | |
| 7 | 3 | 36 | 通天閣 | |
| 8 | 4 | 24 | 八つ橋作り体験 | |

# 2 計算をする

式の入力 ▶ 式のコピー

SUBJECT

基本的な計算を行う
- ●式の入力
- ●オートフィル機能による式のコピー
- ●オートSUM
- ●絶対参照によるセル指定
- ●パーセントスタイル

## 例題 15 計算式を入力してみよう

（ファイル名：部活動）

1 データの入力
2 足し算
3 式のコピー
4 オートSUMで計算
5 絶対参照によるセル指定
6 パーセントスタイル

| | A | B | C | D | E |
|---|---|---|---|---|---|
| 1 | 学年別部活動の所属人数の割合 | | | | |
| 2 | | | | | |
| 3 | 部活 | 1年 | 2年 | 合計 2 3 | 割合 5 6 |
| 4 | 陸上部 | 20 | 18 | 38 | 18% |
| 5 | 野球部 | 15 | 19 | 34 | 16% |
| 6 | バスケ部 | 32 | 35 | 67 | 32% |
| 7 | 卓球部 | 16 | 14 | 30 | 14% |
| 8 | 家庭部 | 4 22 | 20 | 42 | 20% |
| 9 | 合計 | 105 | 106 | 211 | 100% |

## 操作のポイント

### 1 データの入力

次のようにデータを入力する。

| | A | B | C | D | E |
|---|---|---|---|---|---|
| 1 | 学年別部活動の所属人数の割合 | | | | |
| 2 | | | | | |
| 3 | 部活 | 1年 | 2年 | 合計 | 割合 |
| 4 | 陸上部 | 20 | 18 | | |
| 5 | 野球部 | 15 | 19 | | |
| 6 | バスケ部 | 32 | 35 | | |
| 7 | 卓球部 | 16 | 14 | | |
| 8 | 家庭部 | 22 | 20 | | |
| 9 | 合計 | | | | |

## 2 足し算

式の入力時，日本語入力はOFFにしておく方がよい。答えを表示したいセルに式を入力する。計算式は「＝」で始まる。計算式に使ったセルの値が変化すると，自動的に再計算される。

**演算子**

足し算　＋
引き算　−
かけ算　＊
割り算　／

①D４をクリックする。

| | A | B | C | D | E |
|---|---|---|---|---|---|
| 1 | 学年別部活動の所属人数の割合 | | | | |
| 2 | | | | | |
| 3 | 部活 | １年 | ２年 | 合計 | 割合 |
| 4 | 陸上部 | 20 | 18 | | |
| 5 | 野球部 | 15 | 19 | | |

②「＝」を入力し，B4をクリックする。

| | A | B | C | D | E |
|---|---|---|---|---|---|
| 1 | 学年別部活動の所属人数の割合 | | | | |
| 2 | | | | | |
| 3 | 部活 | １年 | ２年 | 合計 | 割合 |
| 4 | 陸上部 | 20 | 18 | =B4 | |
| 5 | 野球部 | 15 | 19 | | |

③「＋」を入力し，C4をクリックする。

| | A | B | C | D | E |
|---|---|---|---|---|---|
| 1 | 学年別部活動の所属人数の割合 | | | | |
| 2 | | | | | |
| 3 | 部活 | １年 | ２年 | 合計 | 割合 |
| 4 | 陸上部 | 20 | 18 | =B4+C4 | |
| 5 | 野球部 | 15 | 19 | | |

④ Enter を押す。

| | A | B | C | D | E |
|---|---|---|---|---|---|
| 1 | 学年別部活動の所属人数の割合 | | | | |
| 2 | | | | | |
| 3 | 部活 | １年 | ２年 | 合計 | 割合 |
| 4 | 陸上部 | 20 | 18 | 38 | |
| 5 | 野球部 | 15 | 19 | | |

## 3 式のコピー

コピー元の計算式「＝Ｂ４＋Ｃ４」はコピーされる方向に合わせて
＝Ｂ５＋Ｃ５
＝Ｂ６＋Ｃ６･･･
と調整される(相対参照)。

コピー元D４をクリックし，右下の■をポイントしてマウスポインターの形状を＋に変化させたら，同じ計算をするD８までドラッグする。

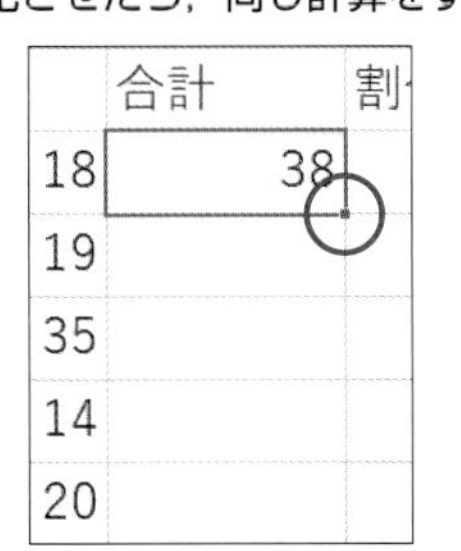

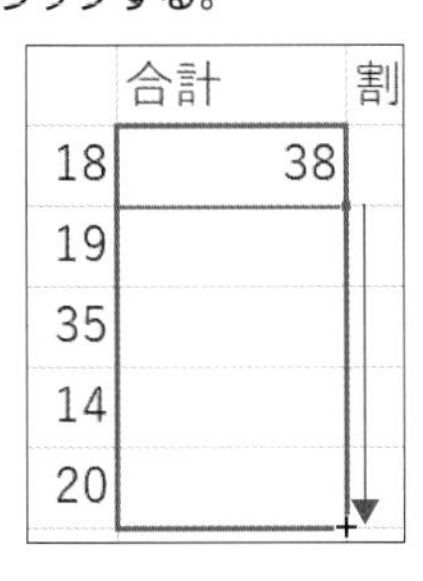

## 4 オートSUMで計算

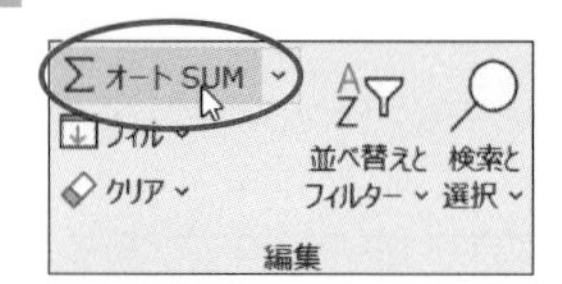


**SUM関数**

合計を計算する関数をSUM関数といい，次のように使用する。

SUM(○：○)

(　)内は合計したいセル範囲の始まりと終わりを指定する。

①B 9をクリックする。

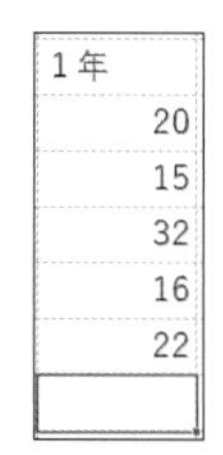

| 1年 |
|---|
| 20 |
| 15 |
| 32 |
| 16 |
| 22 |
| |

② Σ オートSUMをクリックすると，関数が自動的に入力される。

| 1年 | 2年 | 合 |
|---|---|---|
| 20 | 18 | |
| 15 | 19 | |
| 32 | 35 | |
| 16 | 14 | |
| 22 | 20 | |
| =SUM(B4:B8) | | |

SUM(数値1, [数値2], ...)

③ Enter を押す。

| 1年 |
|---|
| 20 |
| 15 |
| 32 |
| 16 |
| 22 |
| 105 |
| |

④B 9の式をD 9までコピーする。

| 家庭部 | 22 | 20 | 42 |
|---|---|---|---|
| 合計 | 105 | | |

## 5 絶対参照によるセル指定

式をコピーすると，自動的に式のセルもずれるが，右の例の「割合」は

$$\frac{\text{その項目の値}}{\text{合計(D 9)}}$$ なので，

D 9がずれては困る。そのようなときは F4 を押して絶対参照にすると，コピーしてもセルがずれない。

①E 4をクリックし，「=」を入力する。

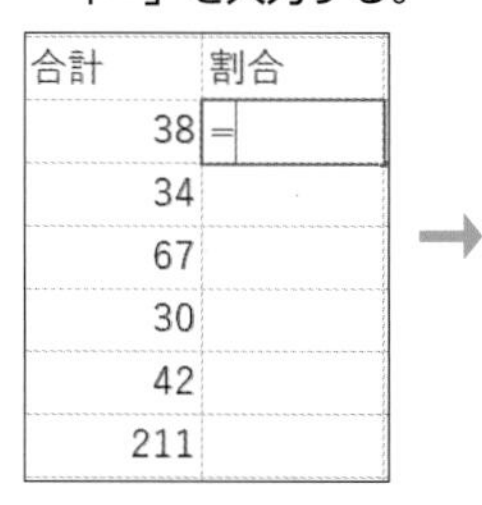

| 合計 | 割合 |
|---|---|
| 38 | = |
| 34 | |
| 67 | |
| 30 | |
| 42 | |
| 211 | |

②D 4をクリックする。

| 合計 | 割合 |
|---|---|
| 38 | =D4 |
| 34 | |
| 67 | |
| 30 | |
| 42 | |
| 211 | |

③「／」を入力し，D 9をクリックする。

| 合計 | 割合 |
|---|---|
| 38 | =D4/D9 |
| 34 | |
| 67 | |
| 30 | |
| 42 | |
| 211 | |

④ F4 を押す。

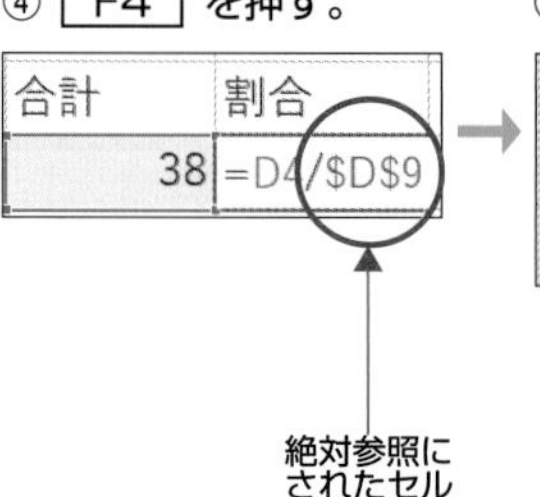

| 合計 | 割合 |
|---|---|
| 38 | =D4/$D$9 |



⑤ Enter を押す。

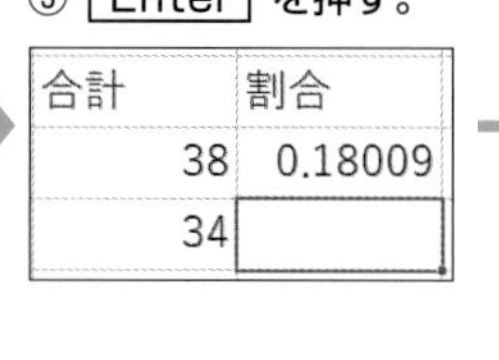

| 合計 | 割合 |
|---|---|
| 38 | 0.18009 |
| 34 | |

⑥E 4の式をE 9までコピーする。

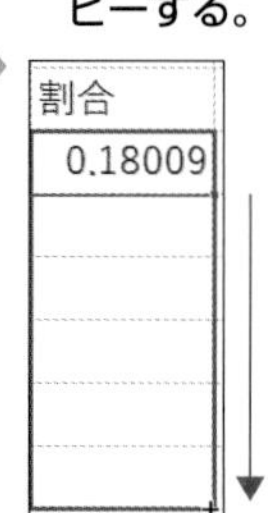

| 割合 |
|---|
| 0.18009 |
| |
| |
| |
| |
| |

## 6 パーセントスタイル

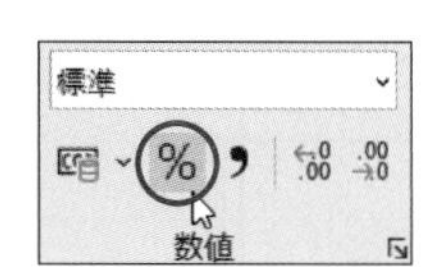


①E 4～E 9を範囲指定する。

| 合計 | 割合 |
|---|---|
| 38 | 0.18009 |
| 34 | 0.16114 |
| 67 | 0.31754 |
| 30 | 0.14218 |
| 42 | 0.19905 |
| 211 | 1 |

② % パーセントスタイルをクリックする。

| 合計 | 割合 |
|---|---|
| 38 | 18% |
| 34 | 16% |
| 67 | 32% |
| 30 | 14% |
| 42 | 20% |
| 211 | 100% |

## こんなときどうする!?

### ?! オートSUMボタンで計算した合計結果がおかしい!?

オートSUMは合計をするセルの範囲を自動で判断する便利なものだが，希望どおりの範囲が指定されるとは限らない。基本的にSUMを設定する上または左のセルのすべてを連続した範囲とみなしてしまう。したがって，途中に合計対象外のデータがある場合はセル範囲を指定し直さなければならない。

次のような表は注意が必要である。

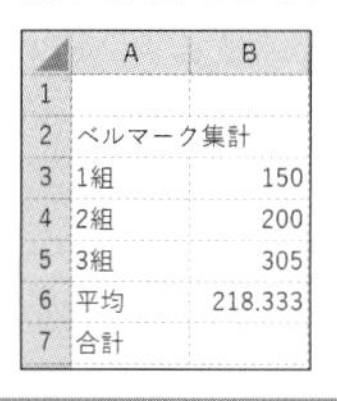

| | A | B |
|---|---|---|
| 1 | | |
| 2 | ベルマーク集計 | |
| 3 | 1組 | 150 |
| 4 | 2組 | 200 |
| 5 | 3組 | 305 |
| 6 | 平均 | 218.333 |
| 7 | 合計 | |

オートSUMが平均まで合計対象と判断してしまった。

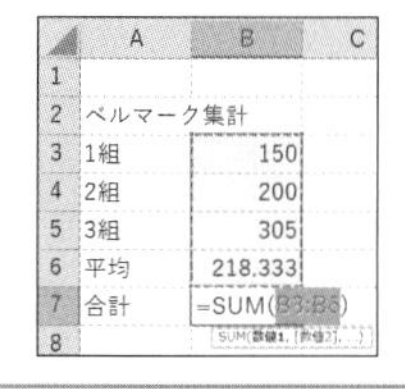

| | A | B | C |
|---|---|---|---|
| 1 | | | |
| 2 | ベルマーク集計 | | |
| 3 | 1組 | 150 | |
| 4 | 2組 | 200 | |
| 5 | 3組 | 305 | |
| 6 | 平均 | 218.333 | |
| 7 | 合計 | =SUM(B3:B6) | |
| 8 | | | |

範囲をドラッグで指定し直し，Enter を押す。

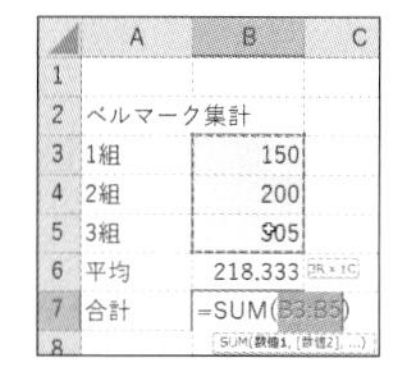

| | A | B | C |
|---|---|---|---|
| 1 | | | |
| 2 | ベルマーク集計 | | |
| 3 | 1組 | 150 | |
| 4 | 2組 | 200 | |
| 5 | 3組 | 305 | |
| 6 | 平均 | 218.333 | |
| 7 | 合計 | =SUM(B3:B5) | |
| 8 | | | |

### ?! 絶対参照を指定したのに答えがおかしい!?

F4 による＄の付加は，押すごとに次のように切り替わる。

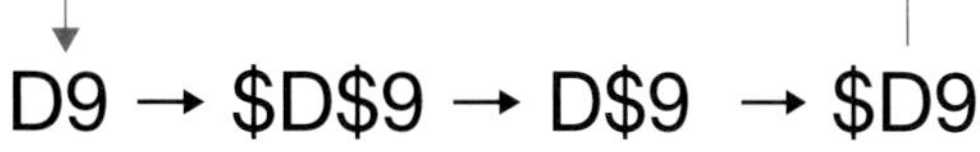


コピーする方向によって使い分けが必要だが，一般的な表であれば，＄が2つ付いている指定で済む場合が多い。

### ?! 通貨表示形式，桁区切りスタイル，パーセントスタイルを解除したい！

セルを選択し，数値の書式→標準をクリックする。

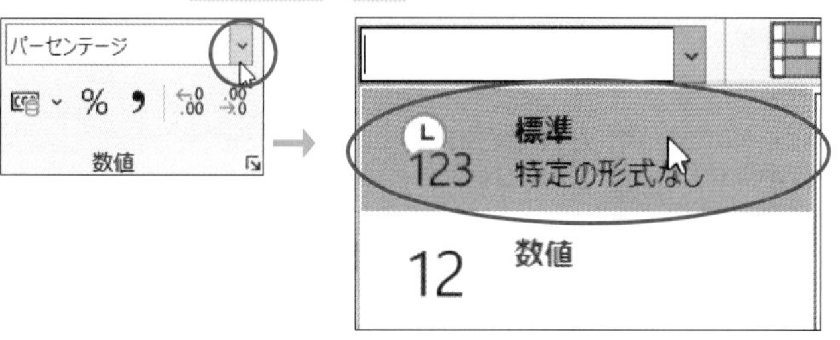


## やってみよう

### Let's Try

次の表を作成してみよう。 （ファイル名：BOOK）

| | A | B | C | D | E |
|---|---|---|---|---|---|
| 1 | BOOK何が好きアンケート | | | | |
| 2 | | | | | |
| 3 | | 1組 | 2組 | 合計 | 割合 |
| 4 | 蜘蛛の糸 | 6 | 7 | 13 | 22% |
| 5 | トロッコ | 6 | 2 | 8 | 13% |
| 6 | 杜子春 | 8 | 10 | 18 | 30% |
| 7 | 羅生門 | 5 | 9 | 14 | 23% |
| 8 | 鼻 | 5 | 2 | 7 | 12% |
| 9 | 合計 | 30 | 30 | 60 | 100% |

# 3 体裁を整える

データ入力 ▶ 列幅調整 ▶ 文字書式設定 ▶ 数値書式設定 ▶ 罫線

SUBJECT

見やすい表にするための基本的な体裁の調整
- ●列幅の調整
- ●フォントサイズ・フォントの変更
- ●下線・太字・斜体
- ●セルを結合して中央揃え・中央揃え
- ●通貨表示形式，桁区切りスタイル，パーセントスタイル，小数点以下の表示桁数を増やす ●罫線

## 例題16 表示形式を設定してみよう （ファイル名：家電売上）

1 データの入力
2 データの計算
3・4・5 列幅の調整
6 フォントサイズ・フォントの変更
7 下線・太字・斜体
8 セルを結合して中央揃え・中央揃え
9 通貨表示形式，桁区切りスタイル，パーセントスタイル，小数点以下の表示桁数を増やす
10 罫線

| | A | B | C | D | E |
|---|---|---|---|---|---|
| 1 | 家電製品売上一覧 | | | | |
| 2 | | | | | |
| 3 | 品名 | 価格 | 前月数量 | 今月数量 | 伸び率 |
| 4 | 空気清浄機 | ¥12,000 | 4,300 | 5,100 | 18.6% |
| 5 | ホームベーカリー | ¥19,800 | 5,000 | 4,500 | -10.0% |
| 6 | ヘアストレートアイロン | ¥11,800 | 2,000 | 3,000 | 50.0% |
| 7 | 電子辞書 | ¥16,000 | 2,100 | 2,100 | 0.0% |
| 8 | 5.1chDVDホームシアター | ¥24,800 | 3,400 | 4,300 | 26.5% |
| 9 | 合計 | | 16,800 | 19,000 | 13.1% |

## 操作のポイント

### 1 データの入力

セルからはみ出た文字列は，右のセルにデータが入力されると，隠れて見えなくなるが，消えたわけではなく，列幅を広げれば見えるようになる。

①日本語入力をONにして文字を入力する。

| | A | B | C | D | E |
|---|---|---|---|---|---|
| 1 | 家電製品売上一覧 | | | | |
| 2 | | | | | |
| 3 | 品名 | 価格 | 前月数量 | 今月数量 | 伸び率 |
| 4 | 空気清浄機 | | | | |
| 5 | ホームベーカリー | | | | |
| 6 | ヘアストレートアイロン | | | | |
| 7 | 電子辞書 | | | | |
| 8 | 5.1chホームシアター | | | | |
| 9 | 合計 | | | | |

②日本語入力をOFFにして数値を入力する。

| | A | B | C | D |
|---|---|---|---|---|
| 1 | 家電製品売上一覧 | | | |
| 2 | | | | |
| 3 | 品名 | 価格 | 前月数量 | 今月数量 |
| 4 | 空気清浄機 | 12000 | 4300 | 5100 |
| 5 | ホームベー | 19800 | 5000 | 4500 |
| 6 | ヘアストレ | 11800 | 2000 | 3000 |
| 7 | 電子辞書 | 16000 | 2100 | 2100 |
| 8 | 5.1chホー | 24800 | 3400 | 4300 |

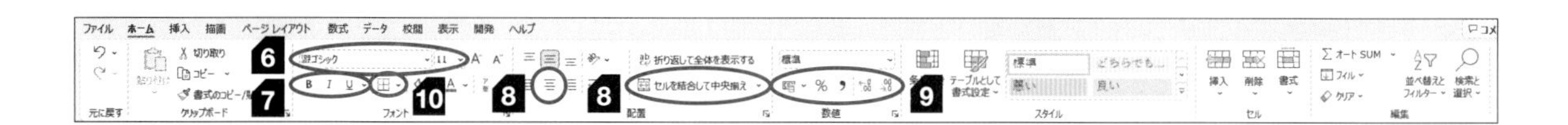


## 2 データの計算

「合計」と「伸び率」を計算する。
※伸び率＝(今月数量－前月数量)÷前月数量

|  | A | B | C | D | E |
|---|---|---|---|---|---|
| 1 | 家電製品売上一覧 |  |  |  |  |
| 2 |  |  |  |  |  |
| 3 | 品名 | 価格 | 前月数量 | 今月数量 | 伸び率 |
| 4 | 空気清浄機 | 12000 | 4300 | 5100 | 0.186047 |
| 5 | ホームベー | 19800 | 5000 | 4500 | -0.1 |
| 6 | ヘアストレ | 11800 | 2000 | 3000 | 0.5 |
| 7 | 電子辞書 | 16000 | 2100 | 2100 | 0 |
| 8 | 5.1chホー | 24800 | 3400 | 4300 | 0.264706 |
| 9 | 合計 |  | 16800 | 19000 | 0.130952 |

→ ＝(D4-C4)/C4

## 3 列幅の調整①

調整したい列名の右の境界線をポイントし，マウスポインターの形状を変化させる。

列AとBの境界線をポイントし，マウスポインターの形状が ✛ になったらダブルクリックすると，その列の最も長い文字列に合わせて自動調整される。

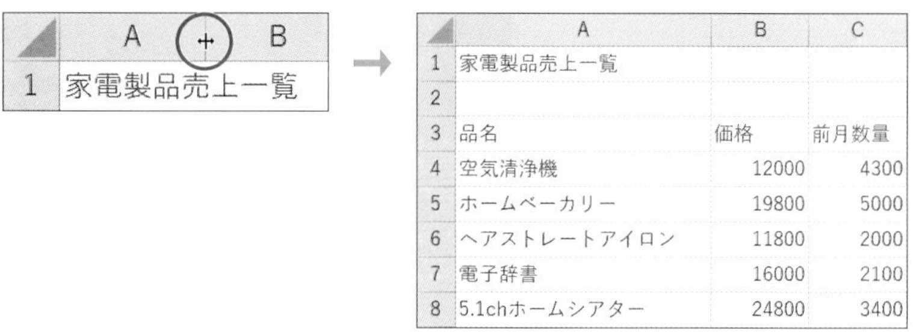

|  | A | B |
|---|---|---|
| 1 | 家電製品売上一覧 |  |

→

|  | A | B | C |
|---|---|---|---|
| 1 | 家電製品売上一覧 |  |  |
| 2 |  |  |  |
| 3 | 品名 | 価格 | 前月数量 |
| 4 | 空気清浄機 | 12000 | 4300 |
| 5 | ホームベーカリー | 19800 | 5000 |
| 6 | ヘアストレートアイロン | 11800 | 2000 |
| 7 | 電子辞書 | 16000 | 2100 |
| 8 | 5.1chホームシアター | 24800 | 3400 |

## 4 列幅の調整②

列幅は，ドラッグにより好きな幅に調整できる。

列BとCの境界線をポイントし，マウスポインターの形状が ✛ になったら左にドラッグして列幅6.75くらいに縮める。

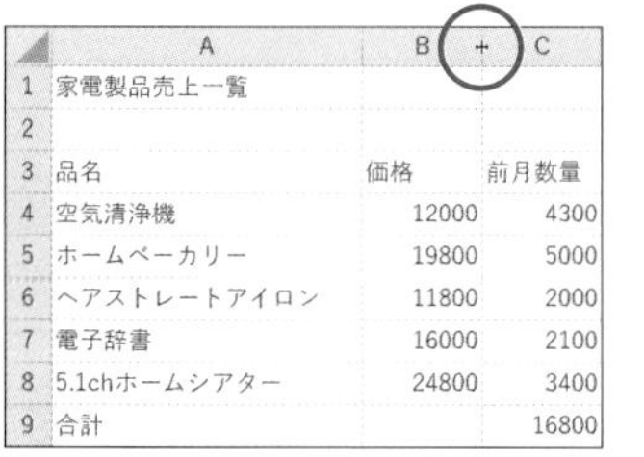

|  | A | B | C |
|---|---|---|---|
| 1 | 家電製品売上一覧 |  |  |
| 2 |  |  |  |
| 3 | 品名 | 価格 | 前月数量 |
| 4 | 空気清浄機 | 12000 | 4300 |
| 5 | ホームベーカリー | 19800 | 5000 |
| 6 | ヘアストレートアイロン | 11800 | 2000 |
| 7 | 電子辞書 | 16000 | 2100 |
| 8 | 5.1chホームシアター | 24800 | 3400 |
| 9 | 合計 |  | 16800 |

→

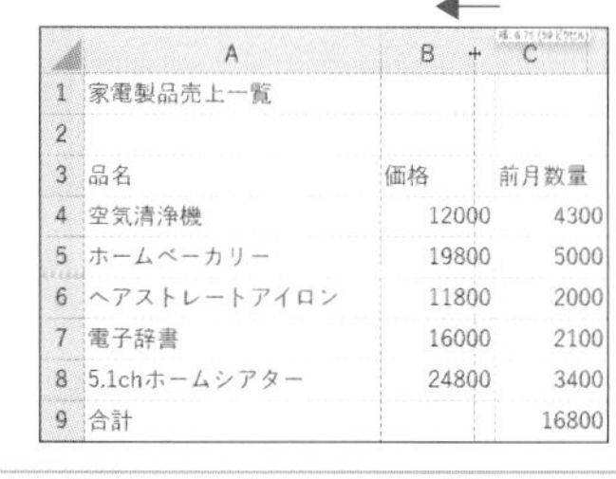

|  | A | B | C |
|---|---|---|---|
| 1 | 家電製品売上一覧 |  |  |
| 2 |  |  |  |
| 3 | 品名 | 価格 | 前月数量 |
| 4 | 空気清浄機 | 12000 | 4300 |
| 5 | ホームベーカリー | 19800 | 5000 |
| 6 | ヘアストレートアイロン | 11800 | 2000 |
| 7 | 電子辞書 | 16000 | 2100 |
| 8 | 5.1chホームシアター | 24800 | 3400 |
| 9 | 合計 |  | 16800 |

## 5 列幅の調整③

複数の列を同じ幅にするには，列を選択してから調整する。

①列CとDを選択する。

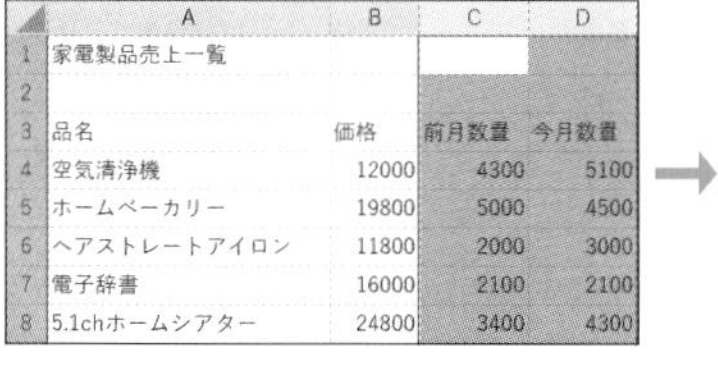

|  | A | B | C | D |
|---|---|---|---|---|
| 1 | 家電製品売上一覧 |  |  |  |
| 2 |  |  |  |  |
| 3 | 品名 | 価格 | 前月数量 | 今月数量 |
| 4 | 空気清浄機 | 12000 | 4300 | 5100 |
| 5 | ホームベーカリー | 19800 | 5000 | 4500 |
| 6 | ヘアストレートアイロン | 11800 | 2000 | 3000 |
| 7 | 電子辞書 | 16000 | 2100 | 2100 |
| 8 | 5.1chホームシアター | 24800 | 3400 | 4300 |

→

②列CとD，またはDとEの境界線をポイントし，マウスポインターの形状が ✛ になったら右にドラッグして列幅を10くらいに広げる。

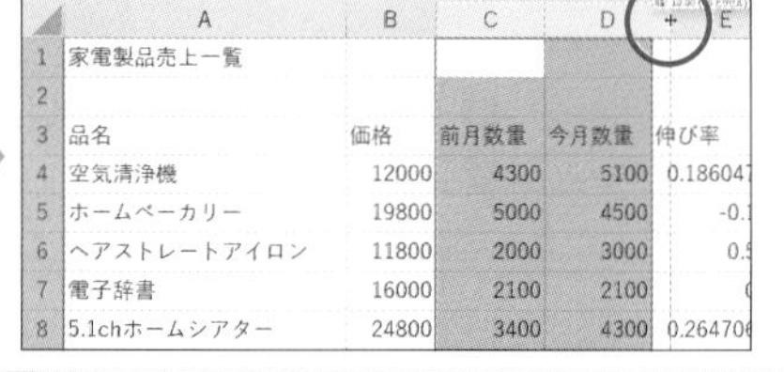

|  | A | B | C | D | E |
|---|---|---|---|---|---|
| 1 | 家電製品売上一覧 |  |  |  |  |
| 2 |  |  |  |  |  |
| 3 | 品名 | 価格 | 前月数量 | 今月数量 | 伸び率 |
| 4 | 空気清浄機 | 12000 | 4300 | 5100 | 0.186047 |
| 5 | ホームベーカリー | 19800 | 5000 | 4500 | -0.1 |
| 6 | ヘアストレートアイロン | 11800 | 2000 | 3000 | 0.5 |
| 7 | 電子辞書 | 16000 | 2100 | 2100 | 0 |
| 8 | 5.1chホームシアター | 24800 | 3400 | 4300 | 0.264706 |

## 6 フォントサイズ・フォントの変更

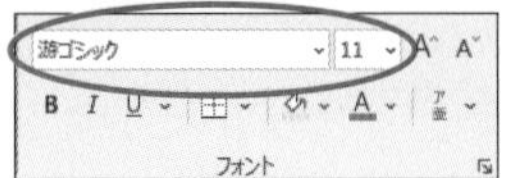

Ａ１をクリックし，フォントサイズを14，フォントをHG丸ゴシックM-PROに指定する。

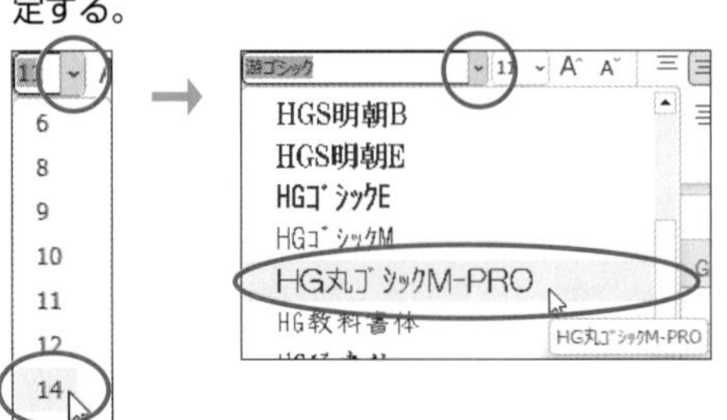


| | A |
|---|---|
| 1 | 家電製品売上一覧 |

## 7 下線・太字・斜体

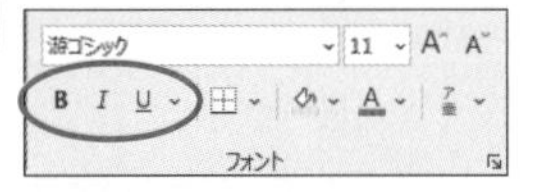

下線・太字・斜体の解除は，再度同じボタンをクリックすればよい。

①下線

Ａ１を選択して U 下線をクリックする。

| | A |
|---|---|
| 1 | 家電製品売上一覧 |

②太字

Ａ３～Ｅ３を選択して B 太字をクリックする。同様にＡ９も太字にする。

| | A | B | C | D | E |
|---|---|---|---|---|---|
| 1 | 家電製品売上一覧 | | | | |
| 2 | | | | | |
| 3 | **品名** | **価格** | **前月数量** | **今月数量** | **伸び率** |
| 4 | 空気清浄機 | 12000 | 4300 | 5100 | 0.186047 |

③斜体

Ａ１を選択して *I* 斜体をクリックする。

| | A |
|---|---|
| 1 | *家電製品売上一覧* |

## 8 セルを結合して中央揃え・中央揃え

セルを結合して中央揃え・中央揃えの解除は，再度同じボタンをクリックすればよい。

①セルを結合して中央揃え

Ａ１～Ｅ１を選択して セルを結合して中央揃えをクリックする。

| | A | B | C | D | E |
|---|---|---|---|---|---|
| 1 | *家電製品売上一覧* | | | | |

②中央揃え

Ａ３～Ｅ３を選択して 中央揃えをクリックする。同様にＡ９も中央揃えにする。

| | A | B | C | D | E |
|---|---|---|---|---|---|
| 1 | *家電製品売上一覧* | | | | |
| 2 | | | | | |
| 3 | **品名** | **価格** | **前月数量** | **今月数量** | **伸び率** |
| 4 | 空気清浄機 | 12000 | 4300 | 5100 | 0.186047 |

## 9 通貨表示形式，桁区切りスタイル，パーセントスタイル，小数点以下の表示桁数を増やす

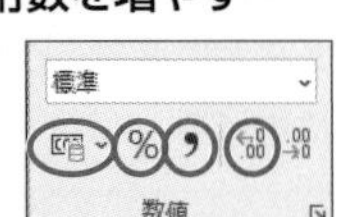

①通貨表示形式

Ｂ４～Ｂ８を選択し， 通貨表示形式をクリックする。

②桁区切りスタイル

Ｃ４～Ｄ９を選択し， 桁区切りスタイルをクリックする。

③パーセントスタイル，小数点以下の表示桁数を増やす

Ｅ４～Ｅ９を選択し， % パーセントスタイルをクリックする。 小数点以下の表示桁数を増やすをクリックし，小数第１位まで表示させる。

| | A | B | C | D | E |
|---|---|---|---|---|---|
| 1 | *家電製品売上一覧* | | | | |
| 2 | | | | | |
| 3 | **品名** | **価格** | **前月数量** | **今月数量** | **伸び率** |
| 4 | 空気清浄機 | ¥12,000 | 4,300 | 5,100 | 18.6% |
| 5 | ホームベーカリー | ¥19,800 | 5,000 | 4,500 | -10.0% |
| 6 | ヘアストレートアイロン | ¥11,800 | 2,000 | 3,000 | 50.0% |
| 7 | 電子辞書 | ¥16,000 | 2,100 | 2,100 | 0.0% |
| 8 | 5.1chDVDホームシアター | ¥24,800 | 3,400 | 4,300 | 26.5% |
| | | | 16,800 | 19,000 | 13.1% |

## 10 罫線

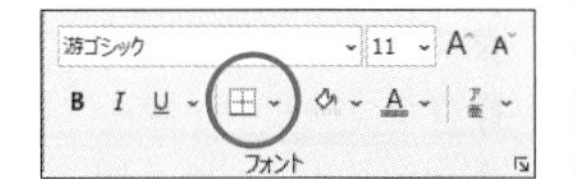


右端の▾をクリックすると，選択した範囲内のどこに罫線を引くのか選べる。

**①格子と太い外枠**

A３～E９を選択し，格子をクリックしたあとに太い外枠をクリックする。

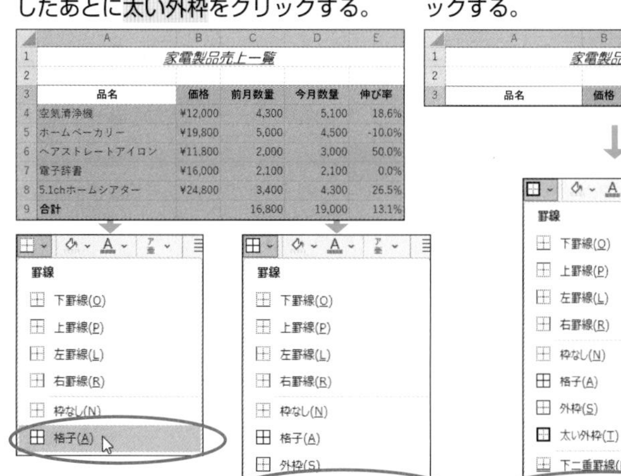


**②下太罫線**

A３～E３を選択し，下太罫線をクリックする。

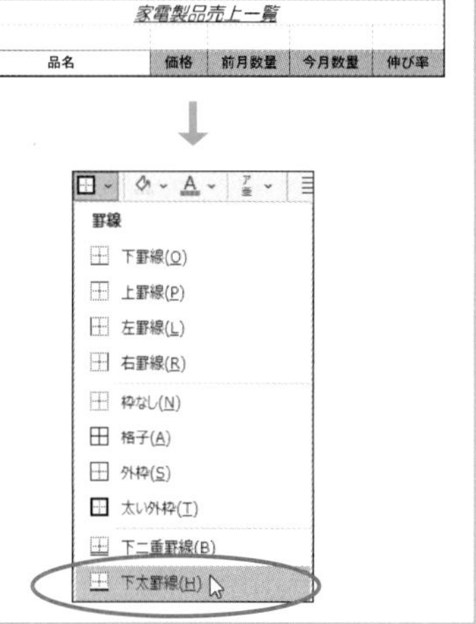


## こんなときどうする!?

### ?! オートフィルで式をコピーしたら罫線がおかしくなった!?

| 今月数量 | 伸び率 |
|---|---|
| 5,100 | 18.6% |
| 4,500 | -10.0% |
| 3,000 | 50.0% |
| 2,100 | 0.0% |
| 4,300 | 26.5% |
| 19,000 | 13.1% |

セルのコピー(C)
書式のみコピー (フィル)(F)
書式なしコピー (フィル)(O)
フラッシュ フィル(F)

オートフィルはセルに設定された書式も一緒にコピーするので，コピー元に罫線が引かれている場合は，セルの罫線も一緒にコピーされてしまう。そのような場合はオートフィルオプションボタンから書式なしコピー(フィル)を選べばよい。しかし，このような手間をとらぬよう，新規に表を作成する場合は，すべて完成したあとに罫線を引こう。

## やってみよう

### Let's Try

次のような表を作成してみよう。
※サービス率＝サービスポイント÷月会費

（ファイル名：登録サービス比較）

| | A | B | C | D | E |
|---|---|---|---|---|---|
| 1 | 有料コンテンツ登録サービス比較 | | | | |
| 2 | | | | | |
| 3 | サイト名 | 分類 | 月会費 | サービスポイント | サービス率 |
| 4 | ドワンゴ | ミュージック | 300 | 650 | 216.7% |
| 5 | ヒーモア | コミック | 300 | 900 | 300.0% |
| 6 | ソナソナ | 健康 | 180 | 450 | 250.0% |
| 7 | メロメロうた | ミュージック | 300 | 550 | 183.3% |
| 8 | kokoro | 健康 | 300 | 400 | 133.3% |
| 9 | ゲーム天国 | ゲーム | 1,000 | 1,100 | 110.0% |
| 10 | Joy歌詞 | ミュージック | 100 | 150 | 150.0% |

**セルの塗りつぶし**

セルを選択してから塗りつぶしの色の右端の▾をクリックし，色を選ぶ(ゴールド、アクセント4、白＋基本色80%)。

**文字色の変更**

セルを選択してからフォントの色の右端の▾をクリックし，色を選ぶ(オレンジ、アクセント2、黒＋基本色25%)。

# グラフを作成する

**SUBJECT**

表を元に，基本的なグラフを作成する

- ●グラフの挿入　●グラフの選択と解除
- ●グラフの移動　●グラフの拡大・縮小
- ●グラフの削除　●軸ラベル　●凡例
- ●データラベル　●軸のオプション
- ●軸ラベルのフォントサイズ変更
- ●タイトルの書式設定

## 例題17 グラフを作成してみよう　（ファイル名：ライブハウス）

1. グラフの元の表の作成
2. グラフの挿入
3. グラフの選択と解除
4. グラフの移動
5. グラフの拡大・縮小
6. グラフの削除

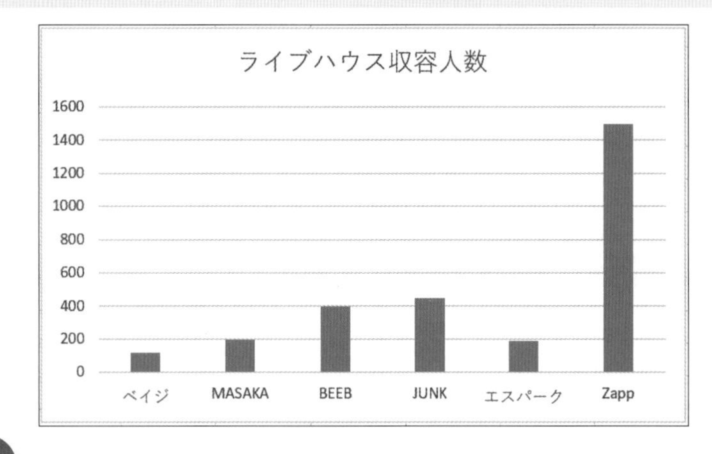


## 操作のポイント

### 1 グラフの元の表の作成

| | A | B |
|---|---|---|
| 1 | ライブハウス収容人数 | |
| 2 | | |
| 3 | ライブハウス | 収容人数 |
| 4 | ペイジ | 120 |
| 5 | MASAKA | 200 |
| 6 | BEEB | 400 |
| 7 | JUNK | 450 |
| 8 | エスパーク | 190 |
| 9 | Zapp | 1500 |

左のようにデータを入力し，表を作成する。

### 2 グラフの挿入

①A3～B9を選択し，**挿入**タブ→**縦棒/横棒グラフの挿入**→**集合縦棒**をクリックする。

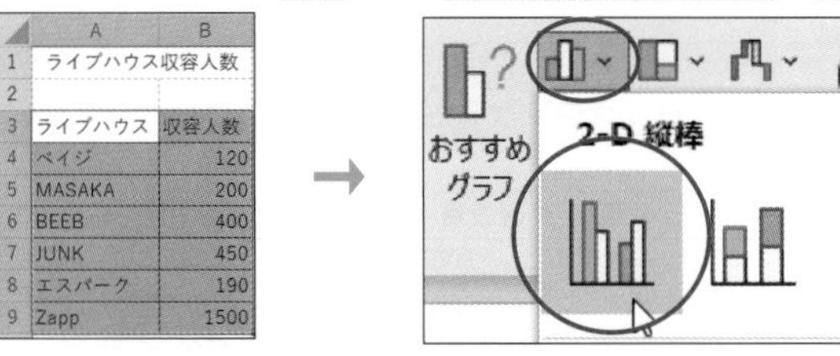


②タイトルを修正する。

クリックで選択し，再度クリックで編集モードにして文字を入力する。

収容人数  収容人数  ライブハウス収容人数

## 3 グラフの選択と解除

グラフエリアが選択状態のとき表示される。

グラフのデザイン　書式

選択状態(ハンドルあり)　　選択解除(ハンドルなし)

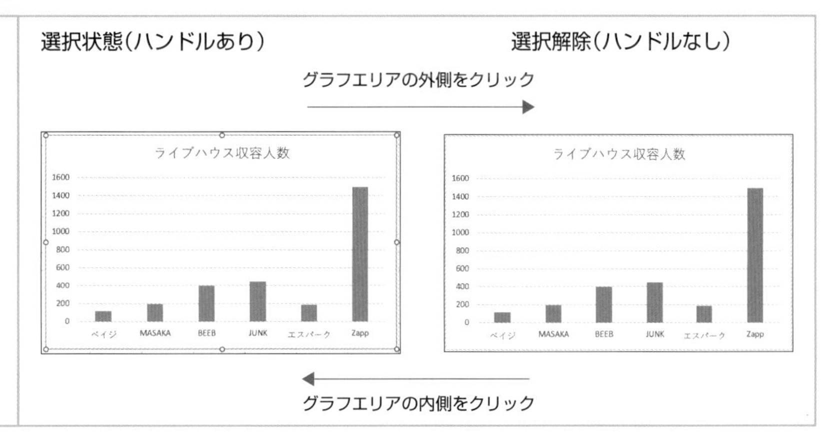


## 4 グラフの移動

グラフエリアをポイントし，マウスポインターの形状が ✥ になったら，グラフエリアの左上がA11になるようにドラッグする。移動中はマウスポインターの形状が ✥ に変わる。

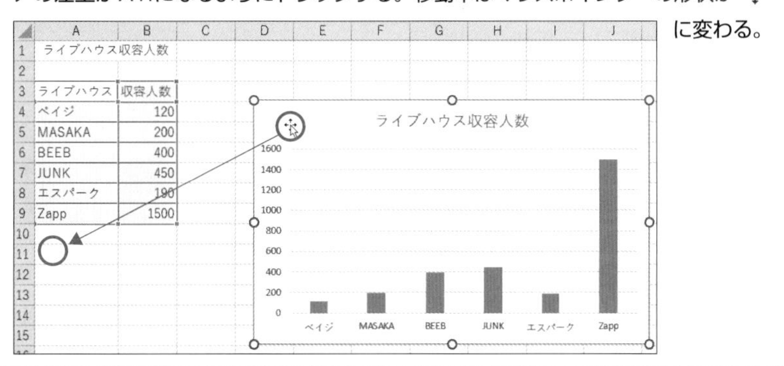


## 5 グラフの拡大・縮小

ハンドル ○ をポイントし，マウスポインターの形状が ⇔ に変わったら左へドラッグしてグラフエリアを適宜縮小する。

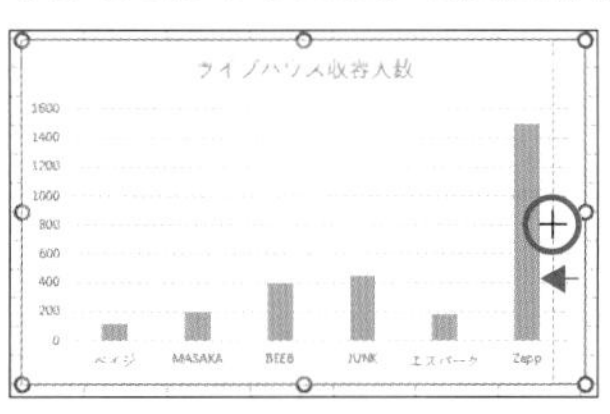

ドラッグしている間は，マウスポインターの形状が ＋ になる。

## 6 グラフの削除

間違って削除したらホームタブ→元に戻すで復活させる。

元に戻す

グラフエリアを選択し Delete を押す。

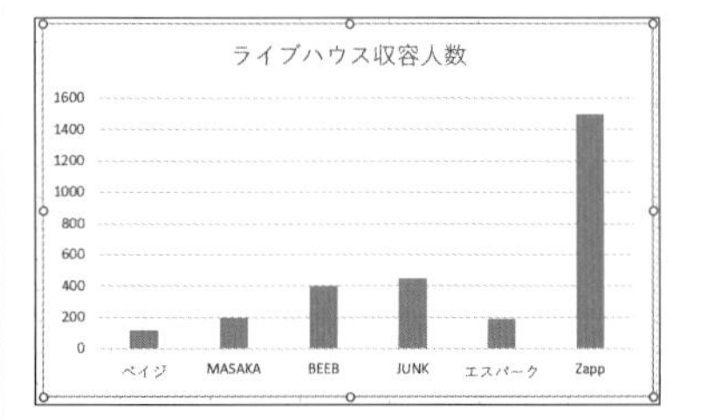


※削除が確認できたら，今回はホームタブの元に戻すで復活させておく。

## こんなときどうする!?

?! **グラフを作成するほどではないが，数値を視覚的に表現したいな…。**

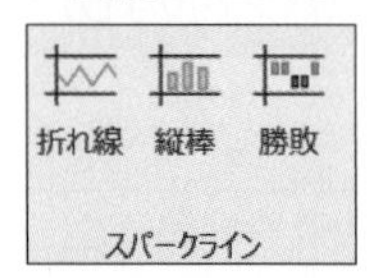


※スパークラインの削除
削除対象セルを選択し，スパークラインタブ→クリア→選択したスパークラインのクリアをクリックする。

＜スパークライン＞スパークラインとは複数のセルに入力された数値の傾向を視覚的に表現するために，別のセル 1 つの中に小さなグラフを作成する機能である。「折れ線」「縦棒」「勝敗」の 3 つの種類がある。

①グラフ化したいデータを選択し，挿入タブ→縦棒スパークラインをクリックする。

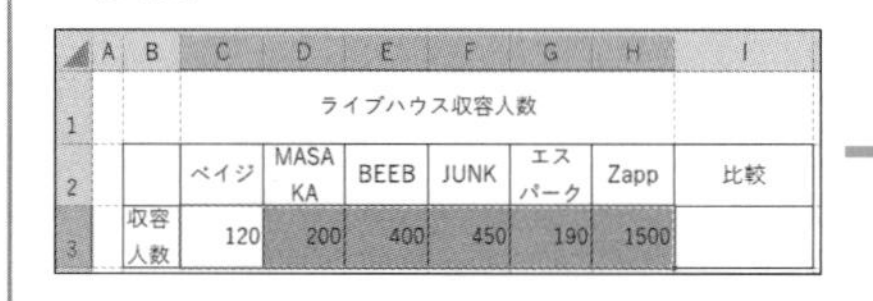


②場所の範囲でスパークラインを作成するセルをクリックし，OKをクリックする。

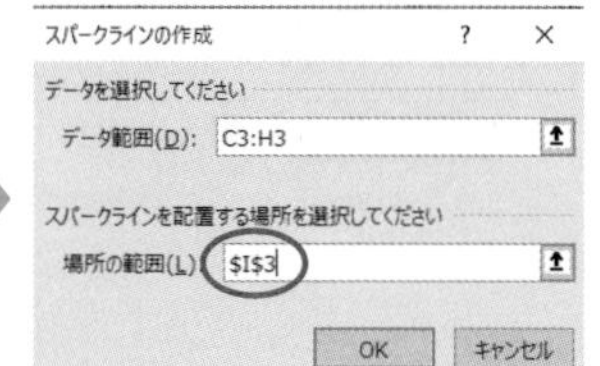


③セル内に小さなグラフが表示される。

| | ライブハウス収容人数 | | | | | | |
|---|---|---|---|---|---|---|---|
| | ペイジ | MASAKA | BEEB | JUNK | エスパーク | Zapp | 比較 |
| 収容人数 | 120 | 200 | 400 | 450 | 190 | 1500 | |

条件付き書式 テーブルとして書式設定 セルのスタイル
スタイル

※データバーの削除
削除対象セルを選択し，ホームタブ→条件付き書式→ルールのクリア→選択したセルからルールをクリアをクリックする。

＜データバー＞データバーとは，セル内の数値の大きさを棒の長さで視覚的に表す書式のひとつである。グラデーション・単色など，表現方法と色が選べる。

①データバーを設定したいセルを選択する。

| | A | B |
|---|---|---|
| 1 | ライブハウス収容人数 | |
| 2 | | |
| 3 | ライブハウス | 収容人数 |
| 4 | ペイジ | 120 |
| 5 | MASAKA | 200 |
| 6 | BEEB | 400 |
| 7 | JUNK | 450 |
| 8 | エスパーク | 190 |
| 9 | Zapp | 1500 |

②ホームタブ→条件付き書式→データバー→赤のデータバーをクリックする。

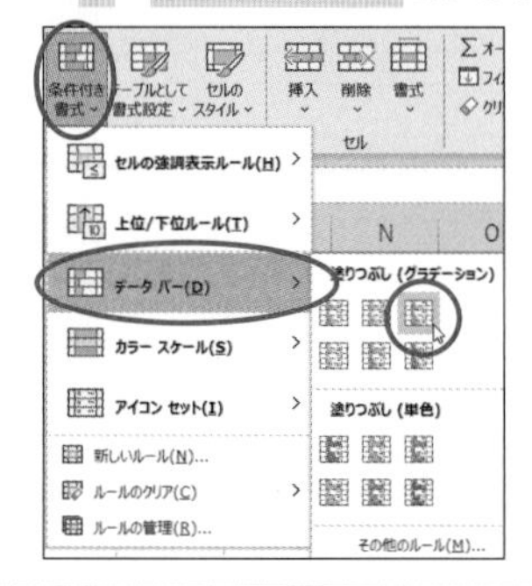


③各セルに数値の大小がわかるデータバーが表示される。

## やってみよう

**Let's Try** **例題17「ライブハウス」の表から次の横棒グラフ(3-D集合横棒)を，同じワークシートの任意の場所に作成してみよう。** （ファイル名：ライブハウス２）

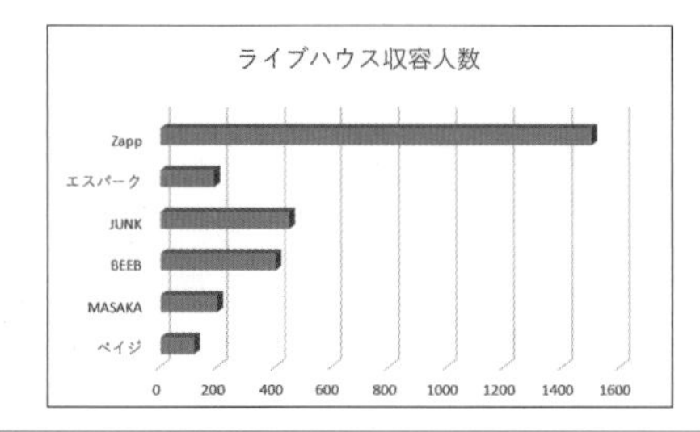

ファイル名を変えるときは，ファイルタブ→名前を付けて保存を利用する。

## 例題18 グラフを編集してみよう

（ファイル名：ライブハウス 3）

1 軸ラベル(縦(値)軸ラベル)

2 凡例

3 データラベル

4 軸のオプション

5 軸ラベルのフォントサイズ変更

6 タイトルの書式設定

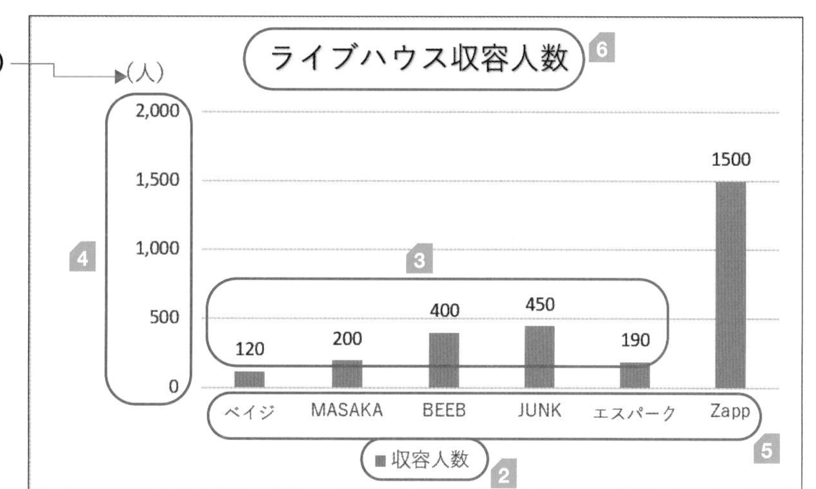


## 操作のポイント

### 1 軸ラベル(縦(値)軸ラベル)

①例題17で作成した「ライブハウス」を開く。

②グラフエリアを選択する。

③グラフのデザインタブ→グラフ要素を追加→軸ラベル→第１縦軸をクリックする。

④縦(値)軸ラベル内をクリックし，「(人)」と入力する。

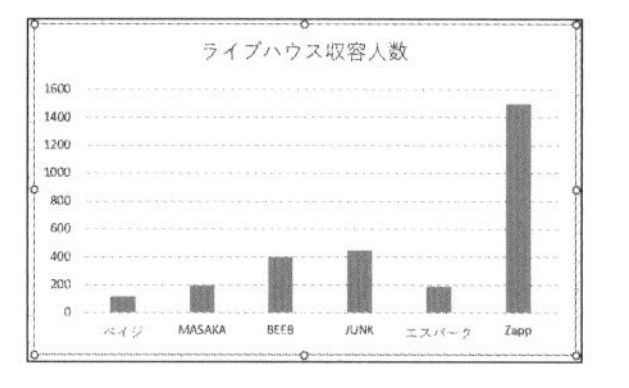

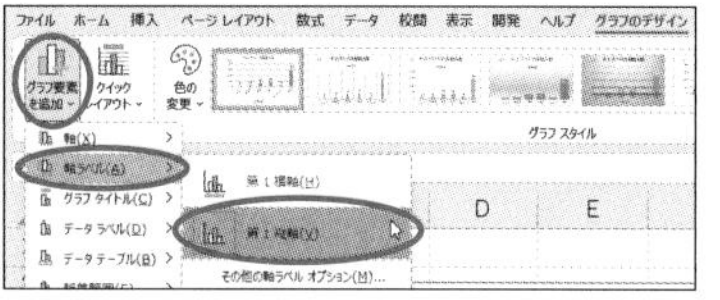

⑤軸ラベル内をポイントし，右クリック→軸ラベルの書式設定をクリックする。

⑥軸ラベルの書式設定ウィンドウで，サイズとプロパティ→文字列の方向で横書きをクリックする。

⑦軸ラベルをポイントし，✥になったら縦軸の上までドラッグする。

※ホームタブ→方向で「左へ90度回転」を選んでもよい。

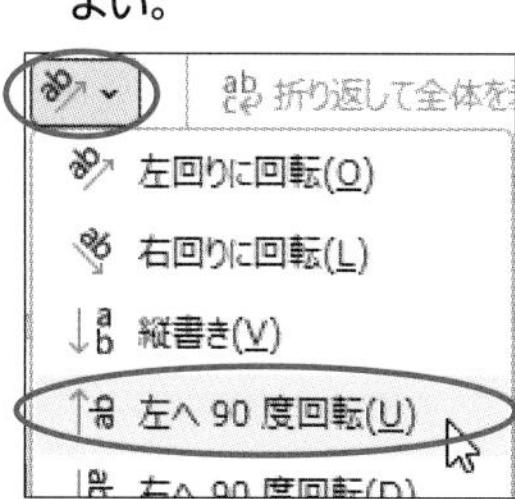


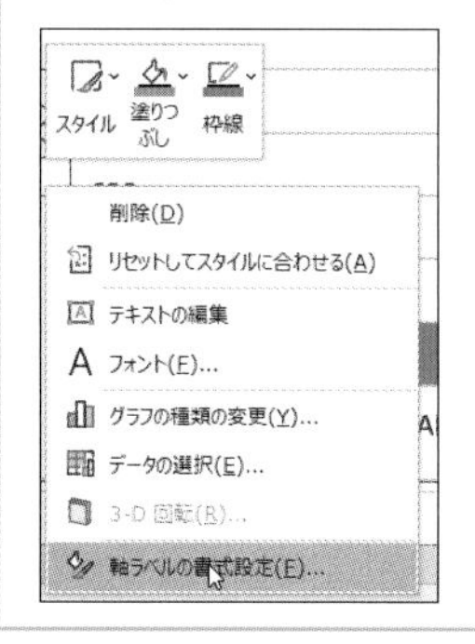


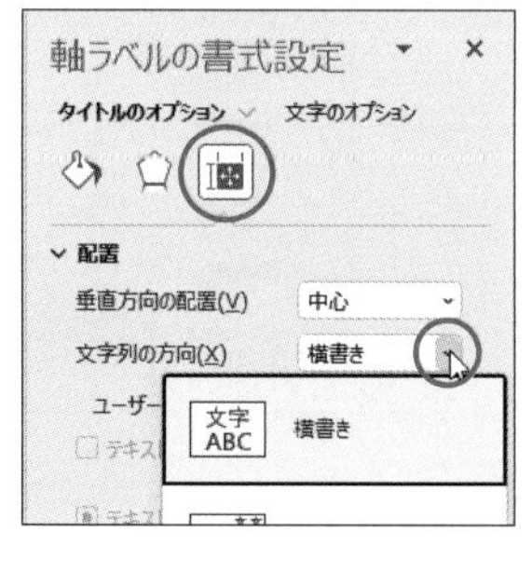


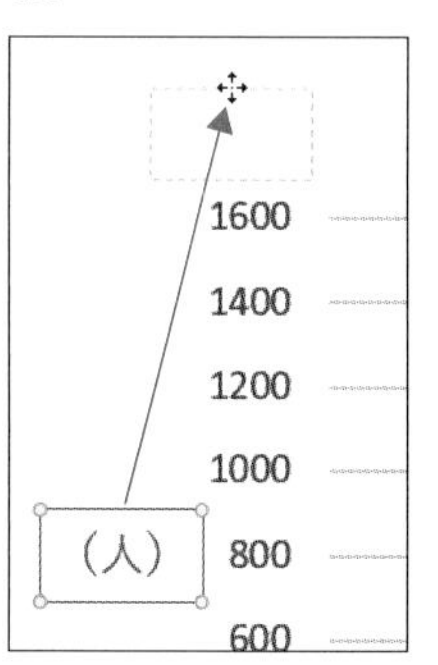

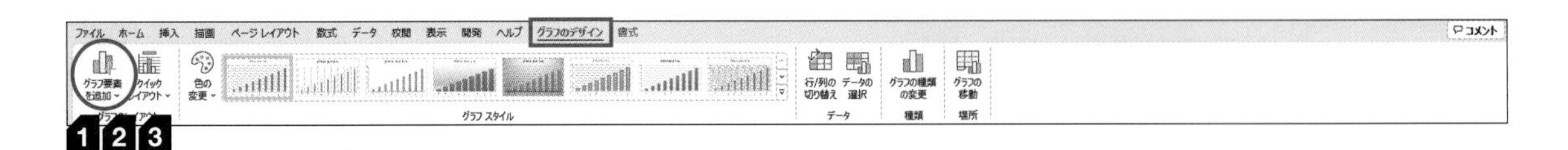


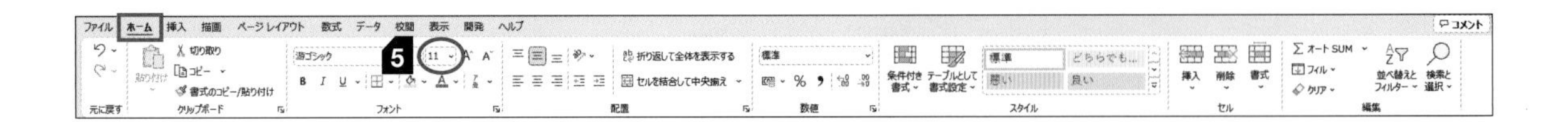


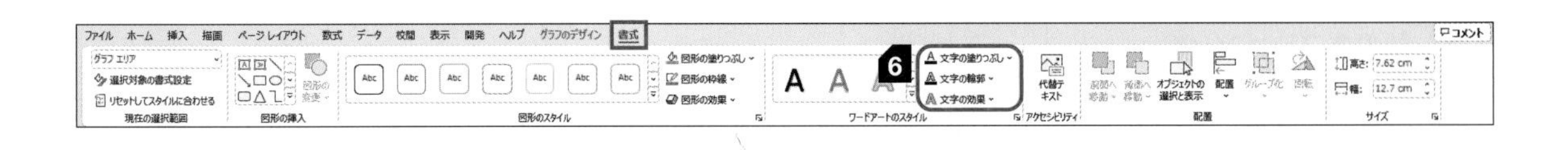


## 2 凡例

グラフエリアの右にでる「グラフ要素」ボタンからでも追加できる。

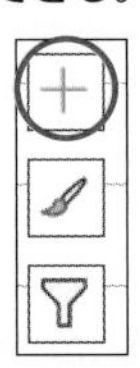

グラフのデザインタブ→グラフ要素を追加→凡例→下をクリックする。

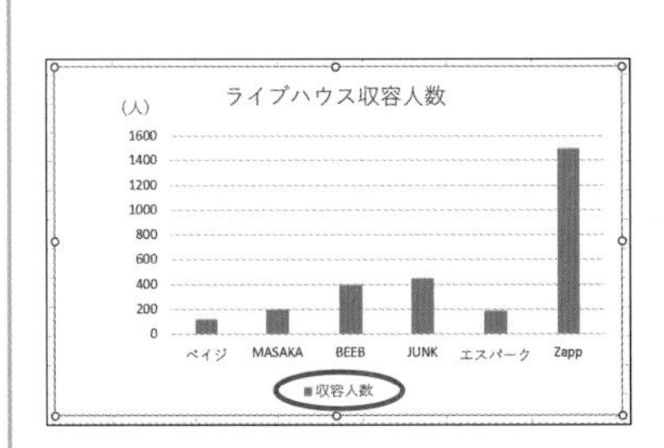


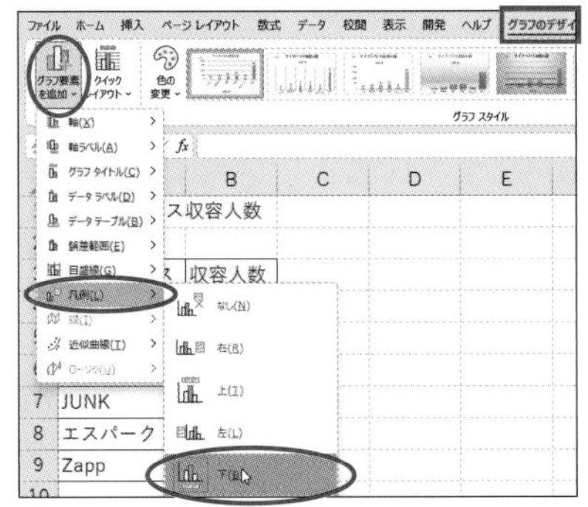


## 3 データラベル

グラフエリアの右にでる「グラフ要素」ボタンからでも追加できる。

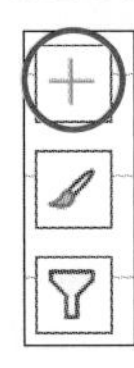

グラフのデザインタブ→グラフ要素を追加→データラベル→外側をクリックする。

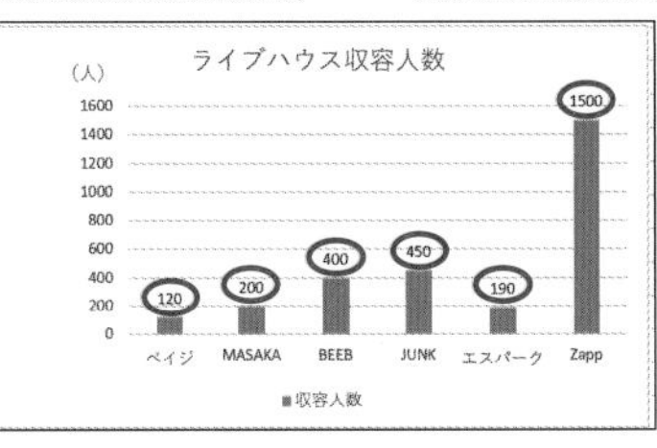

| | | |
|---|---|---|
| **4** **軸のオプション** | ①縦(値)軸をポイントし右クリック→軸の書式設定をクリックする。<br>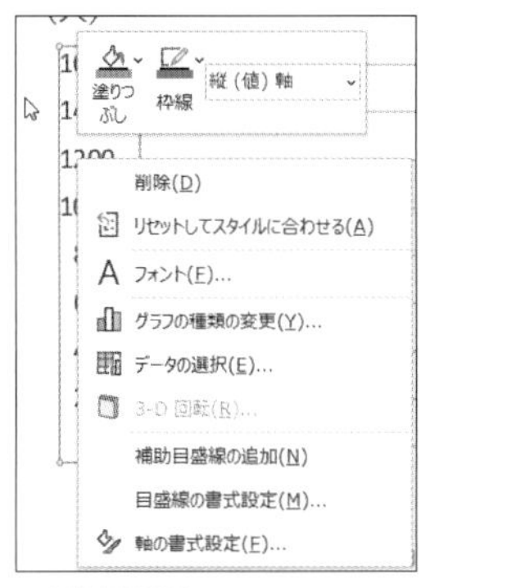 | ②軸の書式設定ウィンドウの軸のオプションで，最大値「2000.0」，単位－主「500.0」を設定する。<br>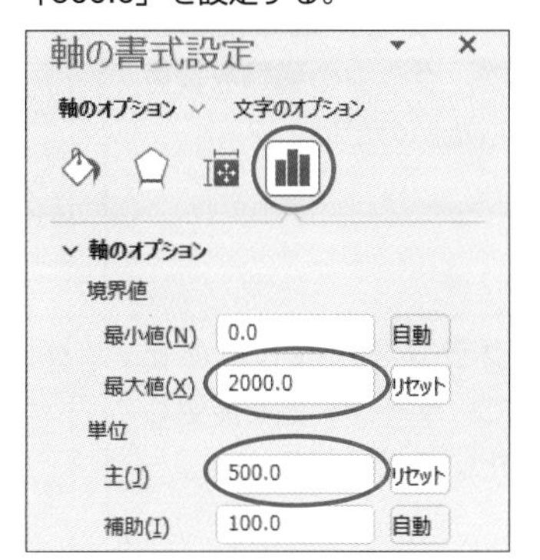 |
| 軸の書式設定ウィンドウの軸のオプションで設定可能なメニューには<br>▷軸のオプション<br>▷目盛<br>▷ラベル<br>▷表示形式<br>がある。 | ③表示形式をクリックし，カテゴリ「数値」，小数点以下の桁数「0」として，桁区切り(,)を使用するに ✔を付ける。<br>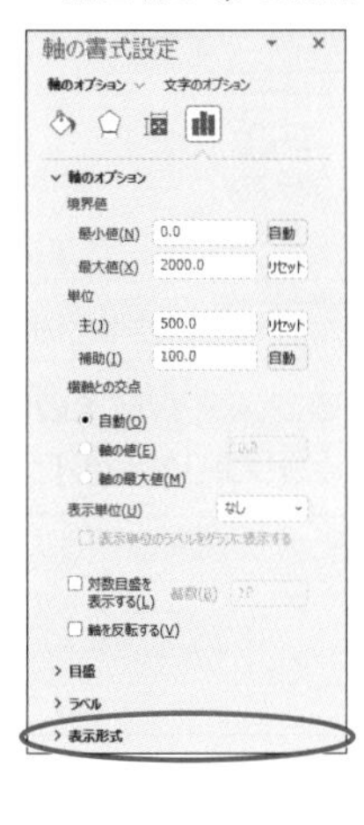 | 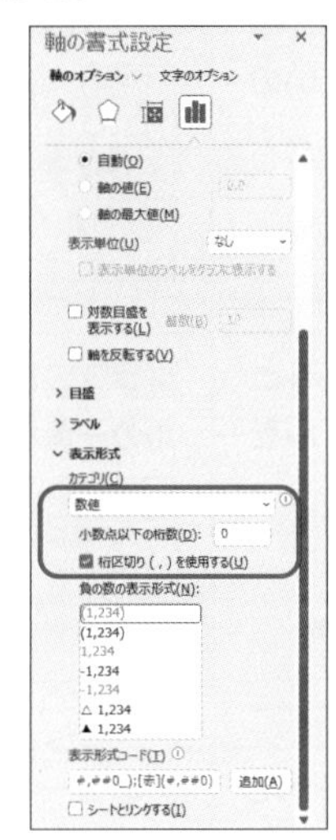 |
| **5** **横(項目)軸のフォントサイズ変更**<br>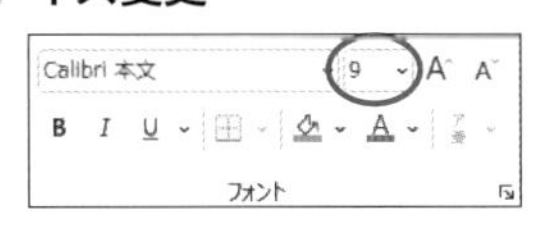 | ①横(項目)軸をクリックする。<br>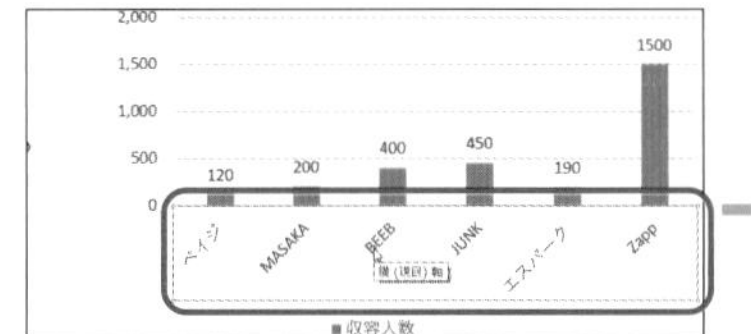 | ②ホームタブ→フォントサイズ→8をクリックする。<br>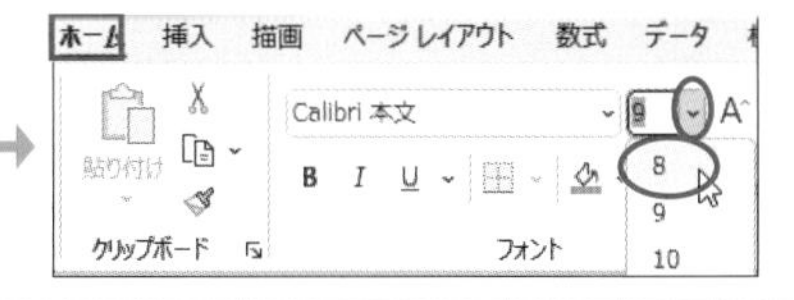 |
| **6** **タイトルの書式設定**<br><br>ホームタブのフォントグループの機能も使用できる。 | ①タイトルをクリックする。<br>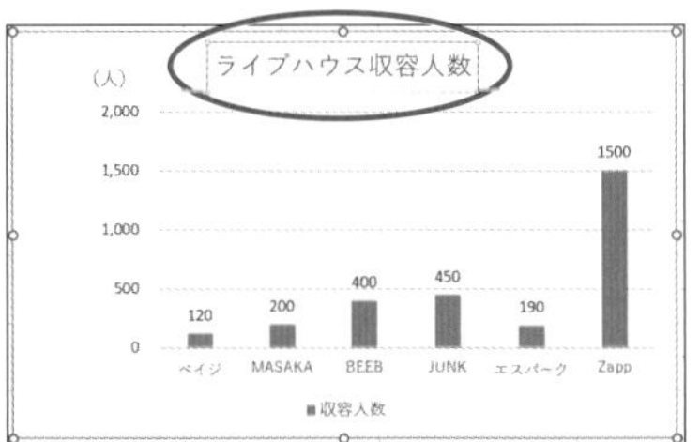 | ②書式タブ→ワードアートのスタイル→塗りつぶし：黒、文字色1；影をクリックする。<br>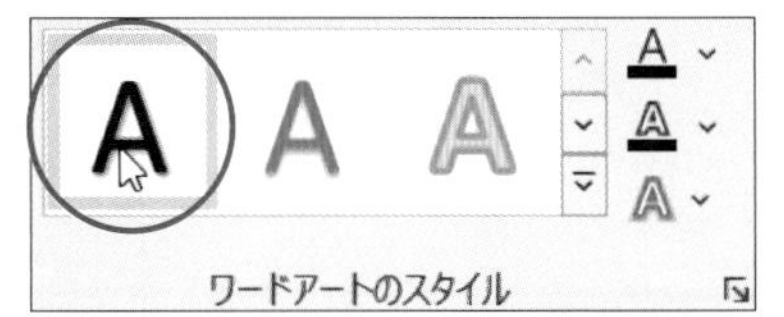 |

## こんなときどうする!?

**?! グラフを作成したあとで，グラフの種類を変更したいのだけど？**

グラフのデザインタブ→グラフの種類の変更から適宜設定する。

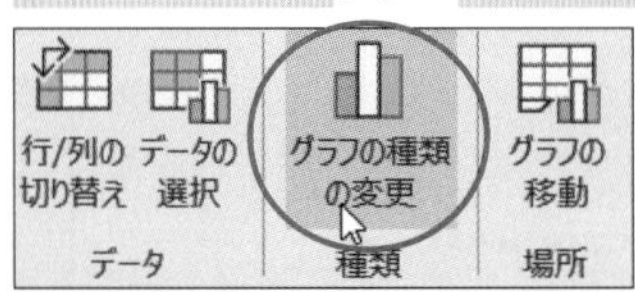


**?! グラフを作成したあとで，データ範囲を変更したいのだけど？**

グラフのデザインタブ→データの選択から適宜設定する。

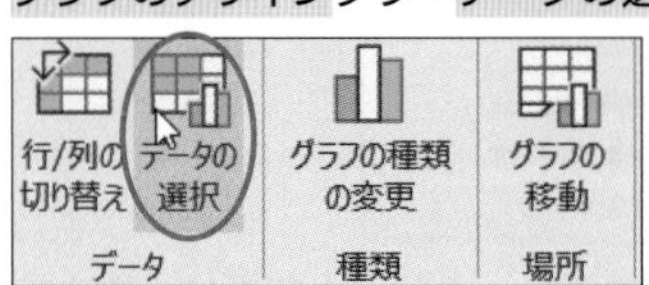


**?! グラフの横(項目)軸と縦(値)軸を入れ替えたいのだけど？**

グラフのデザインタブ→行/列の切り替えをクリックする。

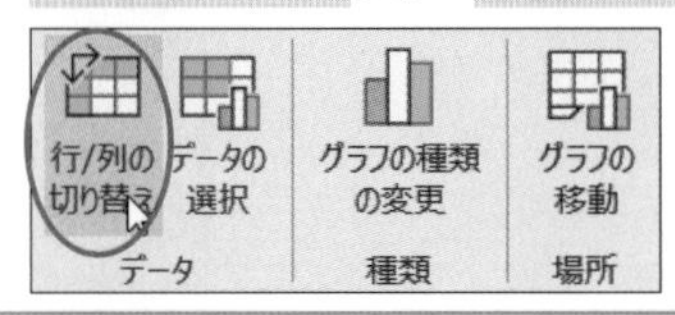


**?! グラフを作成したあとで，グラフのスタイルを変更したいのだけど？**

グラフのデザインタブ→グラフスタイル(その他)をクリックすると，選べるスタイルの一覧が表示される。※グラフエリア右の「グラフスタイル」ボタンでもよい。

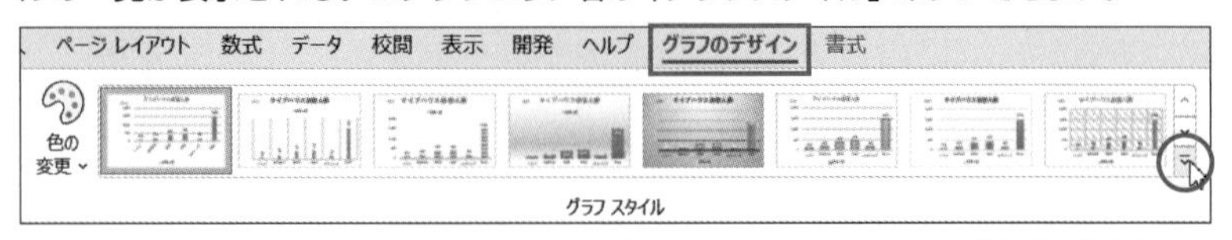


**?! 軸のオプションにあった最大値などの項目が見えなくなった!?**

メニュー名をクリックすると，詳細の表示/非表示が切り替えられる。

※「>」は内容を折りたたんで非表示の状態を，「∨」は展開して表示の状態を表す。

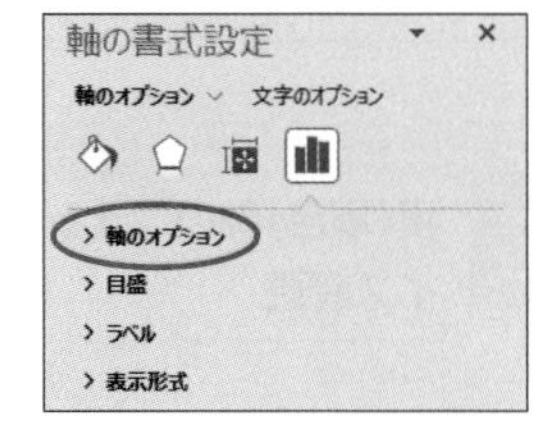


**?! 複合グラフを作成するには?**

※複合グラフ：異なる種類のグラフを組み合わせて作成されるグラフ。

数値の大きさが桁違いだったり，単位が異なる場合に利用される。

②データを選んで，挿入タブ→複合グラフの挿入→集合縦棒-第２軸の折れ線をクリックする。

| | A | B | C |
|---|---|---|---|
| 1 | ライブハウス収容人数 | | |
| 2 | | | |
| 3 | ライブハウス | 収容人数 | 最寄り駅からの時間 |
| 4 | ペイジ | 120 | 5 |
| 5 | MASAKA | 200 | 15 |
| 6 | BEEB | 400 | 20 |
| 7 | JUNK | 450 | 10 |
| 8 | エスパーク | 190 | 10 |
| 9 | Zapp | 1500 | 30 |

→

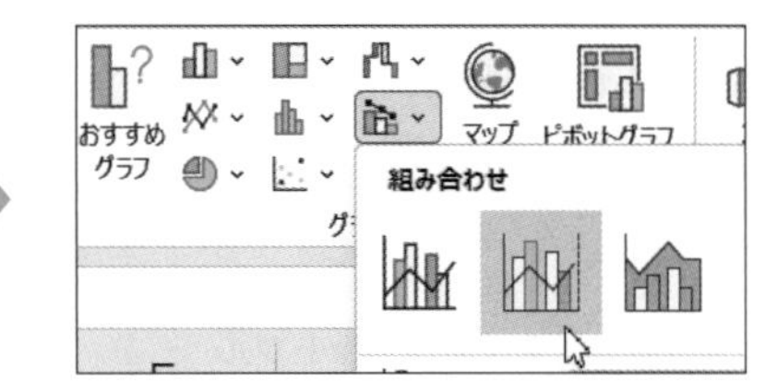


※グラフの種類を変えたいときは，グラフのデザインタブ→グラフの種類の変更をクリックする。また系列によってグラフの種類を変更できる。

## やってみよう

### Let's Try 次のようなグラフを作成してみよう。

（ファイル名：市民センター）

| | A | B | C | D | E | F | G | H |
|---|---|---|---|---|---|---|---|---|
| 1 | | 市民センター曜日別平均動員数 | | | | | | |
| 2 | | | | | | | | |
| 3 | | 月 | 火 | 水 | 木 | 金 | 土 | 日 |
| 4 | 東六センター | 98 | 15 | 70 | 90 | 245 | 263 | 151 |
| 5 | 北区公民館 | 46 | 30 | 113 | 201 | 280 | 282 | 122 |
| 6 | 青年クラブ | 25 | 229 | 15 | 96 | 203 | 289 | 154 |

市民センター曜日別平均動員数

（人）

曜日

- グラフの種類：<br>折れ線→マーカー付き折れ線
- 縦(値)軸オプション<br>→最大値：500<br>単位ー主：100
- タイトル→太字，14pt

### Let's Try 次のようなグラフを作成してみよう。

（ファイル名：モバイル使用料）

***モバイル使用料***

| | 基本料 | 通話料 | パケット通信料 | 有料コンテンツ | 合計 |
|---|---|---|---|---|---|
| 1月 | 980 | 10,200 | 4,500 | 300 | 15,980 |
| 2月 | 980 | 7,100 | 4,500 | 780 | 13,360 |
| 3月 | 980 | 8,900 | 4,500 | 2,500 | 16,880 |
| 合計 | 2,940 | 26,200 | 13,500 | 3,580 | 46,220 |

（円）

- グラフの種類：積み上げ縦棒
- 行/列の切り替え
- 縦(値)軸オプション→最大値：<br>20000　単位ー主：5000
- データラベル→中央

# 5 表を印刷する

印刷プレビューで確認 ▶ レイアウトの調整 ▶ 印刷実行

**SUBJECT**

印刷プレビューで，用紙に対するバランスを調整する
- ●印刷プレビュー
- ●用紙サイズの変更
- ●用紙の中央に配置
- ●改ページプレビュー

## 例題 19 表やグラフを2ページに配置してみよう （ファイル名：モバイル使用料２）

1. 印刷プレビュー
2. はがきサイズ横に変更
3. 用紙の中央に配置
4. 改ページプレビューで２ページに分ける

*モバイル使用料*

| | 基本料 | 通話料 | パケット通信料 | 有料コンテンツ | 合計 |
|---|---|---|---|---|---|
| 1月 | 980 | 10,200 | 4,500 | 300 | 15,980 |
| 2月 | 980 | 7,100 | 4,500 | 780 | 13,360 |
| 3月 | 980 | 8,900 | 4,500 | 2,500 | 16,880 |
| 合計 | 2,940 | 26,200 | 13,500 | 3,580 | 46,220 |

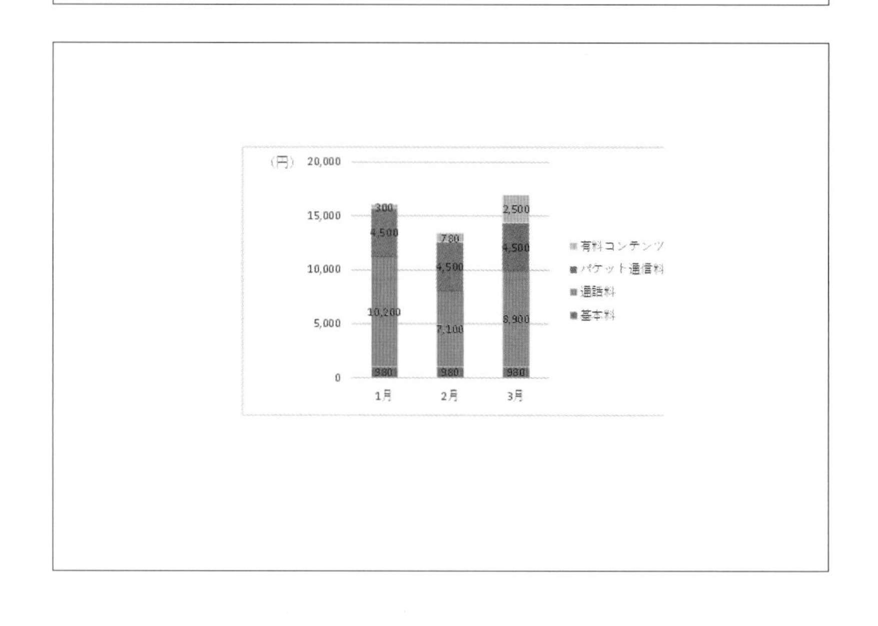

## 操作のポイント

### 1 印刷プレビュー

p.73のLet's Tryで作成した「モバイル使用料」を開きファイルタブ→印刷をクリックする。

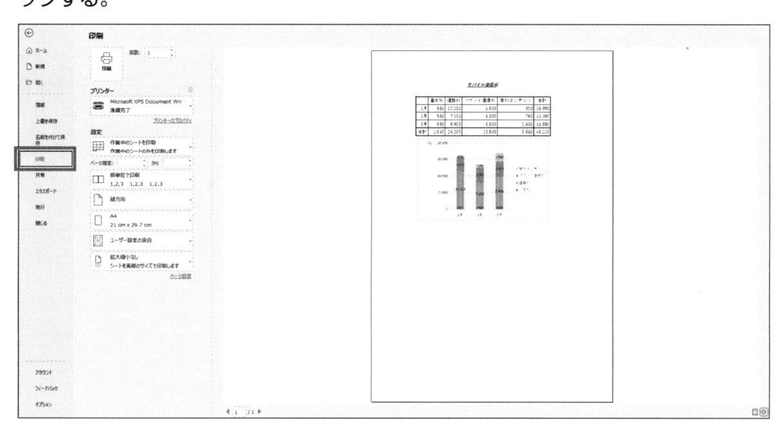

### 2 はがきサイズ横に変更

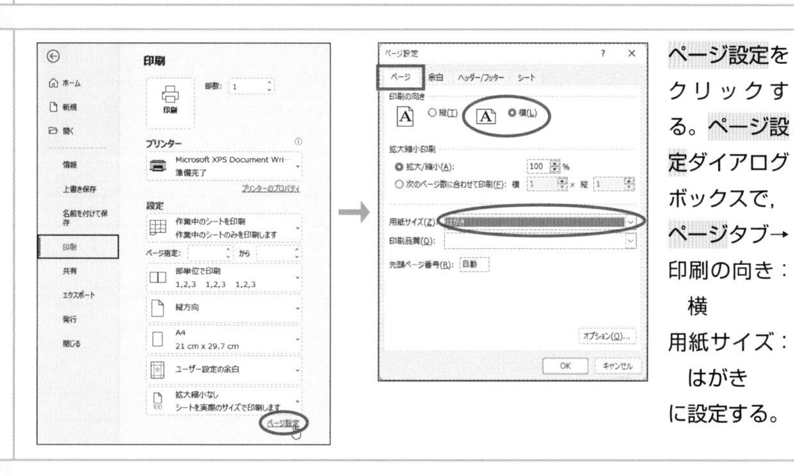


ページ設定をクリックする。ページ設定ダイアログボックスで，ページタブ→
印刷の向き：
　横
用紙サイズ：
　はがき
に設定する。

### 3 用紙の中央に配置

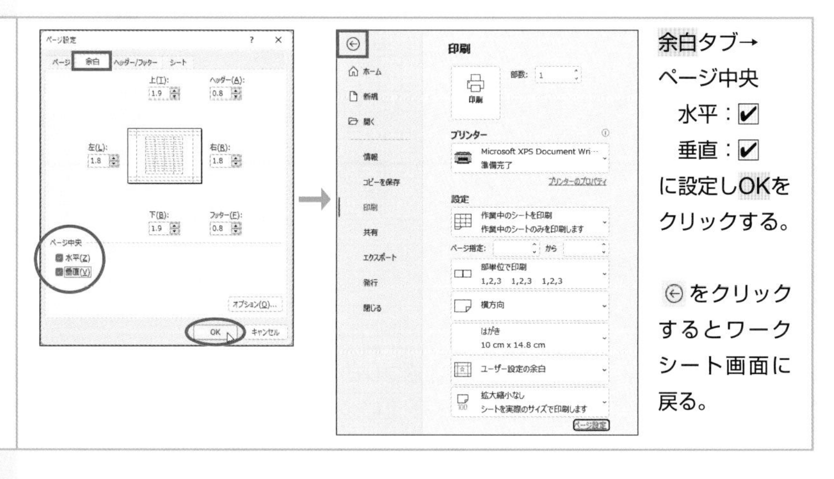


余白タブ→
ページ中央
　水平：✔
　垂直：✔
に設定しOKをクリックする。

⊖をクリックするとワークシート画面に戻る。

## 4 改ページプレビューで2ページに分ける

①表示タブ→改ページプレビューをクリックする。

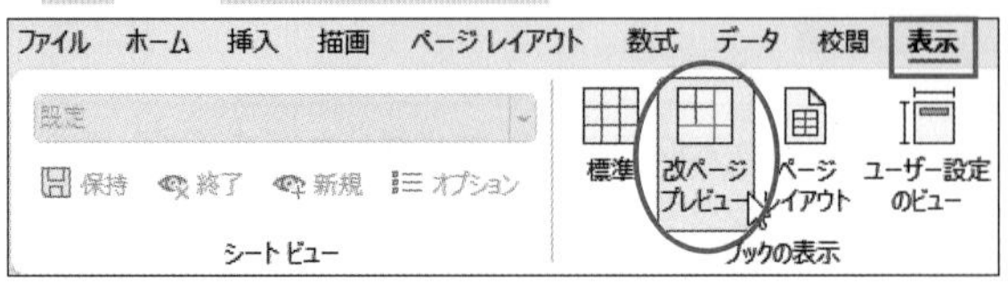


②青い実線または点線をポイントし，マウスポインターの形状が ↔ や ↕ に変わったら2ページにそれぞれが収まるように青い線をドラッグする。

モバイル使用料

| | 基本料 | 通話料 | パケット通信料 | 有料コンテンツ | 合計 |
|---|---|---|---|---|---|
| 1月 | 980 | 10,200 | 4,500 | 300 | 15,980 |
| 2月 | 980 | 7,100 | 4,500 | 780 | 13,360 |
| 3月 | 980 | 8,900 | 4,500 | 2,500 | 16,880 |
| 合計 | 2,940 | 26,200 | 13,500 | 3,580 | 46,220 |

モバイル使用料

| | 基本料 | 通話料 | パケット通信料 | 有料コンテンツ | 合計 |
|---|---|---|---|---|---|
| 1月 | 980 | 10,200 | 4,500 | 300 | 15,980 |
| 2月 | 980 | 7,100 | 4,500 | 780 | 13,360 |
| 3月 | 980 | 8,900 | 4,500 | 2,500 | 16,880 |
| 合計 | 2,940 | 26,200 | 13,500 | 3,580 | 46,220 |

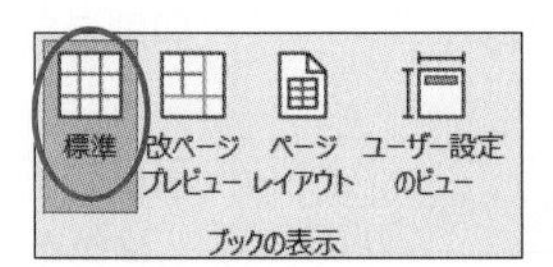


調整後は標準をクリックすると通常表示に戻る。

※もう一度印刷プレビューで確認してみよう。

## こんなときどうする!?

**?! ワークシート上に線がでた!?**

「印刷プレビュー」や「改ページプレビュー」を実行すると，標準ビューのワークシート上にページの区切り線が表示されることがある。消すことはできないが，実際には印刷されないので気にしなくてよい。

| | | |
|---|---|---|
| ?! データがないのに白紙の頁が印刷されてしまった!? | 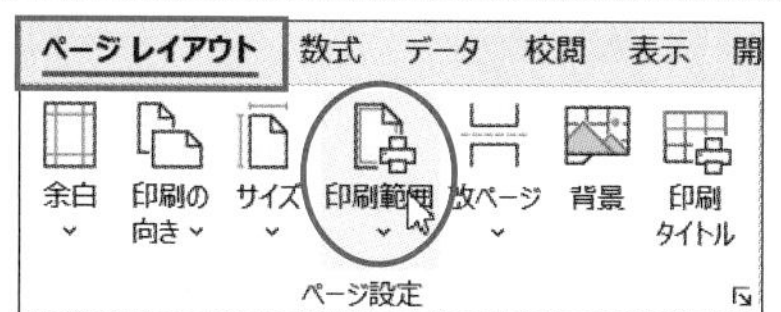 | 使用中のセルからずっと離れたセルに，誤ってデータが入力されていたり，書式が設定されていると，その間の白紙のデータが印刷されてしまう。印刷したい範囲を選択し，ページレイアウトタブ→印刷範囲→印刷範囲の設定をクリックする。 |
| ?! 用紙のレイアウトを確認しながらデータを修正したい！ | 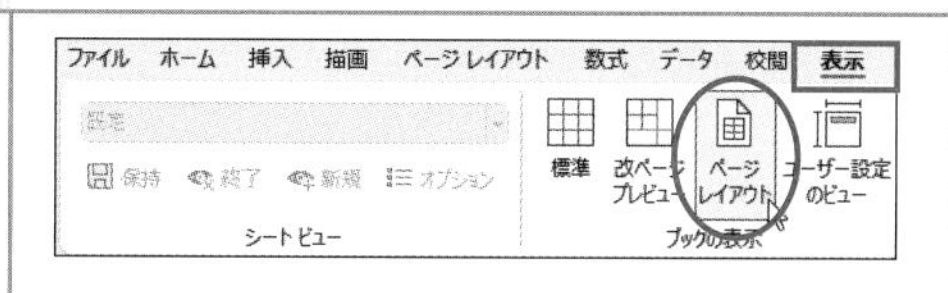 | 表示タブ→ページレイアウトで表示される画面ではレイアウトを確認しながら，データの入力も行える(ページレイアウトビュー)。 |
| ?! グラフしかプレビューされない!? | グラフが選択されている状態なので，グラフ以外の任意のセルをクリックして選択を解除する。 | |

## やってみよう

### Let's Try

**p.58の例題15「部活動」の表の下に，p.61のLet's Try「BOOK」の表をコピーして貼り付け，体裁を整え，はがきサイズ横の中央に各表が1ページずつ印刷されるように設定してみよう。**

（ファイル名：印刷レイアウト練習）

| | A | B | C | D | E |
|---|---|---|---|---|---|
| 1 | 学年別部活動の所属人数の割合 | | | | |
| 2 | | | | | |
| 3 | 部活 | 1年 | 2年 | 合計 | 割合 |
| 4 | 陸上部 | 20 | 18 | 38 | 18% |
| 5 | 野球部 | 15 | 19 | 34 | 16% |
| 6 | バスケ部 | 32 | 35 | 67 | 32% |
| 7 | 卓球部 | 16 | 14 | 30 | 14% |
| 8 | 家庭部 | 22 | 20 | 42 | 20% |
| 9 | 合計 | 105 | 106 | 211 | 100% |
| 10 | | | | | |
| 11 | BOOK何が好きアンケート | | | | |
| 12 | | | | | |
| 13 | | 1組 | 2組 | 合計 | 割合 |
| 14 | 蜘蛛の糸 | 6 | 7 | 13 | 22% |
| 15 | トロッコ | 6 | 2 | 8 | 13% |
| 16 | 杜子春 | 8 | 10 | 18 | 30% |
| 17 | 羅生門 | 5 | 9 | 14 | 23% |
| 18 | 鼻 | 5 | 2 | 7 | 12% |
| 19 | 合計 | 30 | 30 | 60 | 100% |

1ページ目

学年別部活動の所属人数の割合

| 部活 | 1年 | 2年 | 合計 | 割合 |
|---|---|---|---|---|
| 陸上部 | 20 | 18 | 38 | 18% |
| 野球部 | 15 | 19 | 34 | 16% |
| バスケ部 | 32 | 35 | 67 | 32% |
| 卓球部 | 16 | 14 | 30 | 14% |
| 家庭部 | 22 | 20 | 42 | 20% |
| 合計 | 105 | 106 | 211 | 100% |

2ページ目

BOOK何が好きアンケート

| | 1組 | 2組 | 合計 | 割合 |
|---|---|---|---|---|
| 蜘蛛の糸 | 6 | 7 | 13 | 22% |
| トロッコ | 6 | 2 | 8 | 13% |
| 杜子春 | 8 | 10 | 18 | 30% |
| 羅生門 | 5 | 9 | 14 | 23% |
| 鼻 | 5 | 2 | 7 | 12% |
| 合計 | 30 | 30 | 60 | 100% |

# 6 いろいろな関数を利用する

式・関数の入力 ▶ 式のコピー

SUBJECT

使用頻度の高い便利な関数を使う
- ●AVERAGE
- ●MAX ●MIN
- ●TODAY
- ●ROUND
- ●COUNT ●COUNTA
- ●IF

## 例題20 関数を使ってみよう① （ファイル名：イベント予約）

1 データの入力

2 AVERAGE関数（平均）
3 MAX関数（最大）
4 MIN関数（最小）
5 TODAY関数（日付）

| | A | B | C | D |
|---|---|---|---|---|
| 1 | ティーンズ企画イベント予約状況 | | | |
| 2 | | | | |
| 3 | イベント名 | 目標 | 予約 | 予約率 |
| 4 | | （人） | （人） | （%） |
| 5 | ダンスバトル | 300 | 258 | 86.0% |
| 6 | バンドアンサンブル | 300 | 218 | 72.7% |
| 7 | コミックアート | 200 | 194 | 97.0% |
| 8 | アニメ・ヒストリー | 300 | 336 | 112.0% |
| 9 | スクールファッション | 500 | 278 | 55.6% |
| 10 | 光と映像のトリック | 300 | 208 | 69.3% |
| 11 | 声の力 | 200 | 126 | 63.0% |
| 12 | CGマジック | 250 | 157 | 62.8% |
| 13 | 平均 | 293.8 | 221.9 | 77.3% |
| 14 | 最大 | 500 | 336 | 112.0% |
| 15 | 最小 | 200 | 126 | 55.6% |
| 16 | | | | |
| 17 | | | 集計日： | 2022/7/26 |

## 操作のポイント

### 1 データの入力

①上の表のようにデータを入力する。ただし，B13～D15は関数で求めるので空欄とする。
②D５に予約率を求める式を入力する（予約÷目標）。
③D５の式をD６～D12にコピーする。

### 2 AVERAGE関数（平均）

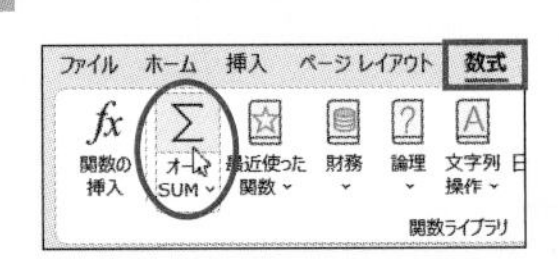


AVERAGE（○：○）
（　）内は，平均を求めるセル範囲を指定する。

①B13をクリックする。

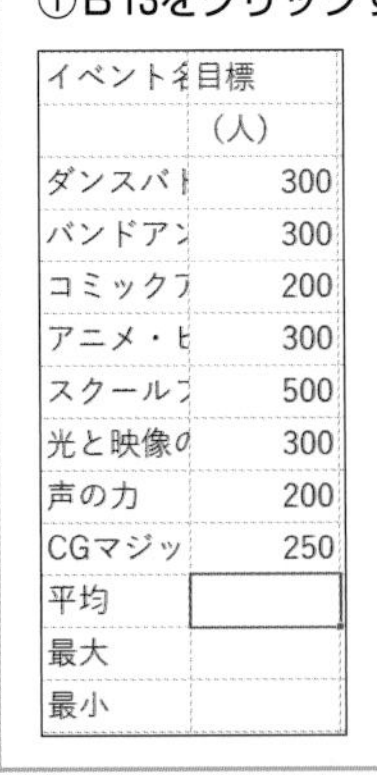


→

②数式タブ→オートSUMの右下の ▾ をクリックし，平均を選択する。

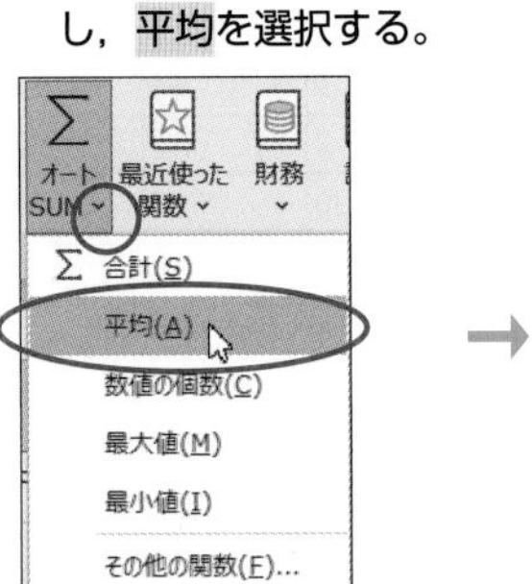


→

③範囲を確認し，Enter を押す。

| 目標 | 予約 | 予約率 |
|---|---|---|
| （人） | （人） | （%） |
| 300 | 258 | 0 |
| 300 | 218 | 0.726 |
| 200 | 194 | 0 |
| 300 | 336 | 1 |
| 500 | 278 | 0.5 |
| 300 | 208 | 0.693 |
| 200 | 126 | 0 |
| 250 | 157 | 0. |

=AVERAGE(B5:B12)
AVERAGE(数値1, [数値2], ...)

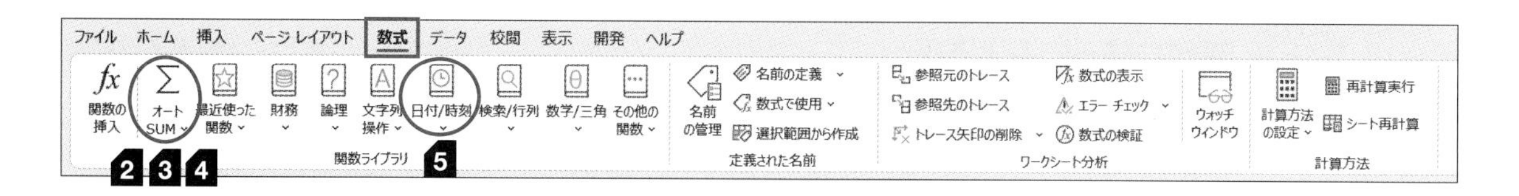


## 3 MAX関数(最大)

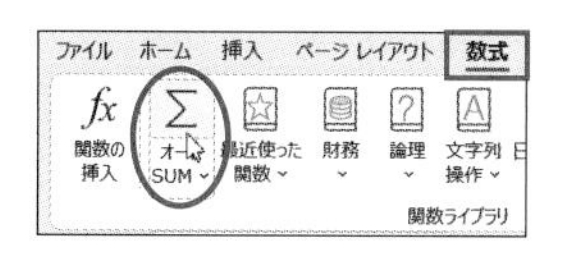


MAX(○：○)

(　)内は，最大値を求めるセル範囲を指定する。

①B14をクリックする。

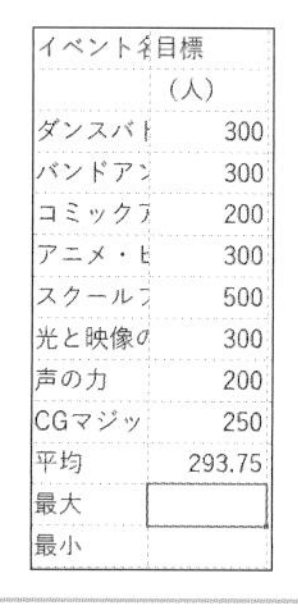

| イベント名 | 目標 |
|---|---|
| | (人) |
| ダンスバト | 300 |
| バンドアン | 300 |
| コミックア | 200 |
| アニメ・ビ | 300 |
| スクール | 500 |
| 光と映像の | 300 |
| 声の力 | 200 |
| CGマジッ | 250 |
| 平均 | 293.75 |
| 最大 | |
| 最小 | |

→

②オートSUMの右下の ▾ をクリックし，最大値を選択する。

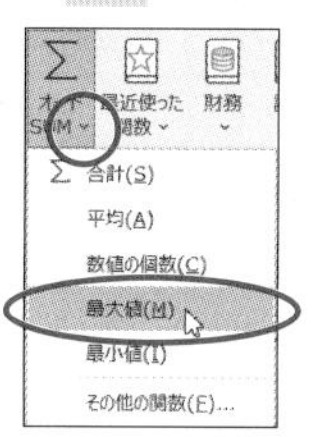


→

③B5～B12をドラッグし，Enter を押す。

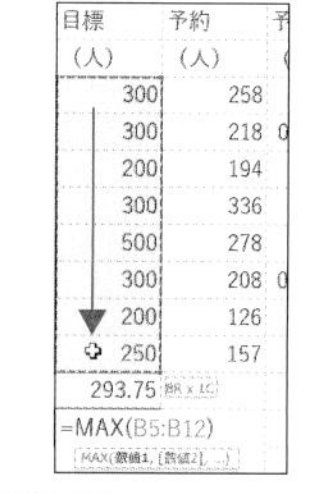


## 4 MIN関数(最小)

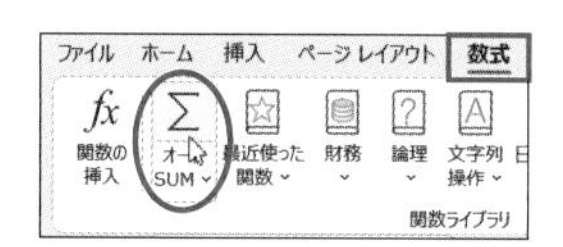


MIN(○：○)

(　)内は，最小値を求めるセル範囲を指定する。

①B15をクリックする。

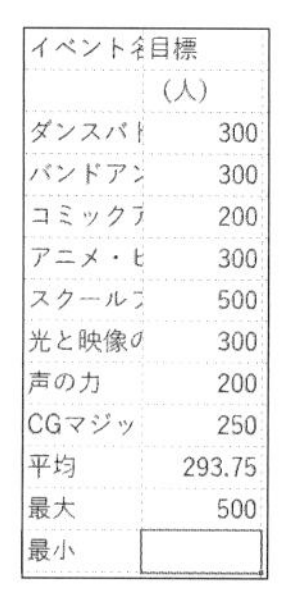

| イベント名 | 目標 |
|---|---|
| | (人) |
| ダンスバト | 300 |
| バンドアン | 300 |
| コミックア | 200 |
| アニメ・ビ | 300 |
| スクール | 500 |
| 光と映像の | 300 |
| 声の力 | 200 |
| CGマジッ | 250 |
| 平均 | 293.75 |
| 最大 | 500 |
| 最小 | |

→

②オートSUMの右下の ▾ をクリックし，最小値を選択する。

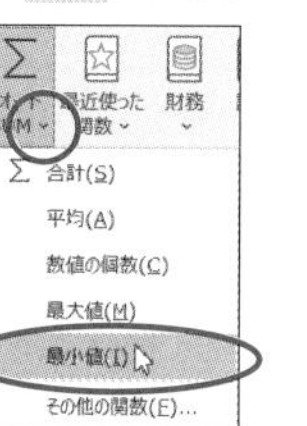


→

③B5～B12をドラッグし，Enter を押す。

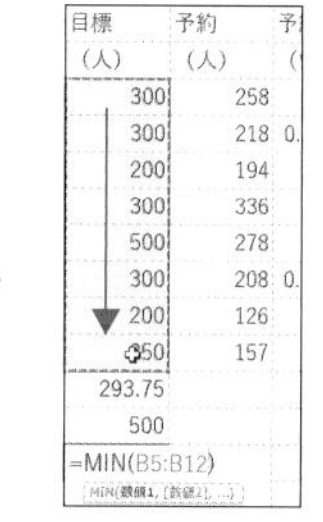


④B13～B15を選択し，C13～D15にコピーする。

## 5 TODAY関数(日付)

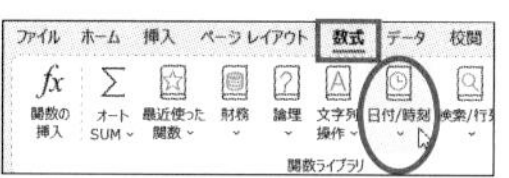


TODAY()

範囲など(　)の中(引数という)の設定は不要。

操作時点の日付を自動的に表示する。

①D17をクリックする。

②数式タブ→日付/時刻→TODAYを選択する。

③関数の引数ダイアログボックスが表示されるのでＯＫをクリックする。

④完成例を参考に体裁を整える。

## やってみよう

### Let's Try

次のような表を作成してみよう。

（ファイル名：幕末明治）

| | A | B | C | D | E | F | G | H | I | J | K |
|---|---|---|---|---|---|---|---|---|---|---|---|
| 1 | | 幕末・明治に活躍した人物　人気投票 | | | | | | | | | |
| 2 | | 名前 | 10代 | 20代 | 30代 | 40代 | 50代 | 合計 | 最大 | 最小 | 平均 |
| 3 | 1 | 勝海舟 | 29 | 16 | 64 | 59 | 21 | 189 | 64 | 16 | 37.8 |
| 4 | 2 | 大隈重信 | 76 | 76 | 46 | 75 | 43 | 316 | 76 | 43 | 63.2 |
| 5 | 3 | 木戸孝允 | 19 | 74 | 47 | 30 | 95 | 265 | 95 | 19 | 53 |
| 6 | 4 | 大久保利通 | 69 | 79 | 82 | 23 | 11 | 264 | 82 | 11 | 52.8 |
| 7 | 5 | 板垣退助 | 79 | 74 | 64 | 30 | 16 | 263 | 79 | 16 | 52.6 |

## 例題21 関数を使ってみよう②

（ファイル名：買い物ポイント）

1 データの入力

2 ROUND関数(四捨五入)

関数で求める

| | A | B | C | D |
|---|---|---|---|---|
| 1 | 買い物ポイント集計 | | 3% | 還元 |
| 2 | | | | |
| 3 | 月日 | 品名 | 金額 | ポイント |
| 4 | 8月1日 | 飲み物、スイーツ | 859 | 26 |
| 5 | 8月3日 | ティッシュBOX | 298 | 9 |
| 6 | 8月5日 | お弁当等 | 1,059 | 32 |
| 7 | 8月6日 | ファイル・ペン | 765 | 23 |
| 8 | 8月8日 | サンドイッチ他 | 628 | 19 |
| 9 | | 合計 | 3,609 | 109 |
| 10 | | 平均 | 721.8 | 21.8 |

## 操作のポイント

### 1 データの入力

上の表のようにデータを入力する。ただし，C９～C10とD４～D10は関数で求めるので空欄とする。

### 2 ROUND関数(四捨五入)

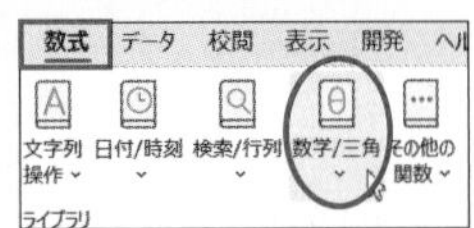


ポイントを「金額＊C$1」で求める(金額＊0.03でもよい)。端数は四捨五入する。

ROUND(数値，桁数)

数値：四捨五入の対象となる数値や式

桁数：数値を四捨五入して表示する桁数

−1 →十の位

0 →一の位

1 →小数第１位

(例)157.58の場合

| 桁数 | 表示される値 |
|---|---|
| −1 | 160 |
| 0 | 158 |
| 1 | 157.6 |

①D４をクリックする。

| B | C | D |
|---|---|---|
| ント集計 | 3% | 還元 |
| | | |
| 品名 | 金額 | ポイント |
| 飲み物、スイーツ | 859 | |
| ティッシュBOX | 298 | |
| お弁当等 | 1059 | |
| ファイル・ペン | 765 | |
| サンドイッチ他 | 628 | |
| 合計 | | |
| 平均 | | |

②数式タブ→数学/三角→ROUNDを選択する。

③数値の欄に「C4＊C$1」，桁数の欄に「0」と入力し，OKをクリックする。

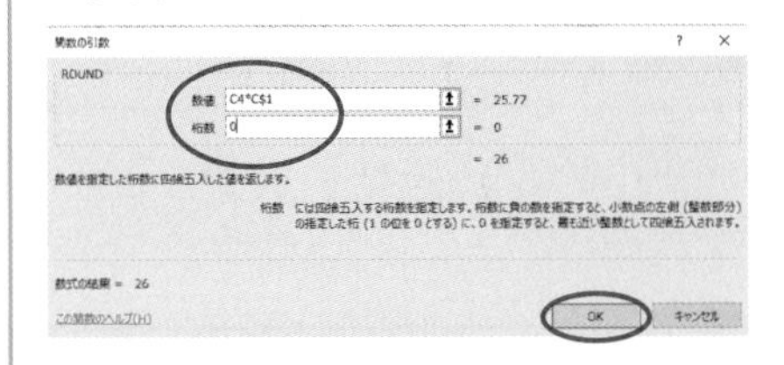


④D８まで式をコピーする。

| B | C | D |
|---|---|---|
| ント集計 | 3% | 還元 |
| | | |
| 品名 | 金額 | ポイント |
| 飲み物、スイーツ | 859 | 26 |
| ティッシュBOX | 298 | |
| お弁当等 | 1059 | |
| ファイル・ペン | 765 | |
| サンドイッチ他 | 628 | |
| 合計 | | |
| 平均 | | |

⑤C９～D９の合計，C10～D10の平均を求める(p.78例題20参照)。

⑥体裁を整え，罫線を引く。

## こんなときどうする!?

### ?! ボタンで四捨五入したら合計が合わなくなった!?

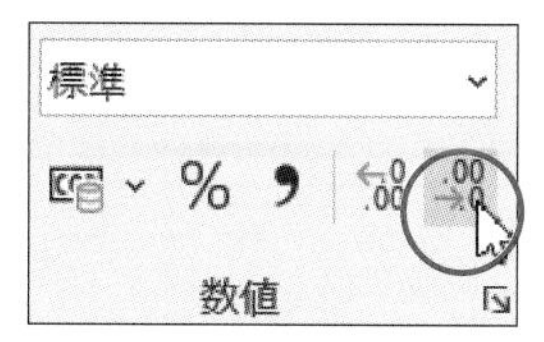


小数点以下の表示桁数を減らす。

例題21のポイント計算でROUND関数を使用せず，.00→.0 だけで四捨五入したのが下図の「ROUND無」である。ROUNDを使用したときの「ポイント」の合計値は109なのに「ROUND無」では108になっている。これは .00→.0 による四捨五入の場合，小数点以下の値を隠しているだけで，小数点以下の値も残っているからである。小数点以下の値がそのまま合計されることになる。ROUND関数は不要な桁の数値を消去し，.00→.0 は不要な桁を隠すだけであることに注意しよう。

| | A | B | C | D | E | F |
|---|---|---|---|---|---|---|
| 1 | 買い物ポイント集計 | | 3% 還元 | | | |
| 2 | | | | | | |
| 3 | 月日 | 品名 | 金額 | ポイント | ROUND無 | 実際の値 |
| 4 | 8月1日 | 飲み物、スイーツ | 859 | 26 | 26 | 25.77 |
| 5 | 8月3日 | ティッシュBOX | 298 | 9 | 9 | 8.94 |
| 6 | 8月5日 | お弁当等 | 1,059 | 32 | 32 | 31.77 |
| 7 | 8月6日 | ファイル・ペン | 765 | 23 | 23 | 22.95 |
| 8 | 8月8日 | サンドイッチ他 | 628 | 19 | 19 | 18.84 |
| 9 | | 合計 | 3,609 | 109 | 108 | 108.27 |
| 10 | | 平均 | 721.8 | 21.8 | 22 | 21.654 |

関数で四捨五入　　ボタンで四捨五入

ROUNDUP(切り上げ)
ROUNDDOWN(切り捨て)

ROUND関数は四捨五入をする関数であるが，他にも次のようなものがある。

　＝ROUNDUP(数値，桁数)……指定された桁数で切り上げる。

　＝ROUNDDOWN(数値，桁数)……指定された桁数で切り捨てる。

なお，「数値」には数値データが入力されたセルを指定することもできる。

## やってみよう

### Let's Try

**上記の「こんなときどうする!?」の例と同じように，例題21の表に「ROUND無」，「実際の値」の項目を追加し，実際に困った例を確認してみよう。**

（ファイル名：買い物ポイント２）

### Let's Try

**次のような表を作成してみよう。ただし税込単価はＤ３の税率を使用して計算し，税率を変更できるようにすること。また計算結果は小数点以下を四捨五入すること。**

（ファイル名：屋台メニュー）

| | A | B | C | D |
|---|---|---|---|---|
| 1 | 区民祭☆屋台メニュー単価表 | | | |
| 2 | | | | |
| 3 | | | 税率： | 10% |
| 4 | コード | 品名 | 単価 | 税込単価 |
| 5 | Y10 | たこ焼き | 300 | 330 |
| 6 | Y20 | 焼きそば | 300 | 330 |
| 7 | Y30 | お好み焼き | 350 | 385 |
| 8 | Y40 | 焼き鳥 | 100 | 110 |
| 9 | Y50 | イカぽっぽ | 450 | 495 |
| 10 | S10 | カキ氷 | 200 | 220 |
| 11 | S20 | チョコバナナ | 300 | 330 |
| 12 | S30 | わたあめ | 150 | 165 |
| 13 | S40 | クレープ | 300 | 330 |
| 14 | S50 | だんご | 100 | 110 |

税込単価は「単価×(１＋税率)」で求める。
税率はＤ３の行を$で固定するとよい。

# 例題22 関数を使ってみよう③

（ファイル名：新種目アンケート）

1 データの入力

2 COUNT関数(数値の個数)

3 COUNTA関数（空白でないセルの個数）

4 IF関数(判定)

| | A | B | C | D | E | F | G | H |
|---|---|---|---|---|---|---|---|---|
| 1 | 体育祭新種目大縄跳びに関するアンケート | | | | | | | |
| 2 | | | | | | | | |
| 3 | 調査対象 | 生徒会 | | | | | | |
| 4 | 調査時期 | 5月 | | | | | | |
| 5 | 生徒数 | 7 | | | | | | |
| 6 | | | | | | | | |
| 7 | 生徒 | クラスの団結力 | 競技の盛り上がり | 練習期間 | 競技時間 | 疲労度 | ○の数 | 評価 |
| 8 | 1 | ○ | ○ | ○ | ○ | | 4 | 採用可 |
| 9 | 2 | ○ | | ○ | ○ | | 3 | 採用可 |
| 10 | 3 | ○ | ○ | | ○ | ○ | 4 | 採用可 |
| 11 | 4 | | | ○ | ○ | | 2 | |
| 12 | 5 | | ○ | | ○ | ○ | 3 | 採用可 |
| 13 | 6 | | | | ○ | ○ | 2 | |
| 14 | 7 | | | | | | 0 | |

## 操作のポイント

### 1 データの入力

| | A | B | C | D | E | F | G | H |
|---|---|---|---|---|---|---|---|---|
| 1 | 体育祭新種目大縄跳びに関するアンケート | | | | | | | |
| 2 | | | | | | | | |
| 3 | 調査対象 | 生徒会 | | | | | | |
| 4 | 調査時期 | 5月 | | | | | | |
| 5 | 生徒数 | | | | | | | |
| 6 | | | | | | | | |
| 7 | 生徒 | クラスの団 | 盛り上がり | 練習期間 | 競技時間 | 疲労度 | ○の数 | 評価 |
| 8 | 1 | ○ | ○ | ○ | ○ | | | |
| 9 | 2 | ○ | | ○ | ○ | | | |
| 10 | 3 | ○ | ○ | | ○ | ○ | | |
| 11 | 4 | | | ○ | ○ | | | |
| 12 | 5 | | ○ | | ○ | ○ | | |
| 13 | 6 | | | | ○ | ○ | | |
| 14 | 7 | | | | | | | |

①データを入力する。○は「まる」と入力して Space で変換する。B5とG8～H14は関数で求めるので空欄とする。

②A7～F7の項目名はすべての文字列が表示されるように設定する(ホームタブ→折り返して全体を表示するをクリック)。

### 2 COUNT関数(数値の個数)

COUNT(範囲)

範囲内の，数値が含まれるセルの個数を返す。

※日付や式も数値データに分類される。

①B5を選択し，オートSUMの右下の ▾ をクリックし，数値の個数を選択する。

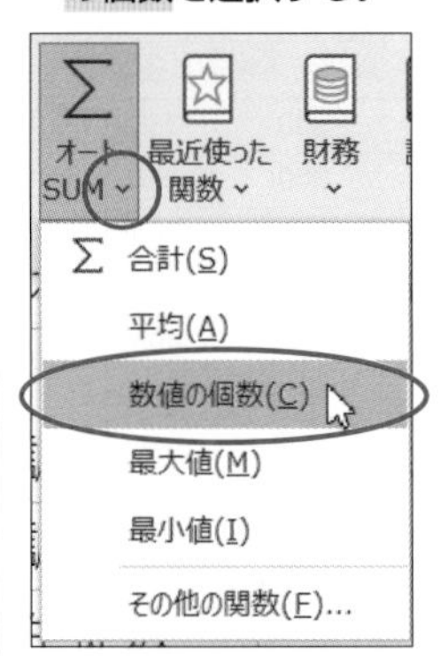


②A8～A14をドラッグし Enter を押す。

| | A | B | C |
|---|---|---|---|
| 1 | 体育祭新種目大縄跳びに関する | | |
| 2 | | | |
| 3 | 調査対象 | 生徒会 | |
| 4 | 調査時期 | 5月 | |
| 5 | 生徒数 | =COUNT(A8:A14) | |
| 6 | | | |
| 7 | 生徒 | クラスの団結力 | 競技の盛り上がり |
| 8 | 1 | ○ | ○ |
| 9 | 2 | ○ | |
| 10 | 3 | ○ | ○ |
| 11 | 4 | | |
| 12 | 5 | | ○ |
| 13 | 6 | | |
| 14 | 7 | | |

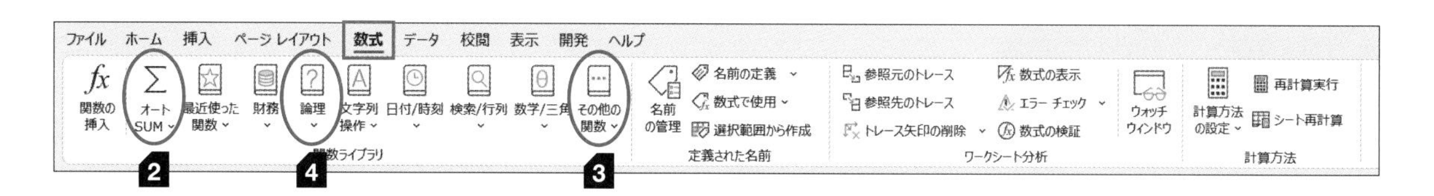

## 3 COUNTA関数(空白でないセルの個数)

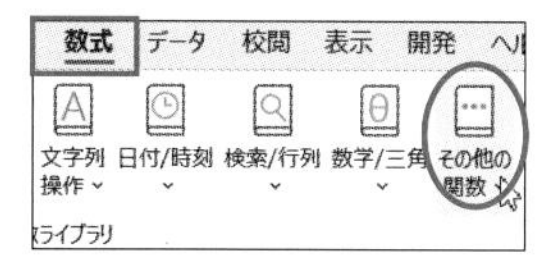

COUNTA(範囲)

範囲内の，空白でないセルの個数を返す。

①G８をクリックし，その他の関数→統計→COUNTAを選択する。

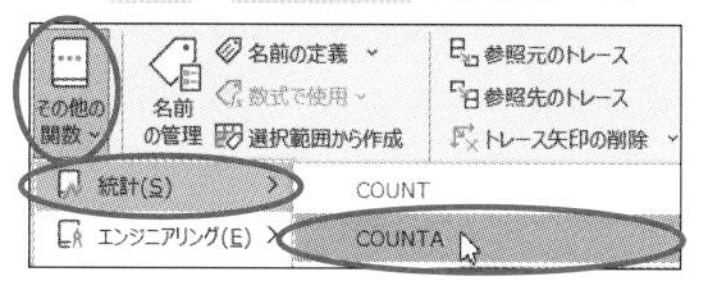

②B８～F８が見えるように関数の引数ダイアログボックスを移動する。

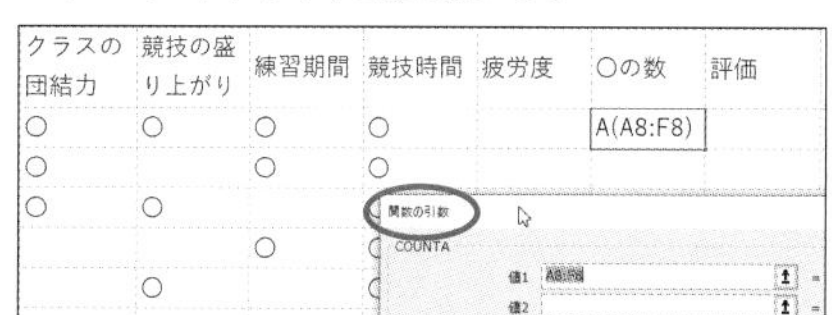

③B８～F８をドラッグし OK をクリックする。

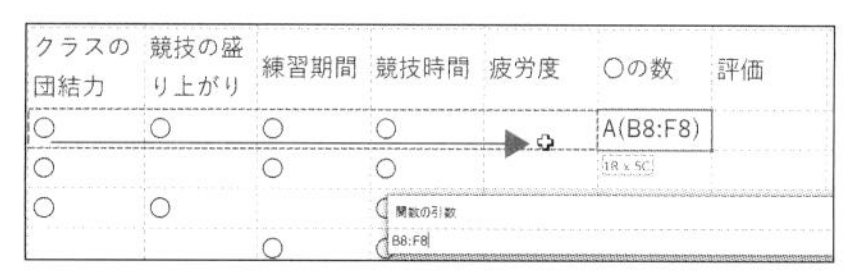

④G８をG９～G14までコピーする。

## 4 IF関数(判定)

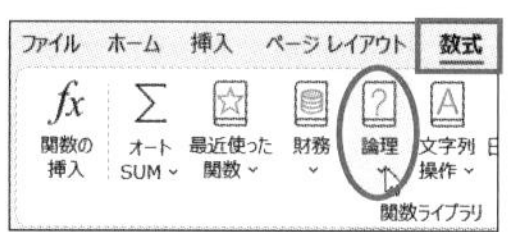

「○の数」が３以上の場合，評価欄に「採用可」と表示させるようにする。

IF(条件式，条件に一致した場合の処理，そうでない場合の処理)

**今回の例**

条件：G８が３以上

３以上の場合　："採用可"

そうでない場合：""

※入力した文字は "" が自動的につく。文字がない場合の "" は入力する。なおこれは無処理(空白を表示)という意味。

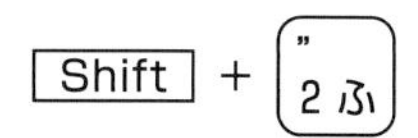

Shift ＋ 2 ふ

半角／全角に気を付けて入力する(日本語以外は半角)こと。

①H８をクリックし，論理→IFを選択する。

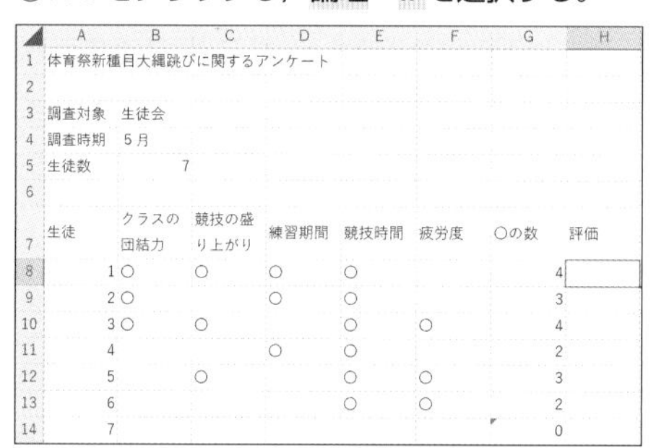

②G８をクリックすると，論理式に「G８」と入力される。

③論理式に「G８>=3」，真の場合に「採用可」，偽の場合に「""」と入力し，OKをクリックする。H８には「＝IF(G８>=3,"採用可","")」と入力される。

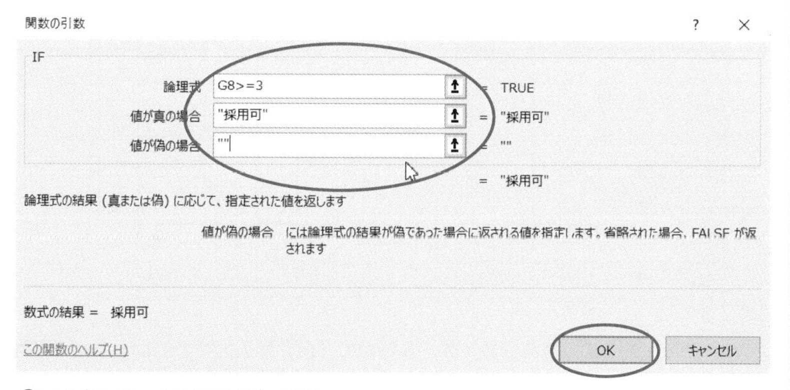

④H８をH９～H14にコピーする。

⑤完成例を参考に体裁を整え，罫線を引く。

## やってみよう

### Let's Try

「予測」と「実績」を比較し，同じだったら「コメント」に「当たり！」が表示される次のような表を作成してみよう。またＣ２の日数は関数を使用して「月日」の件数を数えよう。

（ファイル名：天気予測）

| | A | B | C | D |
|---|---|---|---|---|
| 1 | 天気予測と実績 | | | |
| 2 | | | 7 | 日間分 |
| 3 | 月日 | 予測 | 実績 | コメント |
| 4 | 12月1日 | 晴れ | 晴れ | 当たり！ |
| 5 | 12月2日 | 曇り | 曇り | 当たり！ |
| 6 | 12月5日 | 雨 | 曇り | |
| 7 | 12月6日 | 曇り | 曇り | 当たり！ |
| 8 | 12月9日 | 曇り | 晴れ | |
| 9 | 12月12日 | 晴れ | 晴れ | 当たり！ |
| 10 | 12月15日 | 雪 | 晴れ | |

Ｂ４とＣ４が等しい…Ｂ４＝Ｃ４

### Let's Try

「人数」が６以下の日の「チェック」に「少」と表示される次のような表を作成してみよう。ただし ▢ 部は関数を使用して求めること。

（ファイル名：バイト表）

| | A | B | C | D | E | F | G | H | I | J | K | L |
|---|---|---|---|---|---|---|---|---|---|---|---|---|
| 1 | <バイトシフト表> | | | | | | | | | | 営業日数： | 10 |
| 2 | | | | | | | | | | | | |
| 3 | 氏名 | 10 | 11 | 12 | 13 | 14 | 15 | 16 | 17 | 18 | 19 | 出 |
| 4 | | 日 | 月 | 火 | 水 | 木 | 金 | 土 | 日 | 月 | 火 | |
| 5 | 佐藤　まり子 | ○ | ○ | ○ | | ○ | ○ | ○ | ○ | | ○ | 8 |
| 6 | 小野寺　咲季 | | ○ | ○ | ○ | ○ | | ○ | ○ | ○ | ○ | 8 |
| 7 | 鳴海　亘 | | | ○ | ○ | ○ | ○ | ○ | ○ | | ○ | 7 |
| 8 | 加藤　数子 | ○ | ○ | ○ | ○ | ○ | | ○ | ○ | ○ | | 8 |
| 9 | 松村　真理子 | ○ | | ○ | ○ | | | ○ | ○ | ○ | ○ | 7 |
| 10 | 小野　牧子 | ○ | | | ○ | ○ | ○ | | ○ | ○ | ○ | 7 |
| 11 | 渡辺　真 | ○ | ○ | ○ | ○ | | ○ | | | ○ | | 6 |
| 12 | 保坂　優 | | ○ | | ○ | | ○ | ○ | | ○ | | 5 |
| 13 | 石森　麻友子 | | ○ | ○ | ○ | ○ | ○ | | | ○ | ○ | 7 |
| 14 | 大澤　天海 | ○ | | | | | | ○ | ○ | | | 3 |
| 15 | 人数 | 6 | 6 | 7 | 8 | 6 | 6 | 7 | 7 | 7 | 6 | |
| 16 | チェック | 少 | 少 | | | 少 | 少 | | | | 少 | |

- Ｌ１の「営業日数」は，３行目の「日」が入力されているセルの個数を求める。
- Ｌ５～Ｌ14の「出」は，各行の○が入力されているセルの個数を求める。
- Ｂ15～Ｋ15の「人数」は，各列の○が入力されているセルの個数を求める。
- Ｂ16～Ｋ16の「チェック」は，「人数」が６以下の場合に「少」と表示させる。

## Let's Try

「受験率」が80%未満の「評価」に「▼」と表示される次のような表を作成してみよう。ただし　部は関数を使用して求めること。またD２には当日の日付を表示すること。

（ファイル名：検定受験率）

| | A | B | C | D | E |
|---|---|---|---|---|---|
| 1 | 検定受験率 | | | | |
| 2 | | | 提出日 | 2022/7/31 | |
| 3 | 検定 | 申込者数 | 受験者数 | 受験率 | 評価 |
| 4 | 簿記検定 | 387 | 374 | 96.6% | |
| 5 | 情報処理検定 | 243 | 240 | 98.8% | |
| 6 | ビジネス文書検定 | 390 | 250 | 64.1% | ▼ |
| 7 | ビジネス表計算検定 | 327 | 300 | 91.7% | |
| 8 | 英会話検定 | 314 | 214 | 68.2% | ▼ |
| 9 | 地理検定 | 325 | 298 | 91.7% | |
| 10 | マナー検定 | 308 | 250 | 81.2% | |
| 11 | 時事問題検定 | 202 | 180 | 89.1% | |
| 12 | 平均 | 312.0 | 263.3 | 85.2% | |
| 13 | 最大 | 390 | 374 | 98.8% | |
| 14 | 最小 | 202 | 180 | 64.1% | |

- 「受験率」は，「受験者数÷申込者数」で求められる。
- 検定名の配置は均等割り付けを設定する（右クリック→セルの書式設定→配置→横位置→均等割り付け）。

## Let's Try

次の条件で表を作成してみよう。　（ファイル名：パック価格）

| | A | B | C |
|---|---|---|---|
| 1 | 新生活家電パック価格シミュレーション表 | | |
| 2 | | 商品 | 金額 |
| 3 | 1 | 冷蔵庫 | 35,000 |
| 4 | 2 | 洗濯機 | 25,000 |
| 5 | 3 | 炊飯器 | 12,000 |
| 6 | 4 | 掃除機 | 9,800 |
| 7 | 5 | | |
| 8 | 6 | | |
| 9 | 7 | | |
| 10 | 8 | | |
| 11 | 9 | | |
| 12 | 10 | | |
| 13 | | 商品点数 | 4 |
| 14 | | 小計 | 81,800 |
| 15 | | 割引率 | 10% |
| 16 | | 割引金額 | 8,180 |
| 17 | | 合計 | 73,620 |
| 18 | | パック価格 | 73,000 |

- 「商品点数」は「商品」が入力されているセルの個数を求める。
- 「小計」は「金額」の合計を求める。
- 「割引率」は「商品点数」が５未満の場合は10%，５以上の場合は20%とする。
- 「割引金額」は「小計」に「割引率」を乗じて求める。
- 「合計」は「小計」から「割引金額」を減じて求める。
- 「パック価格」は「合計」の百の位を切り捨てる。

●表が完成したら次の商品も利用して，商品の追加や削除などの修正を行い，割引率などが正しく表示されるか確認してみよう。

| | |
|---|---|
| アイロン | 4,700円 |
| ドライヤー | 3,200円 |
| 電子レンジ | 12,800円 |
| こたつ | 9,800円 |
| テレビ | 29,800円 |

# 7 データベース的に利用する

SUBJECT

データを蓄積した場合の利用方法を知る
●並べ替え
●フィルター(抽出と抽出解除)

リストの準備 ▶ 並べ替えや抽出

## 例題23 並べ替えと抽出をしてみよう (ファイル名:ケーキ人気)

1 データ入力

2 並べ替え
(投票数の少ない順に並べ替える)

3 抽出と抽出解除
(投票数が100未満のデータを抽出する)

|  | A | B | C |
|---|---|---|---|
| 1 | ケーキ人気一覧 | | |
| 2 | | | |
| 3 | No. | 商品名 | 投票数 |
| 4 | 7 | 抹茶ロール | 33 |
| 5 | 6 | クレープ | 57 |
| 6 | 5 | チョコレートケーキ | 84 |
| 7 | 4 | シュークリーム | 97 |

## 操作のポイント

### 1 データ入力

**リスト**
データベース機能を利用するデータの塊をリストといい，これにはルールがある。

|  | A | B | C |
|---|---|---|---|
| 1 | ケーキ人気一覧 | | |
| 2 | | | |
| 3 | No. | 商品名 | 投票数 |
| 4 | 1 | 苺ショート | 255 |
| 5 | 2 | モンブラン | 180 |
| 6 | 3 | チーズケーキ | 148 |
| 7 | 4 | シュークリーム | 97 |
| 8 | 5 | チョコレートケーキ | 84 |
| 9 | 6 | クレープ | 57 |
| 10 | 7 | 抹茶ロール | 33 |
| 11 | 8 | ミルフィーユ | 124 |

左のようにデータを入力する。
〈リストのルール〉
・項目名が最上行にあること
・途中に余計な空白行や列がないこと

### 2 並べ替え

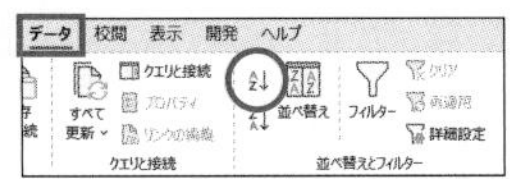


投票数の少ない順に並べ替える。

|  | A | B | C |
|---|---|---|---|
| 1 | ケーキ人気一覧 | | |
| 2 | | | |
| 3 | No. | 商品名 | 投票数 |
| 4 | 7 | 抹茶ロール | 33 |
| 5 | 6 | クレープ | 57 |
| 6 | 5 | チョコレートケーキ | 84 |
| 7 | 4 | シュークリーム | 97 |
| 8 | 8 | ミルフィーユ | 124 |
| 9 | 3 | チーズケーキ | 148 |
| 10 | 2 | モンブラン | 180 |
| 11 | 1 | 苺ショート | 255 |

「投票数」の列のいずれかのセルをクリックし，データタブ→ A↓Z 昇順をクリックする。

●昇順 A↓Z
小さい順，五十音順，ＡＢＣ順
●降順 Z↓A
大きい順，逆五十音順，逆ＡＢＣ順

| 3 抽出と抽出解除 | |
|---|---|
| 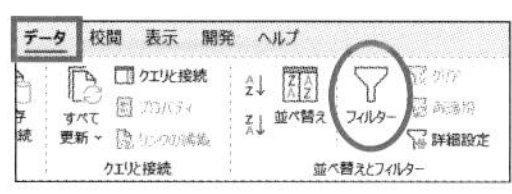<br>投票数が100未満のデータを抽出する。 | ①リスト内のいずれかのセルをクリックし，データタブ→フィルターをクリックすると項目名に ▾ が表示されるので，「投票数」の ▾ →数値フィルター→指定の値より小さいをクリックする。<br>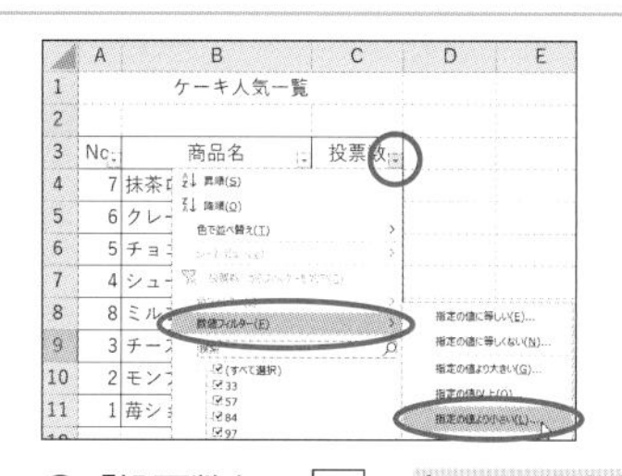<br>②100と入力し，OKをクリックすると，100未満の商品だけ抽出される。<br>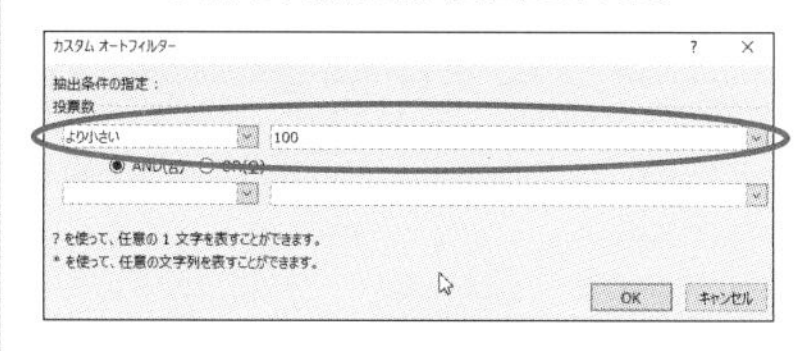<br>③「投票数」の ▾ →(すべて選択)にチェックを入れて，OKをクリックすると抽出が解除され，元に戻る。 |

## こんなときどうする!?

| ?! 項目に付いた ▾ をとりたい！ | データタブ→フィルターでフィルターを解除する。<br>なお，▾ は表示されていても印刷はされない。 |
|---|---|

| ?! 並べ替えに失敗した！ | 次のいずれかの対処方法がある。<br>①ホームタブ→元に戻すをクリックする。<br>②並べ替え前のファイルを保存しておく。<br>③例題23の「No.」のように，並べ替えのときの基準項目に使用すれば元の並びになるような項目を準備しておく。例題23の場合は「No.」の昇順に並べ替えすると，結果的に最初のデータ順になる。 |
|---|---|

## やってみよう

### Let's Try

例題23のデータを利用し，次の操作を行ってみよう。（ファイル名：ケーキ人気2）

①商品名を基準に，五十音順に並べ替えよう。
②投票数の多い順に並べ替えよう。
③「No.」の小さい順に並べ替えよう。
④投票数150以上の商品を抽出しよう。
⑤「商品名」が「キ」または「ム」で終わる商品を抽出しよう。
⑥投票数が100代の商品を抽出しよう。

- ⑤「商品名」の ▾ →テキストフィルター→指定の値で終わるをクリックし，カスタムオートフィルターダイアログボックスで指定する。「または」は「OR」。
- ⑥100以上かつ199以下という意味。「かつ」は「AND」。

# 8 マクロの作成

SUBJECT

マクロの記録を理解する
●開発タブ ●マクロの記録 ●マクロの実行
●マクロの保存

「開発」タブの表示 ▶ マクロの記録 ▶ 実行 ▶ 保存

Excelには，毎日繰り返すような操作を自動化する機能がある。自動化するためには「マクロ」というExcelに実行してもらいたい操作の記録が必要である。「マクロ」はマクロの記録で作成できる。マクロの記録はユーザーが行った操作を自動的に記録してくれる。誤った操作もそのまま記録するので，事前に操作の練習をしてからマクロの記録を始めるとよい。また，マクロに関する便利な機能は開発タブのリボンにあるが，通常は表示されていないので表示の準備も必要である。

## 例題24 マクロの記録を用いて，マクロを作成してみよう

（ファイル名：マクロの作成，マクロ名：列幅3）

1 開発タブの表示
2 自動化する操作の練習
3 マクロの記録
4 マクロの実行
5 マクロの保存

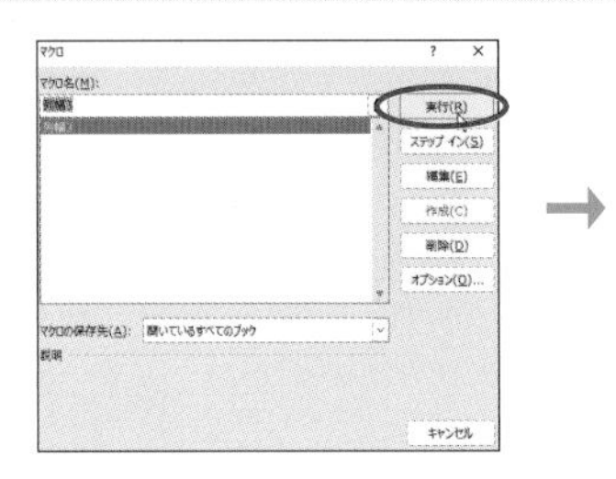

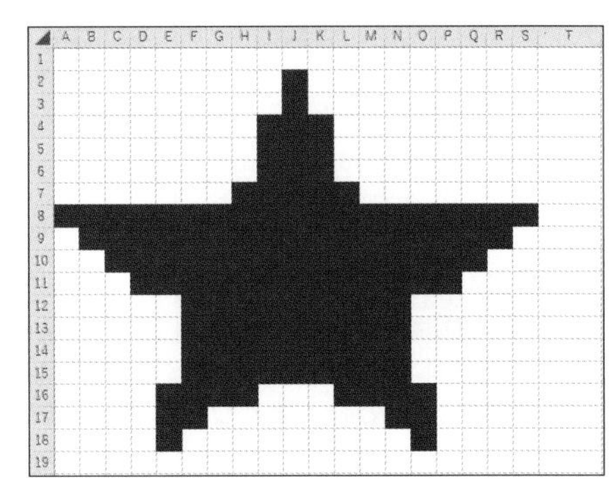

## 操作のポイント

### 1 開発タブの表示

開発タブがすでに表示済みの場合は，この操作は必要ない。

①ファイルタブをクリックする。

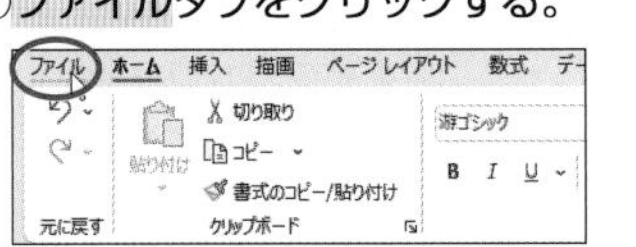

②その他→オプションをクリックする。

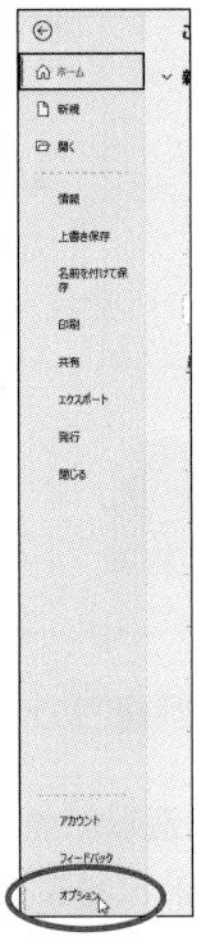

③リボンのユーザー設定を選択し，開発を☑してOKをクリックする。

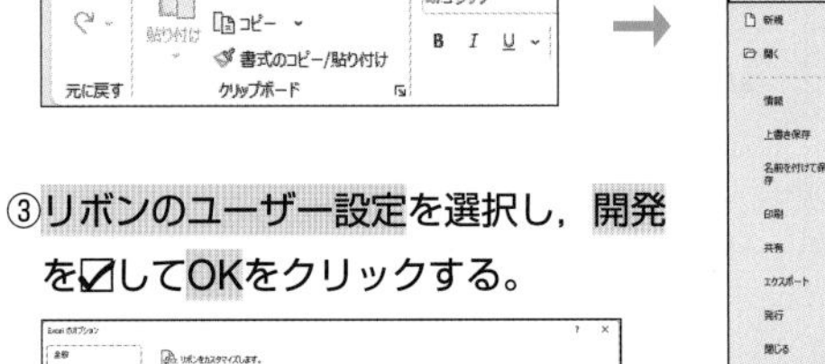

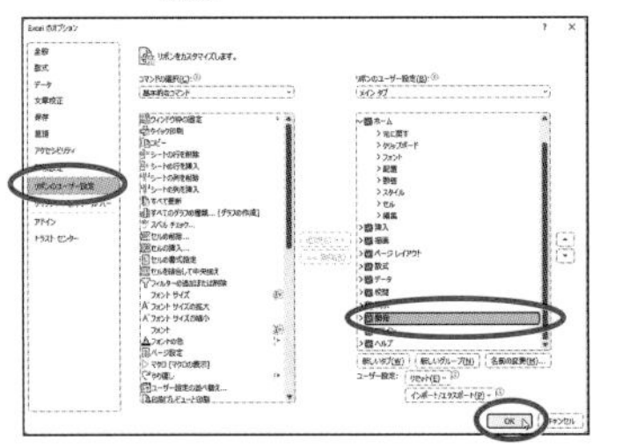

④開発タブをクリックする。

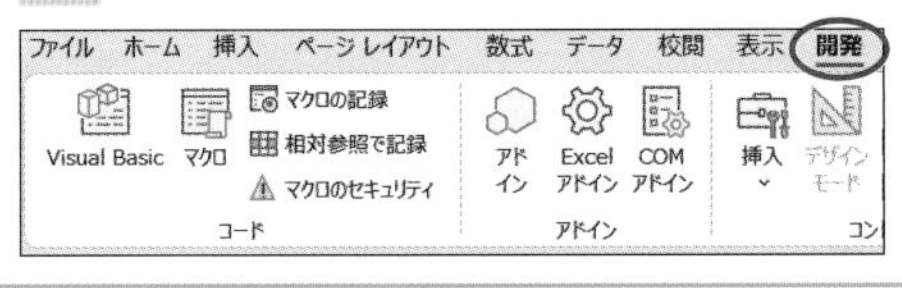

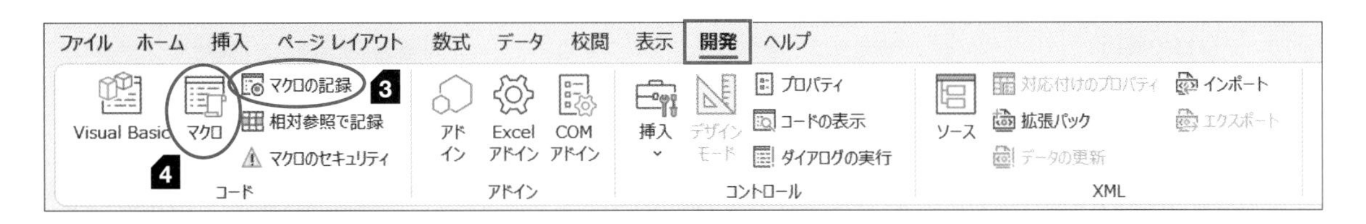


## 2 自動化する操作の練習

操作ミスも記録されるので，記録前に操作練習をし，記録する操作内容を確認しておくこと。

①完成例を元にセルを塗りつぶし，A列からS列を選択して右クリックし，列の幅をクリックする。

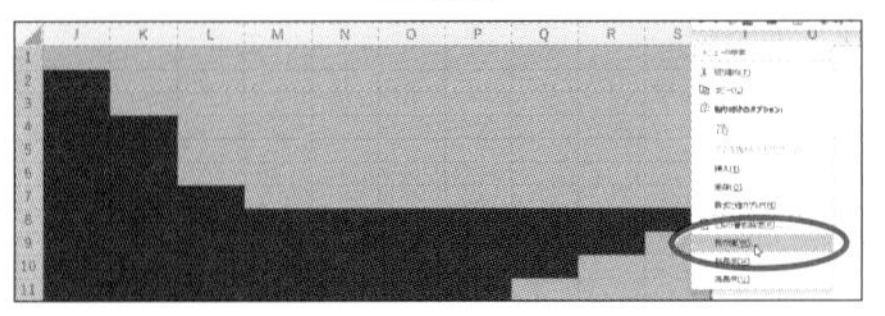

②「3」を入力し，OKをクリックする。

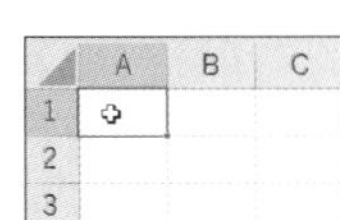


③セルA1をクリックして列選択を解除する。

④次の操作のために，ホームタブの 元に戻すで列幅を元に戻しておく。

## 3 マクロの記録

マクロの記録ボタンは，記録中は記録終了ボタンになる。操作ミスなどで中断したい場合も記録終了をクリックする。

記録開始はステータスバーの をクリックしてもよい。

①開発タブ→マクロの記録をクリックする。

②マクロ名に「列幅3」と入力→OKをクリックする。

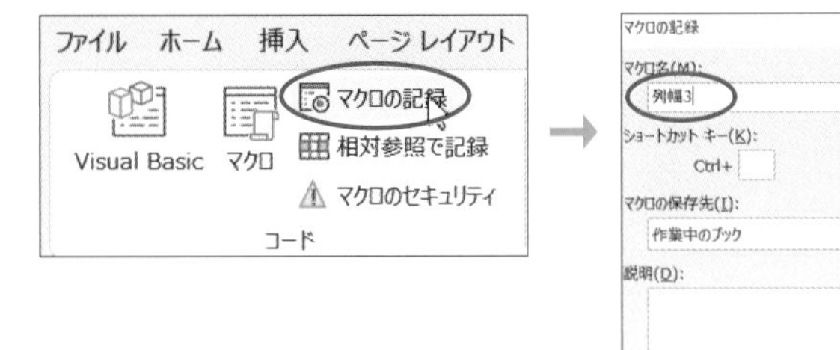


③(2 自動化する操作の練習)と同じ操作を行う
A列からS列を選択して右クリックし，列の幅をクリック→「3」を入力してOKをクリック→A1をクリックする。

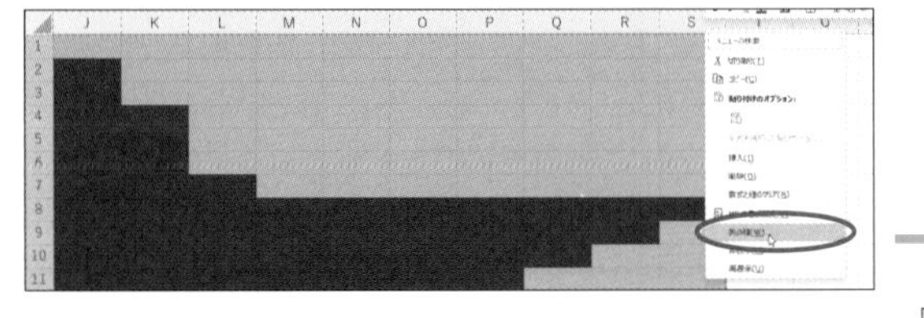

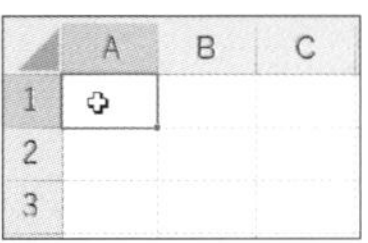

記録終了はステータスバーの□をクリックしてもよい。

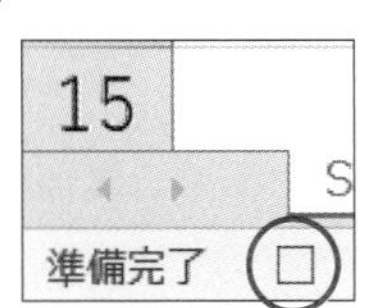


④開発タブ→記録終了をクリックする。

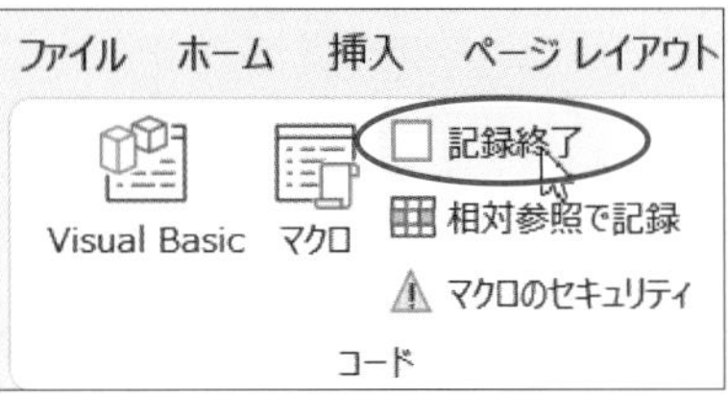


⑤次の操作のために，ホームタブの 元に戻すで元に戻す。

## 4 マクロの実行

※マクロで実行した操作は，ホームタブの ↶ (元に戻す)で戻せない。再度実行したい場合は，列幅を手動で変更するか，別なシートで実行するとよい。

①開発タブ→マクロをクリックする。

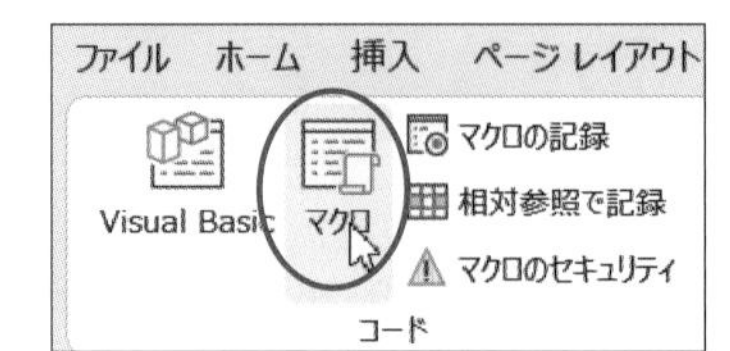


②「列幅3」を選択し，実行をクリックする。

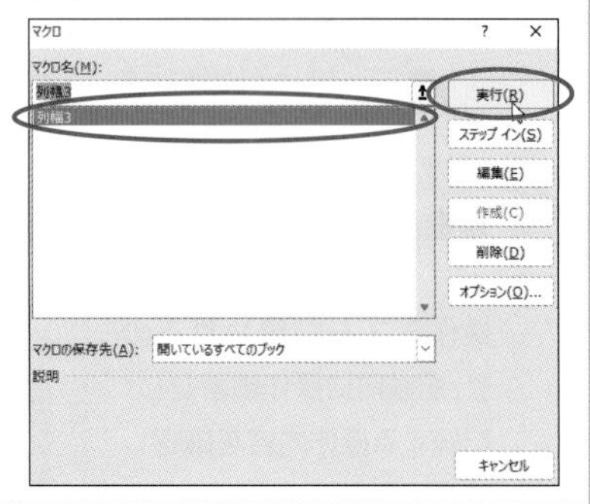


## 5 マクロの保存

※通常のブック「Excelブック(*.xlsx)」で保存すると，マクロが削除されて保存されるので，「ファイルの種類」に気をつけること。

①ファイルタブ→名前を付けて保存をクリックする。

※保存する場所は指導者の指示に従うこと。ここでは，「このPC」の「ドキュメント」を指定している。

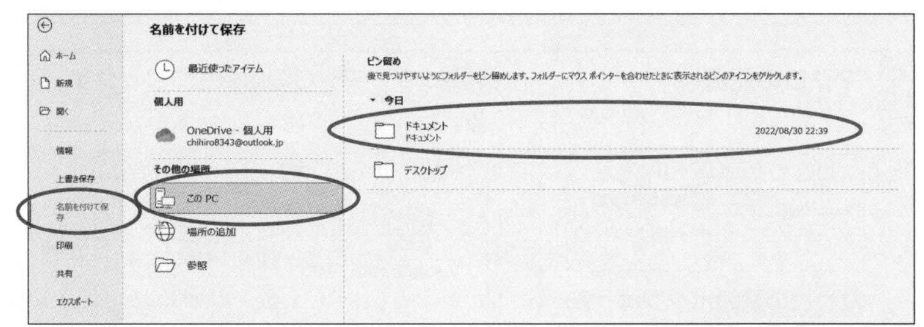


②ファイル名に「マクロの作成」と入力し，ファイルの種類でExcelマクロ有効ブックをクリック→保存をクリックする。

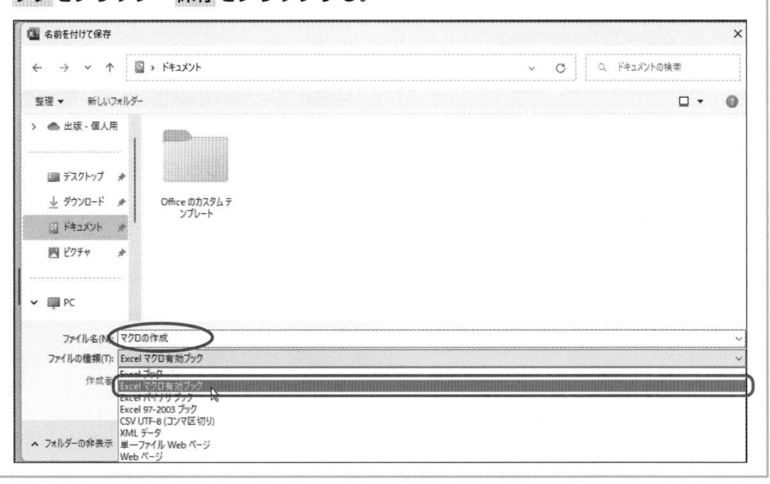

## こんなときどうする!?

**?! マクロ記録中に操作ミスをしてしまった…。**

記録を終了させ，記録したマクロを削除する。
その後にもう一度，記録のやり直しをするとよい。
マクロの削除は，開発タブ→マクロ→削除したいマクロを選択→削除をクリックする。

**?! マクロ実行前に戻すにはどうしたらいいの?**

マクロで実行した操作はホームタブの（元に戻す）で戻せない。戻せないと困るデータの場合や，まとまった処理のマクロの場合は，万が一に備え，実行する前に事前にファイルを保存しておくとよい。

**?! マクロが保存できるファイルの種類は１つだけ？**

マクロが保存できるファイルの種類は次のとおり。

| 種類 | 拡張子 | 説明 |
|---|---|---|
| Excelマクロ有効ブック | .xlsm | マクロが保存できる一般的なファイル。 |
| Excelバイナリブック | .xlsb | ファイルサイズなどが最適化されたファイル。使用時には注意が必要。 |
| Excel97-2003ブック | .xls | Exce97-2003用のファイル形式(このバージョンのExcelではマクロもシートと同時に保存された)。 |

## やってみよう

**Let's Try**

1-10行の「行の高さ」を「40」に変更したあと，A1を選択して行選択を解除するマクロ「行高40」を新規ブックに作成してみよう。完成したら「マクロの作成練習」で保存しよう(セルの塗りつぶしは自由)。　（ファイル名：マクロの作成練習，マクロ名：行高40）

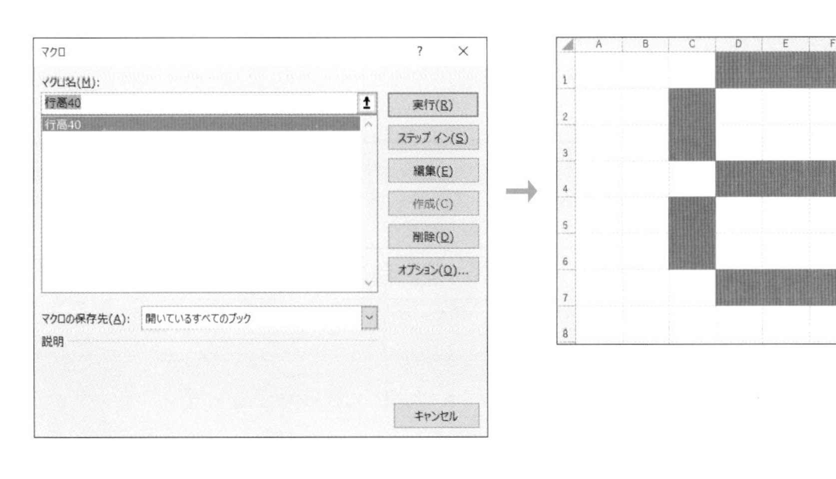

# 9 マクロの編集

コンテンツの有効化 ▶ VBEの起動 ▶ 編集 ▶ 実行 ▶ 保存

**SUBJECT**

マクロの編集方法を理解する
- ●コンテンツの有効化
- ●VBA（Visual Basic for Applications）
- ●VBE（Visual Basic Editor）

Excelが記録したマクロは英語のような言語で保存されている。この言語をVBA(Visual Basic for Applications)という。VBAで記述された内容は，VBA専用の管理ツールで修正や編集が可能である。このツールのことをVBE(Visual Basic Editor)といい，Excelから起動して使用する。

## 例題25 マクロの内容を変更し，実行してみよう

（ファイル名：マクロの作成，マクロ名：列幅1）

1 コンテンツの有効化
2 VBEの起動
3 マクロの修正
4 修正したマクロの実行
5 上書き保存

①プロジェクトエクスプローラー：ブックの構成要素を管理するウィンドウ

②プロパティウィンドウ：シート名など処理対象の属性を設定するウィンドウ

③コードウィンドウ：マクロを編集するウィンドウ

## 操作のポイント

### 1 コンテンツの有効化

マクロが保存されているファイルを開くとセキュリティの警告バーが表示される。マクロを使用する場合はコンテンツの有効化をクリックする。

①ファイルを開く→コンテンツの有効化をクリックする。

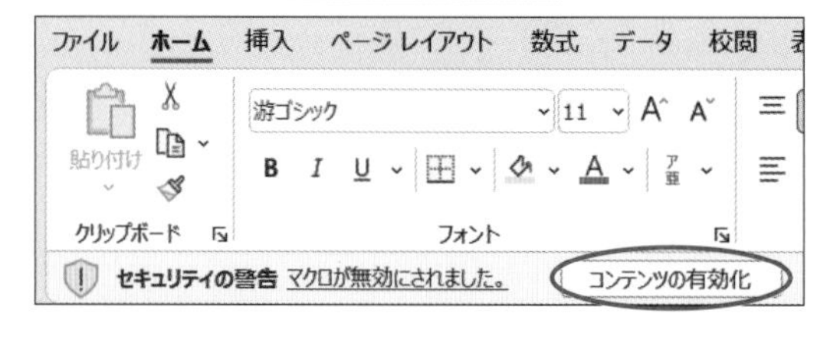

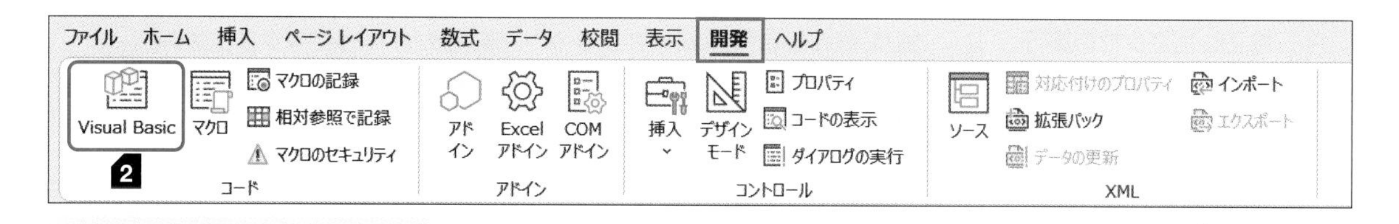


## 2 VBEの起動

①開発タブ→Visual Basicをクリックする。

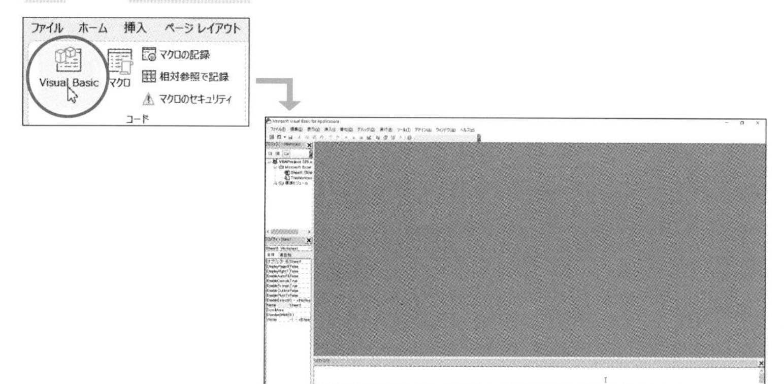


## 3 マクロの編集

①プロジェクトエクスプローラーの標準モジュールの ⊞ をクリックする。

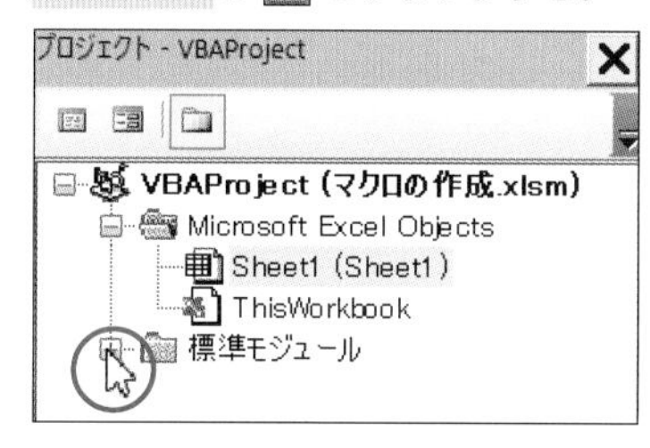


②標準モジュール内のModule1をダブルクリックする。

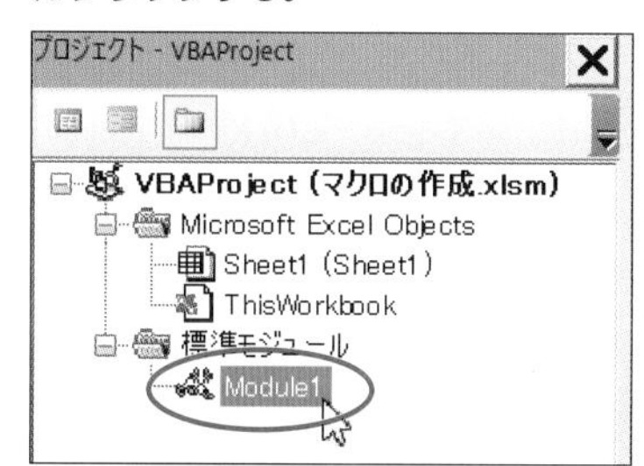


③「列幅3」マクロを右のように修正する。

※修正箇所以外は変更しないこと。

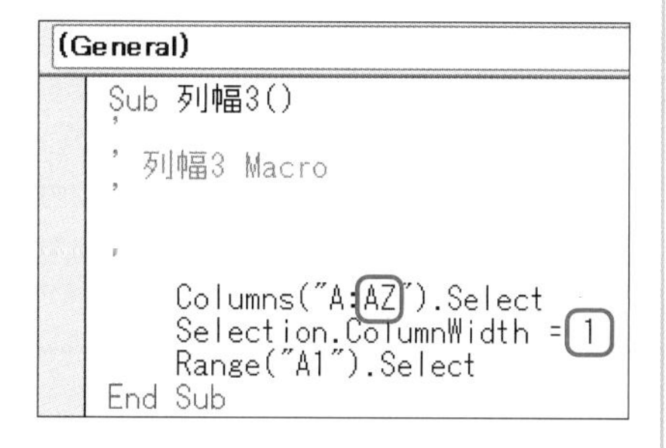


**◆マクロの構造**

マクロは，`Sub マクロ名( )` から `End Sub` で括られる。

これは決められた型であり，重要なので青い色で表現されている。間違って修正しないように気を付けよう。' から始まる行はコメントとして自由に記述できる。緑色で表示され，不要な場合は削除もできる。

**◆マクロの意味**

①`Columns("A:AZ").Select` →列AからAZを選択する

②`Selection.ColumnWidth = 1` →選択している列の幅を1に設定する

③`Range("A1").Select` →A1を選択する

| | |
|---|---|
| **4** 修正したマクロの実行 | ①表示 Microsoft Excelをクリックする。<br><br>②開発タブ→マクロをクリックする。<br>③「列幅3」を選択し，実行をクリックする。<br>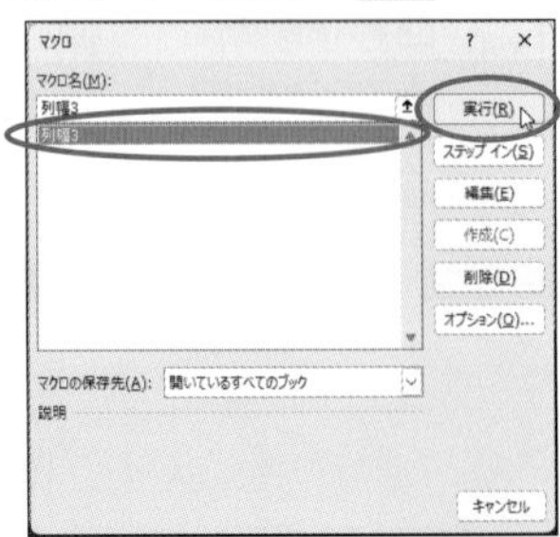<br><実行結果><br>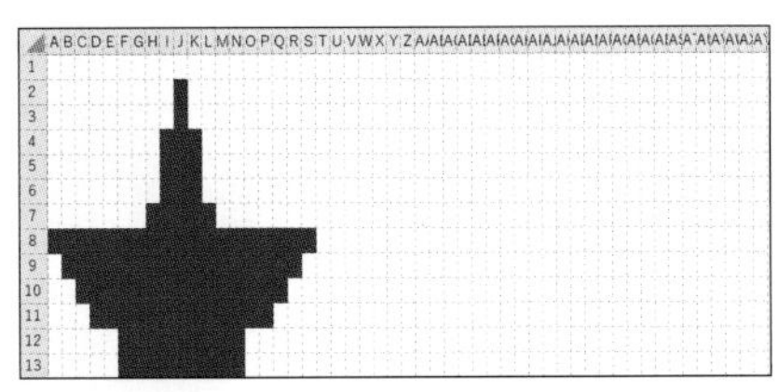 |
| **5** マクロの上書き保存 | ①上書き保存ボタンをクリックする。<br>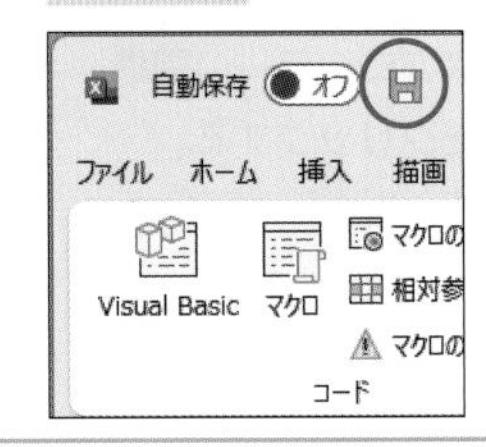 |

## こんなときどうする!?

| | |
|---|---|
| ?! 「セキュリティの警告 マクロが無効にされました」のメッセージが表示されたら，いつでも「コンテンツの有効化」をクリックしたほうがいいのかな？ | コンピュータウイルスプログラムはVBAで作られていたり，VBAによって感染したりすることがある。そこで，誰が作ったマクロかがわかっていて，信頼のおけるマクロファイルである場合に限り「コンテンツの有効化」をクリックしよう。<br>マクロが組み込まれていると知らされていないファイルの場合には，「無効」のまま使用し，入手元あるいは配布元にマクロの存在を確認してから「有効」にする。 |
| ?! 「セキュリティ警告」バーが表示されなくなっちゃった!? | 「セキュリティの警告」バーのコンテンツの有効化をクリックしたブックは，同一PCの同一ユーザー上では「信頼済みドキュメント」と認識され，２回目からは警告が表示されない。 |
| ?! プロパティウィンドウ（プロジェクトエクスプローラー）が消えた?! | ウィンドウなので右上の ✕ をクリックで閉じる。<br>表示するには，表示タブ→プロパティウィンドウまたはプロジェクトエクスプローラーをクリックする。<br> |

| ?! | |
|---|---|
| **コンパイルエラーがでた！** | 入力ミス（構文エラー）の場合に表示される。OKをクリックするとエラーの箇所が表示されるので修正する。 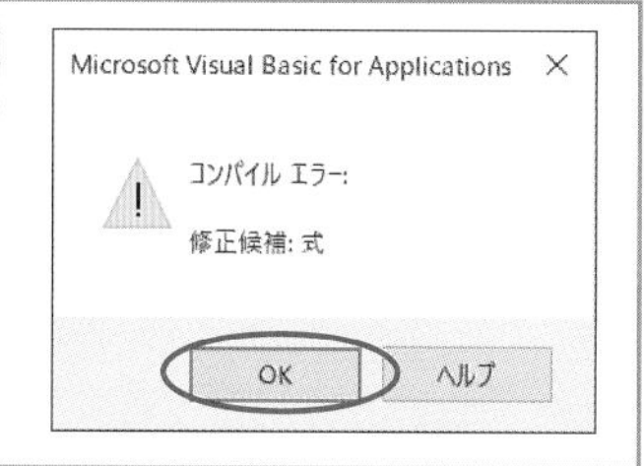  |
| **実行時エラーがでた！** | マクロの実行中に，予期しない処理を実施した場合に表示される。デバッグをクリックするとエラーの箇所が黄色で表示される。（リセットボタン）をクリックし，処理を中断してから修正を行う。 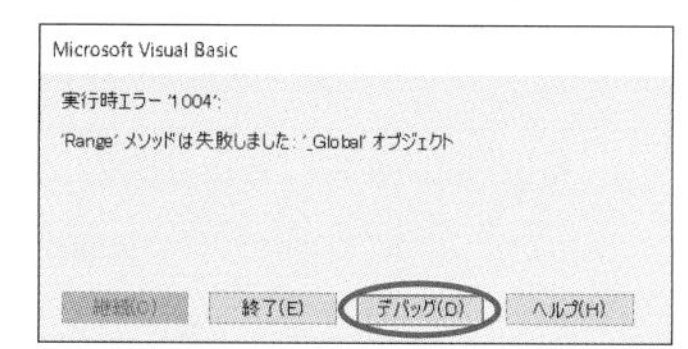  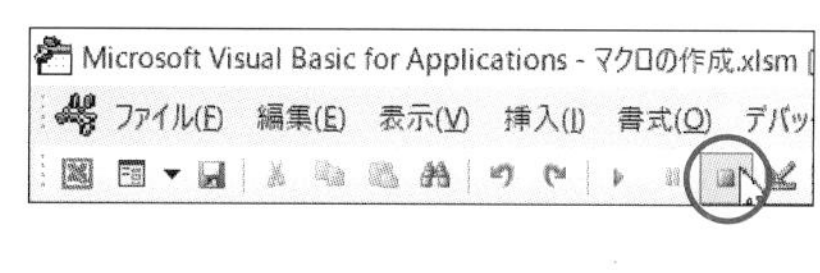  |
| **Module2やModule3がいつのまにかできているけど，削除するには?!** | マクロ有効ブックを開いて新規にマクロを記録すると，新たなModule（モジュール）に操作が記録される。<br>不要なモジュールを削除するには，不要なモジュールを右クリック→Module?の解放をクリックする。<br>※「Module?」の？には2や3の数字が入る。 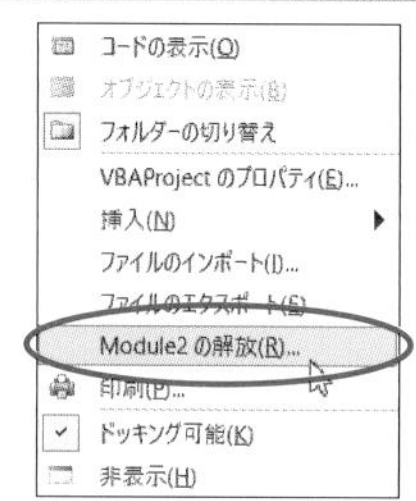  |

## やってみよう

**Let's Try**

p.91のLet's Tryで保存した「マクロの作成練習」を開き，マクロ「行高40」で1-50行の「行の高さ」を「10」に変更し，A50のクリックで行選択を解除するように修正して動作を確認し，上書き保存しよう。

（ファイル名：マクロの作成練習，マクロ名：行高10）

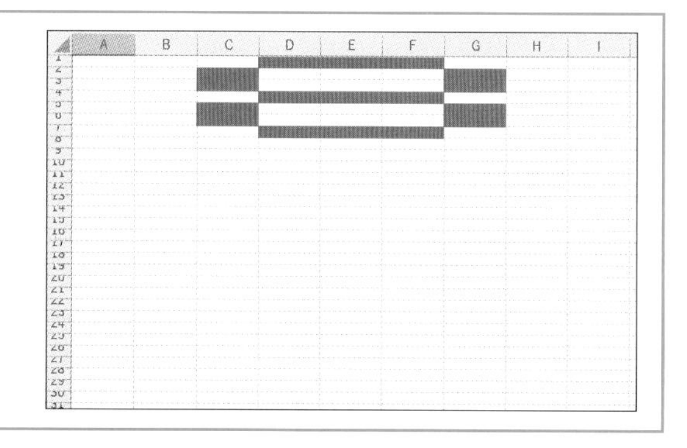

**Let's Try**

「マクロの作成練習」にマクロ「行高標準」を新たに追加し，上書き保存しよう。1-50行の「行の高さ」を「18.75」に設定し，A1のクリックで行選択を解除する処理とする。

（ファイル名：マクロの作成練習，マクロ名：行高標準）

**Let's Try**

例題25の「マクロの作成」に，マクロ「列幅標準」を新たに追加し，上書き保存しよう。A列からAZ列の「列幅」を「8.38」に設定し，A1のクリックで列選択を解除する処理とする。

（ファイル名：マクロの作成，マクロ名：列幅標準）

# 10 Word文書への利用

**SUBJECT**

異なるアプリケーション間でデータを利用する
●貼り付け（リンク貼り付け）

グラフのコピー ▶ Wordへの貼り付け

## 例題26 WordにExcelのグラフを貼り付けよう（ファイル名：アマチュアバンドのみなさんへ）

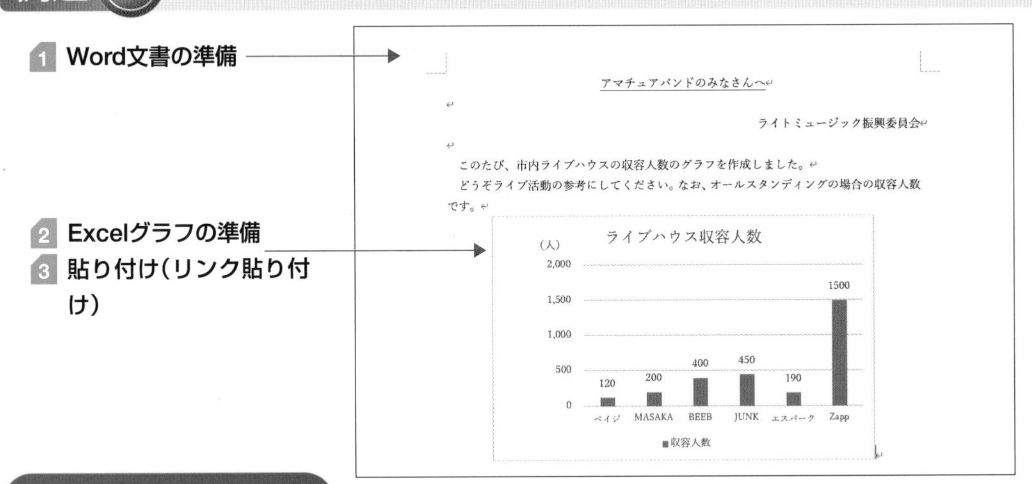


## 操作のポイント

### 1 Word文書の準備

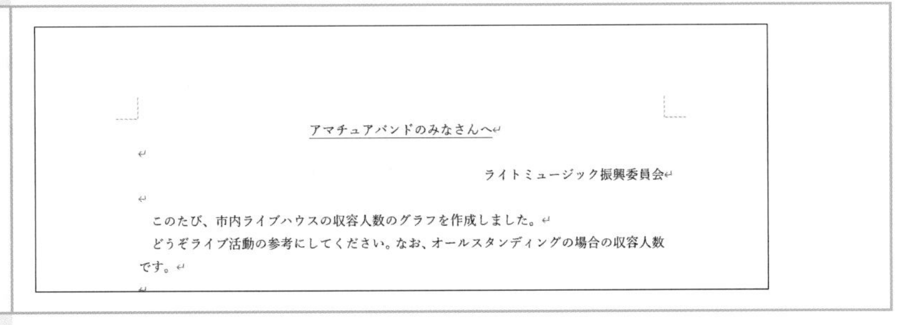

アマチュアバンドのみなさんへ

ライトミュージック振興委員会

このたび、市内ライブハウスの収容人数のグラフを作成しました。
どうぞライブ活動の参考にしてください。なお、オールスタンディングの場合の収容人数です。

### 2 Excelグラフの準備（p.69例題18のライブハウス３を利用）

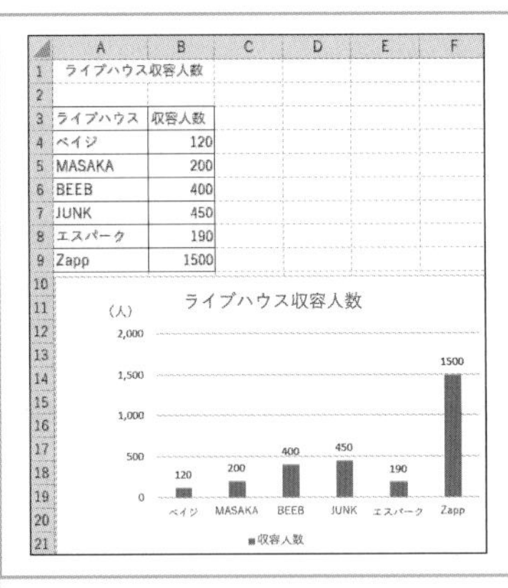

| | A | B |
|---|---|---|
| 1 | ライブハウス収容人数 | |
| 2 | | |
| 3 | ライブハウス | 収容人数 |
| 4 | ペイジ | 120 |
| 5 | MASAKA | 200 |
| 6 | BEEB | 400 |
| 7 | JUNK | 450 |
| 8 | エスパーク | 190 |
| 9 | Zapp | 1500 |

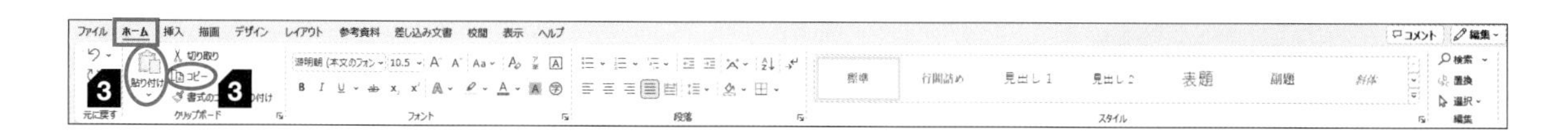

**3 貼り付け（リンク貼り付け）**

グラフを何も指定せずに貼り付ける場合は貼り付け先テーマを使用しデータをリンクで貼り付けられる。
貼り付け方法を変更する場合は 貼り付け 貼り付けのオプションをクリックして一覧から選ぶ。

①グラフエリアを選択し，コピーをクリックする。
②タスクバーからWordに切り替える。

③貼り付け先をクリックし，貼り付けを選択する。

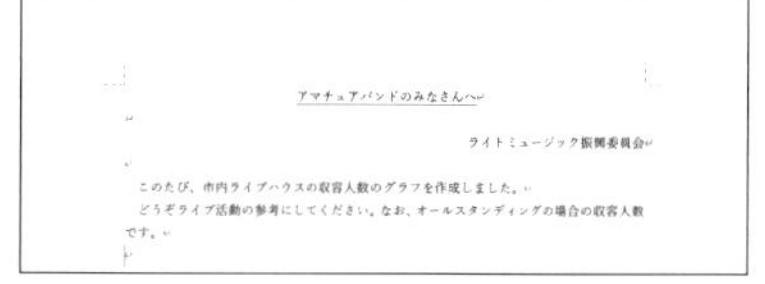

アマチュアバンドのみなさんへ

ライトミュージック振興委員会

このたび、市内ライブハウスの収容人数のグラフを作成しました。
どうぞライブ活動の参考にしてください。なお、オールスタンディングの場合の収容人数です。

## こんなときどうする!?

**?! Wordに貼り付けたグラフのデータを修正するには？**

Wordのグラフエリアを選択し，グラフのデザインタブ→データの編集をクリックすると，Excelが起動され，グラフの元になったワークシートが開かれ，Excel上で修正できる。

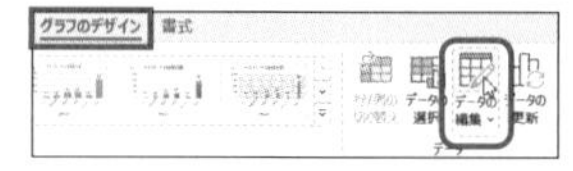

**?! Excelのワークシートを変更せずに，グラフのデータを修正したいのだけど？**

貼り付けのオプションから貼り付け先のテーマを使用しブックを埋め込むもしくは元の書式を保持しブックを埋め込むで貼り付ける。
Wordのグラフエリアを選択し，グラフのデザインタブ→データの編集をクリックすると，簡易Excelが起動され，Word内部のワークシートが開かれ，元のExcelとは別のシートとして修正できる。
ただしグラフを「図」として貼り付けた場合は画像と同じ書式が設定できるようになるが，データは修正できない。

貼り付けのオプション:
形式を選択して貼り付け(S)...
既定の貼り付けの設定(A)...

## やってみよう

**Let's Try**

p.73のLet's Try「モバイル使用料」のグラフを利用し，次の文書にグラフを貼り付けてみよう。
（ファイル名：使いすぎ）

まなみちゃんへ

母より

ひとり暮らしにはなれましたか？
「睡眠」と「食事」という日常のことを大事にしてくださいね。
さらに大事にしてもらいたいのが「お金」です。
生活費の中でも携帯電話料金の割合が凄く高いですね！
使いすぎですよ！！！
グラフにまとめたので、じっくり検討してしてください。

# 実習問題

## Let's Try　次のような表とグラフを作成してみよう。　（ファイル名：募金集計）

「街に緑を」募金活動　集計結果

| 箱No. | 募金箱設置地区 | 4月 | 5月 | 6月 | 合計 |
|---|---|---|---|---|---|
| 1 | 中西町内会 | 6,860 | 2,730 | 4,090 | 13,680 |
| 2 | 宮町商店街 | 3,270 | 8,830 | 2,260 | 14,360 |
| 3 | 一番町商店街 | 4,510 | 2,360 | 3,900 | 10,770 |
| 4 | 中山こども会 | 4,060 | 7,800 | 6,660 | 18,520 |
| 5 | 西川地区会 | 2,690 | 2,880 | 2,910 | 8,480 |
| | 合計 | 21,390 | 24,600 | 19,820 | 65,810 |
| | 平均 | 4,278 | 4,920 | 3,964 | 13,162 |

地区別募金集計

（円）　■4月　■5月　■6月

10,000 / 8,000 / 6,000 / 4,000 / 2,000 / 0

中西町内会　宮町商店街　一番町商店街　中山こども会　西川地区会

縦(値)軸オプション→
単位ー主：2000

## Let's Try　次のような表とグラフを作成してみよう。　（ファイル名：電子辞書）

電子辞書　価格帯別所有アンケート

| 対象 | 1万円台 | 2万円台 | 3万円台 | 4万円台 |
|---|---|---|---|---|
| 1年 | 2 | 10 | 8 | 2 |
| 2年 | 3 | 8 | 1 | 1 |
| 3年 | 5 | 5 | 7 | 5 |
| 先生 | 4 | 8 | 9 | 3 |
| 合計 | 14 | 31 | 25 | 11 |

電子辞書　価格帯別所有割合

14%　17%　31%　38%

■1万円台　■2万円台　■3万円台　■4万円台

①グラフの範囲は，C3～F3を選択し，Ctrl を押しながらC8～F8を選択する。

②円グラフの一部を円中心から切り離すには，その扇形を2回クリックして選択し，外側にむけてドラッグする。

③データラベルの%表示は，ラベルをポイントし，右クリックしてデータラベルの書式設定→ラベルオプションから，ラベルの内容のパーセンテージに✔を入れて，値の✔をはずす。

## Let's Try

次のような表とグラフを作成してみよう。 （ファイル名：期末考査結果）

**期末テスト成績一覧表** 20XX年

| | A君 | B君 | C君 | D君 | E君 |
|---|---|---|---|---|---|
| 国語 | 55 | 56 | 90 | 75 | 70 |
| 社会 | 72 | 73 | 82 | 93 | 92 |
| 数学 | 61 | 63 | 42 | 43 | 76 |
| 理科 | 76 | 74 | 47 | 70 | 66 |
| 英語 | 97 | 63 | 96 | 82 | 95 |
| 合計点 | 361 | 329 | 357 | 363 | 399 |

期末考査成績一覧

①国語，社会，数学，理科，英語については，集合縦棒を選択する。合計点は，折れ線とする。グラフのデザイン→データの選択で「行列の切り替え」をクリックする。グラフの種類の変更の「データ系列に使用するグラフの種類と軸を選択してください」で「合計点」以外を「集合縦棒」にして「第２軸」の☑を外す。

②第２軸は，合計点とする。

③第１軸の最大値は100とする。

## Let's Try

次のような表とグラフを作成してみよう。ただし，摂取割合は「摂取量×目標÷目標値」で求め，ほかの数値は入力する。 （ファイル名：食品群摂取量）

- グラフの種類を「レーダー」にし，バランスをみる。
- 「目標」を正六角形にするため,グラフ用の数値を設ける。
- 「摂取割合」は「目標」を100とした場合に,「摂取量」がどのくらいの割合になるかを計算している。

**食品群別摂取量**

摂取割合を計算してグラフを作成してみよう

| 食品群 | 摂取量（g） | 目標値（g） | 目標 | 摂取割合 |
|---|---|---|---|---|
| 緑黄色野菜 | 86.2 | 120 | 100 | 71.8 |
| その他の野菜 | 152.4 | 230 | 100 | 66.3 |
| 魚介類 | 75.2 | 60 | 100 | 125.3 |
| 肉類 | 117.9 | 60 | 100 | 196.5 |
| 卵類 | 52.4 | 40 | 100 | 131.0 |
| 乳類 | 173.2 | 200 | 100 | 86.6 |

①C5とD5はセルの中で改行する（ Alt を押しながら Enter を押す)。

②グラフの範囲はB5～B11を選択し， Ctrl を押しながらE5～F11を選択する。

③グラフエリア内のプロットエリアを選択し，書式タブ→図形の塗りつぶしで「白、背景1、黒＋基本色5%」を選択する。目盛線を選択し，書式タブ→図形の枠線で「自動」を選択する。

## Let's Try

次のような表とグラフを作成してみよう。 （ファイル名：ファミリーレストラン）

**ファミリーレストラン利用頻度アンケート**

○年○月現在

| | 10代 | 20代 | 30代 | 40代 | 50代以上 | 合計 |
|---|---|---|---|---|---|---|
| 週2回以上 | 88 | 23 | 12 | 56 | 22 | 201 |
| 週1回 | 11 | 72 | 50 | 58 | 95 | 286 |
| 月2，3回 | 85 | 54 | 56 | 87 | 76 | 358 |
| 月1回 | 11 | 232 | 57 | 199 | 145 | 644 |
| 2，3か月に1回 | 20 | 27 | 120 | 89 | 56 | 312 |
| ほとんど無し | 88 | 166 | 155 | 140 | 189 | 738 |
| 合計 | 303 | 574 | 450 | 629 | 583 | 2,539 |

**利用頻度割合（全年代）**

8% 11% 14% 26% 12% 29%

週2回以上 / 週1回 / 月2，3回 / 月1回 / 2，3か月に1回 / ほとんど無し

**利用頻度割合（年代別）**

| | 週2回以上 | 週1回 | 月2，3回 | 月1回 | 2，3か月に1回 | ほとんど無し |
|---|---|---|---|---|---|---|
| 50代以上 | 22 | 95 | 76 | 145 | 56 | 189 |
| 40代 | 56 | 58 | 87 | 199 | 89 | 140 |
| 30代 | 12 | 50 | 56 | 57 | 120 | 155 |
| 20代 | 23 | 72 | 54 | 232 | 27 | 166 |
| 10代 | 88 | 11 | 85 | 11 | 20 | 88 |

0% 10% 20% 30% 40% 50% 60% 70% 80% 90% 100%

①円グラフ：グラフのデザインタブ→グラフスタイル→「スタイル５」

②横棒グラフ：100％積み上げ横棒，グラフのデザインタブ→グラフスタイル→「スタイル６」，グラフのデザインタブ→行/列の切り替え

## Let's Try

次のような表とグラフを作成してみよう。ただし，「１バンド当たりの観客数」はROUND関数にて四捨五入をすること。　（ファイル名：ロックフェス）

| | A | B | C | D | E |
|---|---|---|---|---|---|
| 1 | イーストノースロックフェス | | | | |
| 2 | | | | | |
| 3 | | 参加バンド | 参加者数 | 観客数 | １バンド当たりの観客数 |
| 4 | 第１回目 | 25 | 150 | 5,000 | 200 |
| 5 | 第２回目 | 56 | 410 | 20,000 | 357 |
| 6 | 第３回目 | 67 | 450 | 35,000 | 522 |
| 7 | 第４回目 | 111 | 750 | 50,000 | 450 |
| 8 | 第５回目 | 167 | 1,028 | 80,000 | 479 |
| 9 | 第６回目 | 194 | 1,250 | 100,000 | 515 |
| 10 | 第７回目 | 255 | 1,280 | 100,000 | 392 |
| 11 | 第８回目 | 290 | 1,470 | 125,000 | 431 |
| 12 | 第９回目 | 363 | 2,200 | 180,000 | 496 |
| 13 | 第１０回目 | 520 | 2,900 | 380,000 | 731 |
| 14 | 合計 | 2,048 | 11,888 | 1,075,000 | |
| 15 | 平均 | 205 | 1,189 | 107,500 | |

イーストノースロックフェス
参加バンドと１バンド当たりの観客数推移

800
600
400
200
0

第１回目　第２回目　第３回目　第４回目　第５回目　第６回目　第７回目　第８回目　第９回目　第１０回目

■参加バンド　■１バンド当たりの観客数

①Ｅ３を選択後ホームタブ→折り返して全体を表示するをクリックする。その後，列幅や行高をドラッグで調節する。

②グラフタイトルは「フェス」のあとで Enter を押して改行すると２行になる。

③グラフの種類：3-D縦棒，グラフのデザインタブ→グラフスタイル→「スタイル８」

④Ａ３の斜線表示は，Ａ３を選択し，右クリックしてセルの書式設定→罫線で設定できる。Ｅ14とＥ15は，セルの結合を行ってから斜線表示を設定する。

# 1 簡単なプレゼンテーションを作成する

テーマの選択 ▶ スライドの作成 ▶ スライドショー

**SUBJECT**

テーマを選択し，新規作成する
●テーマの選択 ●タイトルの入力
●新しいスライドの追加
●表示モードの切り替え
●スライドショー

## 例題 27 デザインテンプレートを適用して新規作成しよう （ファイル名：青花祭報告）

1 PowerPointの画面

2 テーマの選択

3 タイトルおよびサブタイトルの入力

## 操作のポイント

### 1 PowerPointの画面

ワイド画面(16：9)が既定のスライドサイズとして起動する。
画面比率を標準(4：3)に設定するには，デザインタブ→スライドのサイズで標準(4：3)を選択する。

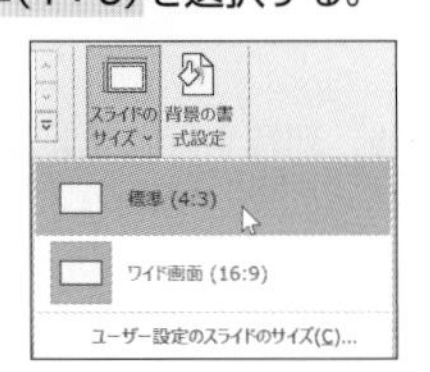


画面は次のように分割されている。

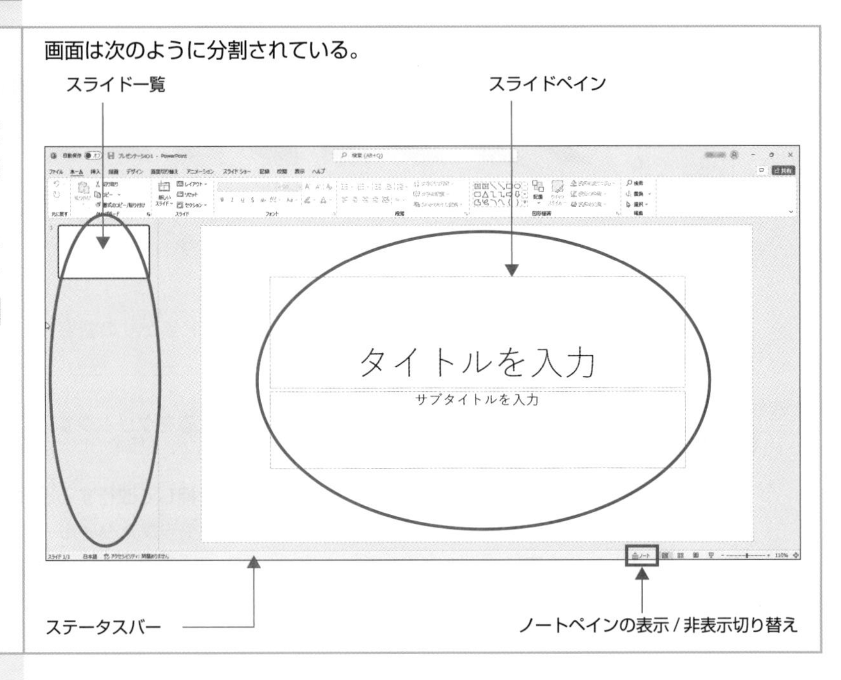

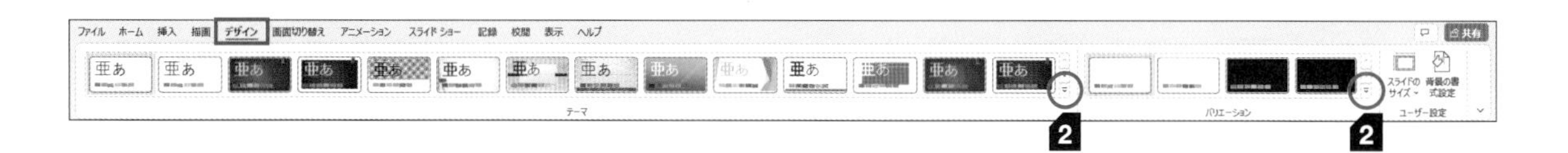

## 2 テーマの選択

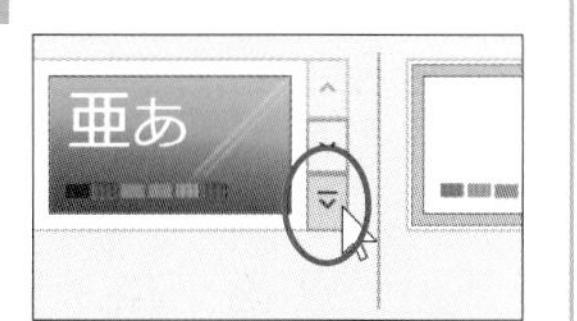

テーマとは，全体の配色・フォント・効果などの書式を組み合わせて名前を付けたもので，これを選択すると統一感のあるデザインを設定することができる。必ずしも最初に設定する必要はない。

①デザインタブに切り替え，テーマを選択する(ここでは「配当」)。

②さらにバリエーションを選択する
（ここでは左から2番目)。

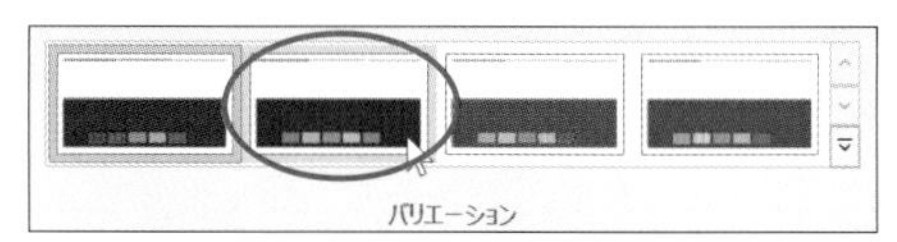


## 3 タイトルおよびサブタイトルの入力

新規作成時のスライド1は，タイトルスライドのレイアウトになっている。

①タイトル・サブタイトルそれぞれのプレースホルダー内をクリックして入力する。

②サブタイトルのプレースホルダーを選択し，フォントサイズから「20」を選択する。

## こんなときどうする!?

### ?! ノートペインは見当たらないけど？

ノートペインは，プレゼン実行時に話す原稿の入力や，そのスライドに対する覚え書きの記入などに利用するエリアで，ステータスバー上のノートで表示／非表示を切り替える。

### ?! なんだかスライドが横に長いのだけど？

スライドのサイズ(比率)は主に「標準(4：3)」と「ワイド画面(16：9)」の2種類がある。発表する時のスクリーンなどにあわせた比率で作成するとよい。スライドの比率を変更するには，デザインタブ→スライドのサイズで設定する。
ユーザー設定のスライドのサイズを利用すると，例えばA4など用紙サイズに合わせることもできる。

## 例題 28 新しいスライドを追加しよう

（ファイル名：青花祭報告２）

1 新しいスライドの追加

2 スライド２の作成

3 スライド３の作成

4 スライド４の作成

1

概要

- 名称　「第〇〇回　青花祭」
- 目的
  - 集団生活で連帯を深め、公共の精神を培ってより良い学校生活を築く
  - さまざまな企画や発表を通じて、地域の方に本校の魅力を発信する
- テーマ　「カラフル　～ひとりひとりが彩る青花祭～ 」

2

来場者数

- ６月23日（金）　245名
- ６月24日（土）　396名
- ６月25日（日）　352名

来場者合計　993名

４年連続で減少傾向

3

収支決算報告

- テキストを入力

4

## 操作のポイント

### 1 新しいスライドの追加

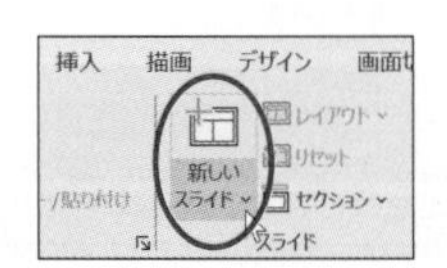


下側をクリックするとスライドのレイアウト一覧が表示されるので，その中から選ぶ。

①ホームタブ→新しいスライドからタイトルとコンテンツを選択する。

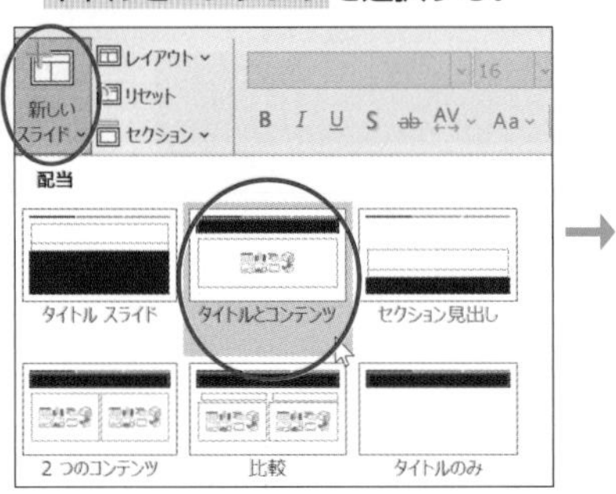


②新しいスライドが追加される。

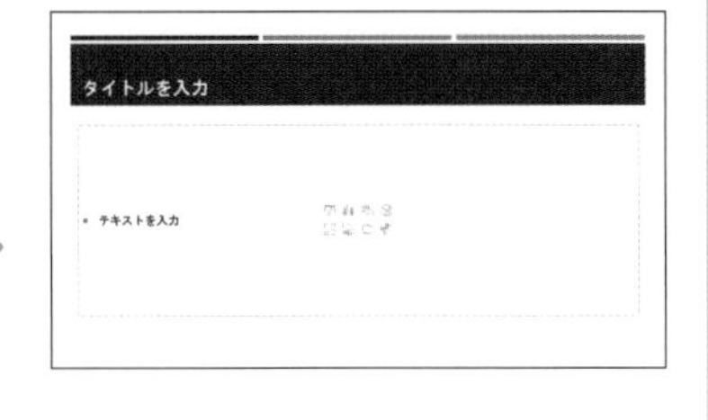


### 2 スライド２の作成

行頭文字（■）は文字を入力するとテーマで適用されているものが自動的に入力される。

アウトラインのレベルを上げるには，
Shift ＋ Tab を押す。

①クリックしてタイトルとテキストを入力する。

フォントサイズ「36」

行頭で Tab を押してアウトラインのレベルを下げて入力する

改段落せず，改行するには，Shift ＋ Enter を押す

概要

- 名称　「第〇〇回　青花祭」
- 目的
  - 集団生活で連帯を深め、公共の精神を培ってより良い学校生活を築く
  - さまざまな企画や発表を通じて、地域の方に本校の魅力を発信する
- テーマ　「カラフル　～ひとりひとりが彩る青花祭～ 」

②箇条書きのプレースホルダーを選択し，フォントサイズの拡大を３回押す。

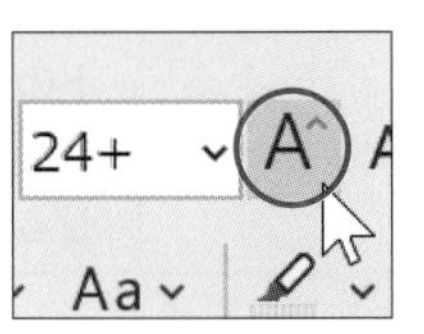

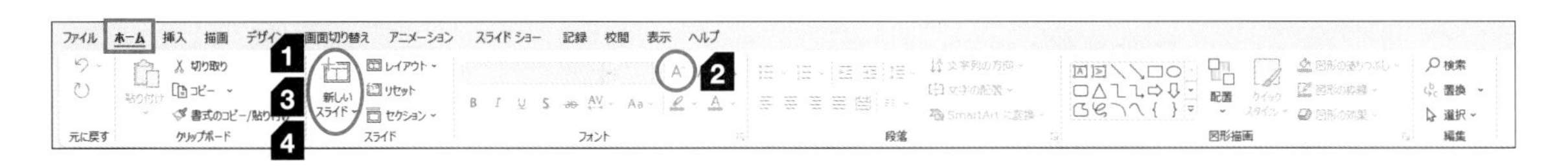


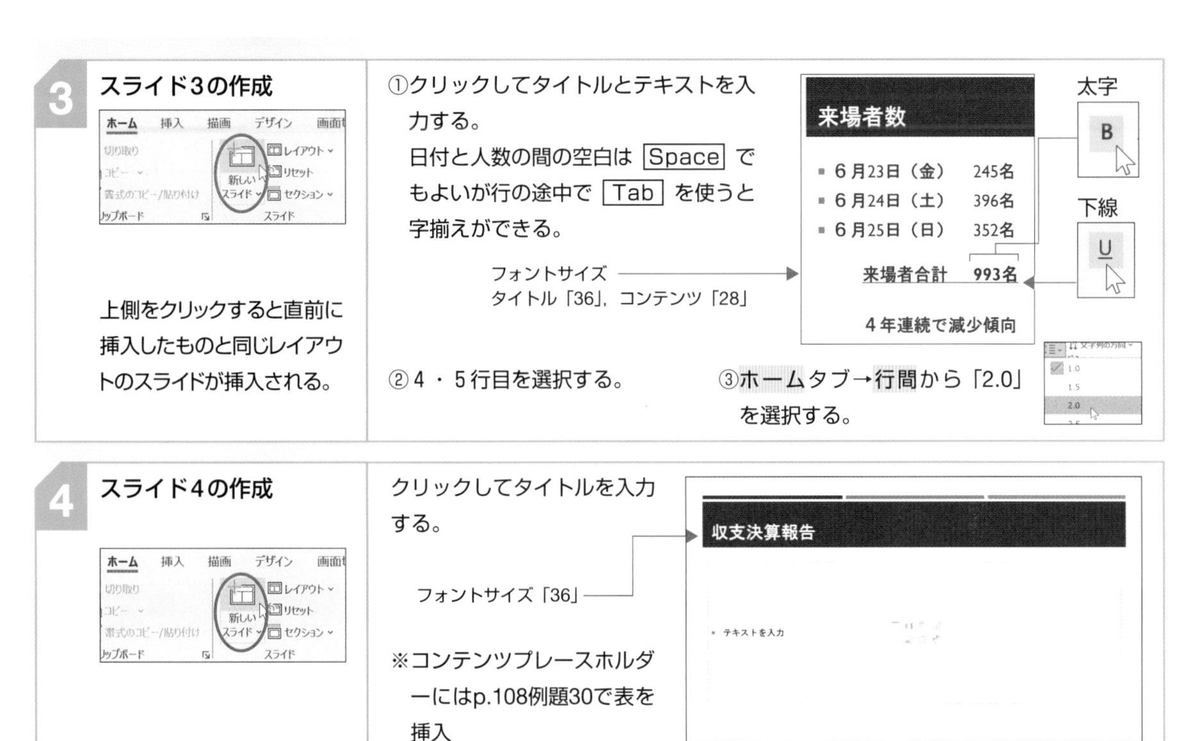

**3　スライド3の作成**

上側をクリックすると直前に挿入したものと同じレイアウトのスライドが挿入される。

①クリックしてタイトルとテキストを入力する。
日付と人数の間の空白は Space でもよいが行の途中で Tab を使うと字揃えができる。

フォントサイズ
タイトル「36」，コンテンツ「28」



②4・5行目を選択する。　③ホームタブ→行間から「2.0」を選択する。

**4　スライド4の作成**

クリックしてタイトルを入力する。

フォントサイズ「36」

※コンテンツプレースホルダーにはp.108例題30で表を挿入



## こんなときどうする!?

### ?! アウトラインって何?!

※表示タブ→アウトライン表示でスライドペインの左に表示される。

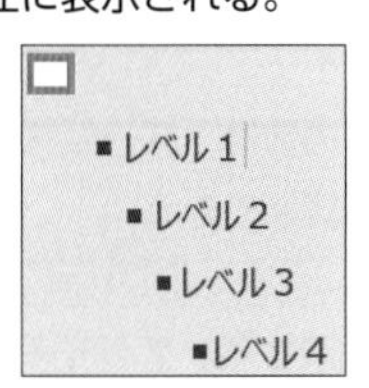


箇条書き文に，インデント（左余白）の異なる「レベル」を与え（ランク付け），全体の構成を整える機能。
スライドタイトルをレベル1とし，コンテンツの最初の箇条書き文をレベル2，Tab を押してインデントを下げてレベル3，さらに Tab でインデントを下げてレベル4…となる（最大で箇条書きの第9レベルまで）。
レベルを上げるときは Shift ＋ Tab を利用する。

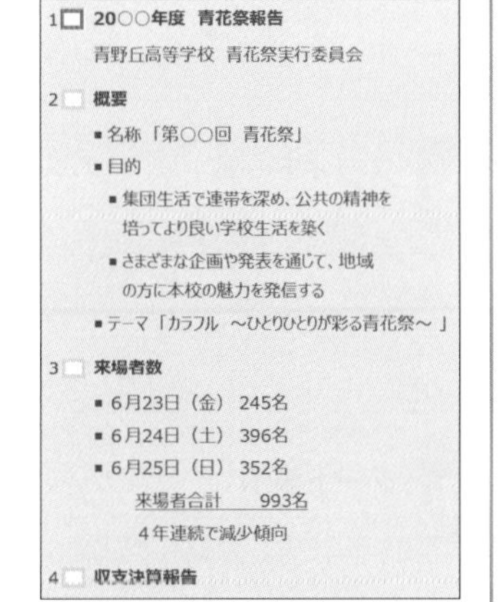


### ?! 行数が多くてテキストボックスからはみだしちゃう!?

（自動調整オプション）

箇条書きテキストを入力して行数が多くなると，既定ではフォントサイズが自動的に変更されて，箇条書きテキストがプレースホルダーに収まるように調整される。ただし小さいフォントサイズで文字量が多いスライドは見づらいので，箇条書きを短くまとめる工夫をするとよい。あるいは，自動調整オプションボタンが表示されるので，スライドを2分割するなど，処理をどうするか選ぶことができる。

## 例題29 いろいろな表示に切り替えてみよう （ファイル名：青花祭報告２）

1 標準表示
2 アウトライン表示
3 スライド一覧

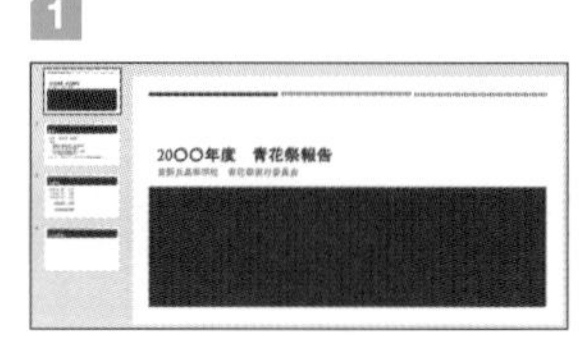

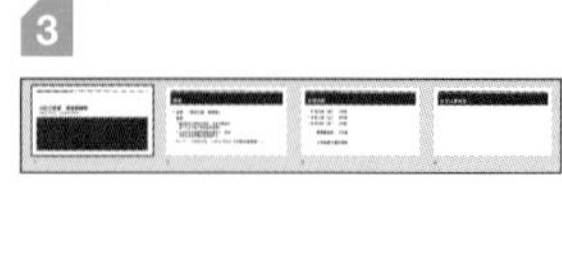

4 ノート表示
5 閲覧表示
6 スライドショー

## 操作のポイント

### 1 標準表示

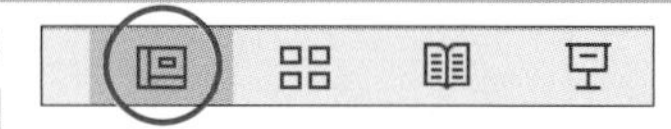

標準表示は，通常の編集作業を行うときの表示モードである。ステータスバー右側の表示モード切替ボタンの標準で切り替えることもできる。標準ではスライドペイン・スライドのサムネイル一覧が表示される。
またステータスバー上のノートをクリックすると，ノートペインの表示/非表示を切り替えられる。

### 2 アウトライン表示

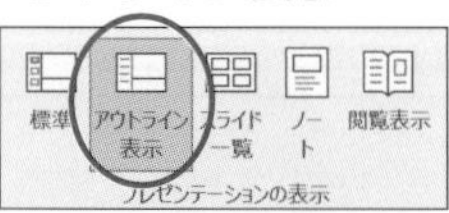

スライドペインの左側が，スライド上のテキストだけの表示に切り替わる。
全体の構成確認やスライドの並べ替え，あるいはテキスト入力に利用する。
標準表示中に表示モード切替ボタンの標準をクリックしてもよい。
（アウトライン表示と標準表示を切り替えられる）

### 3 スライド一覧

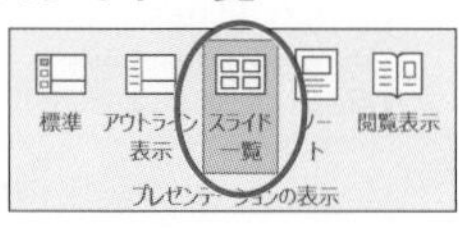

ウィンドウ内に全部のスライドを表示する。全体の構成や並べ替えなどに利用できる。
表示モード切替ボタンのスライド一覧で切り替えることもできる。また１行に配置するスライドの数は，ズームスライダーを左右にドラッグしたり，拡大(＋)・縮小(－)ボタンで調節できる。

### 4 ノート表示

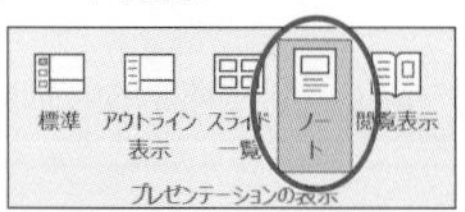

スライドとノートを印刷用紙にレイアウトした状態で表示する。スライドを確認しながらナレーション原稿を入力したり，スライドに関する覚え書きや，配布資料のコメント入力などに利用できる。

### 5 閲覧表示

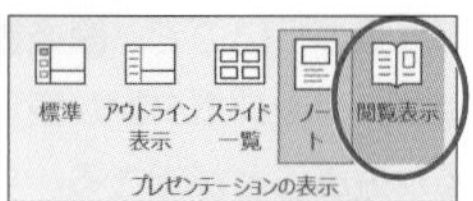

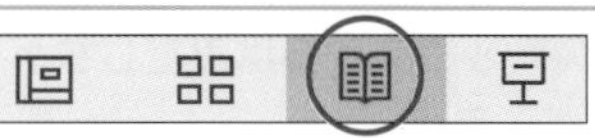

通常のスライドショーでは全画面表示になるが，閲覧表示ではステータスバー上に前へ・次へのボタンが表示され，ウィンドウ内でスライドショーが実行される。複数のウィンドウを開いて作業しているときなどに便利である。

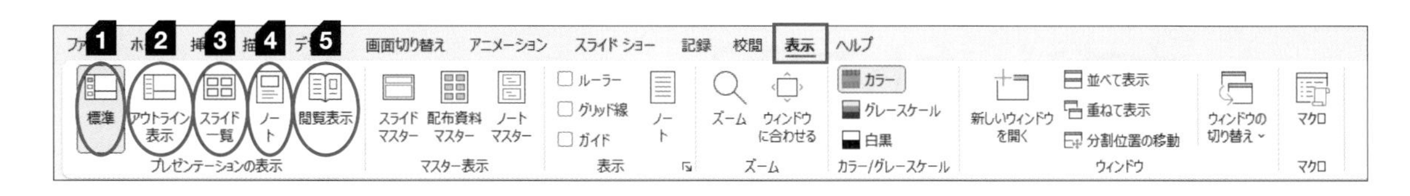


| | |
|---|---|
| **6 スライドショー** 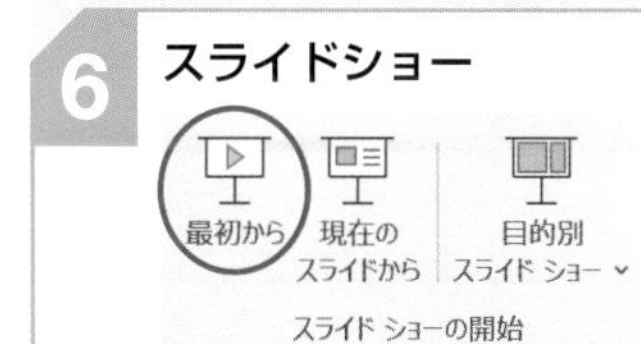 | スライドショータブに切り替え，スライドショーを実行できる。また，ステータスバー右側の表示モード切替ボタンのスライドショーをクリックすると，現在表示しているスライドからスライドショー表示となる。 スライドショーは発表時の表示モードで，全画面表示になる。クリックすると次のスライドを表示する。終了する場合は Esc を押す。 |



## こんなときどうする!?

**?! スライドの順番を変えたい！**

移動したいスライドのサムネイルを選択してドラッグし，直接順番を入れ替えることができる。

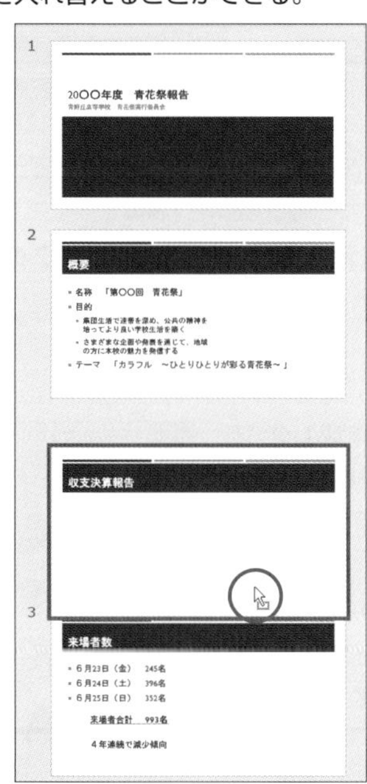

(図はスライド３を２番目に移動中)

アウトライン表示の場合は，タイトルの前のアイコンを選択してドラッグし，移動先に線が表示されたところでドロップする。

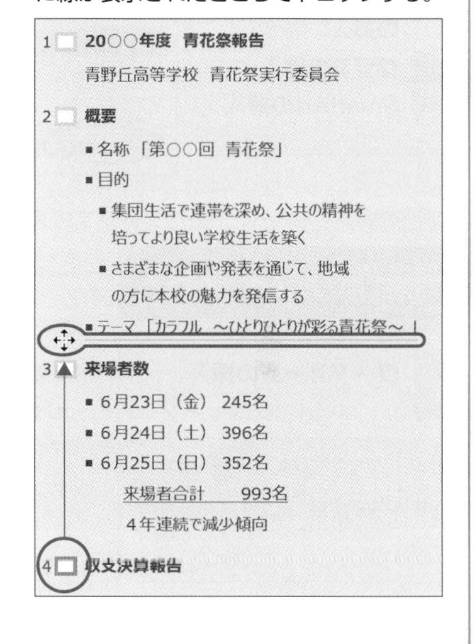


スライド一覧でも同様に，移動したいスライドをドラッグして順番を入れ替える。

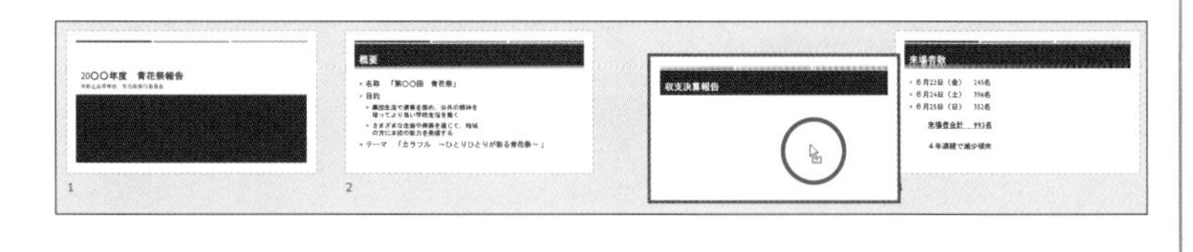

**?! スライドを削除したい！**

スライドのサムネイルやアウトライン表示の場合はタイトルの前のアイコンをクリックして選択し，Delete を押す。スライド一覧でも同様。

# 2 オブジェクトを挿入する

ワードアート ▶ 画像 ▶ 図形 ▶ 表 ▶ テキストボックス ▶ グラフ ▶ SmartArt

**SUBJECT**

スライドにオブジェクトを挿入する
●ワードアート ●画像 ●図形
●表 ●テキストボックス
●グラフ ●SmartArt

## 例題30 いろいろなオブジェクトを挿入してみよう （ファイル名：青花祭報告3）

1 ワードアートの挿入
2 画像の挿入
3 図形の挿入
4 表の挿入
5 テキストボックスの挿入
6 グラフの挿入
7 SmartArtの挿入

1

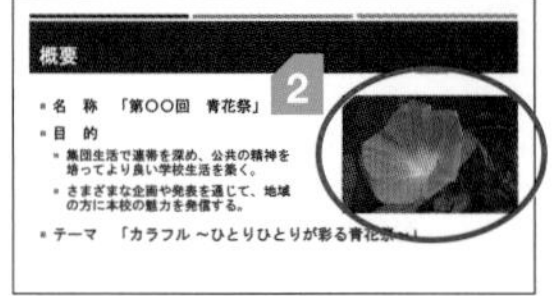


2

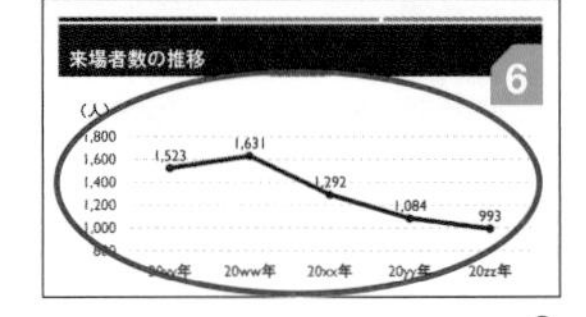


3

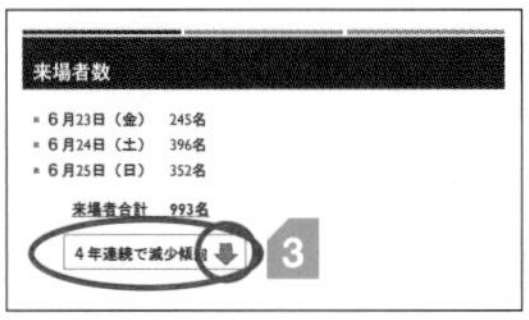

4

5

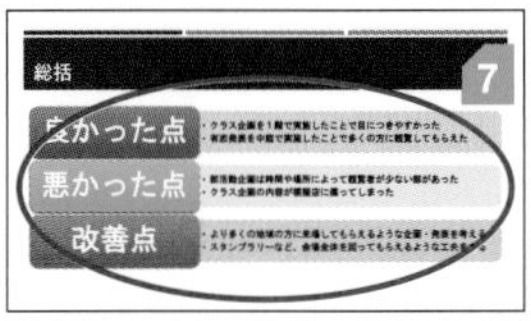

6

## 操作のポイント

### 1 ワードアートの挿入

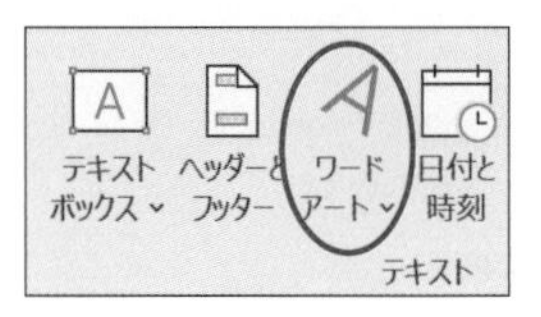


①例題28で作成したファイルを開き，スライド1を表示し，**挿入**タブ→**ワードアート**から「塗りつぶし：アクア、アクセント カラー2；輪郭：アクア、アクセント カラー2」を選択する。

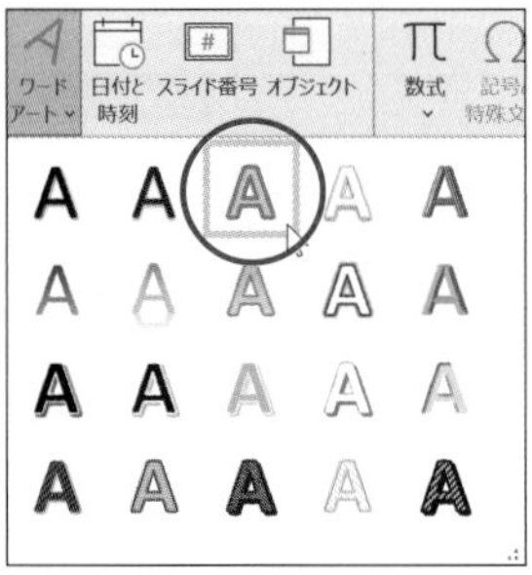

②「ここに文字を入力」を削除して次のように入力する。

ワードアートの文字列をクリックするとカーソルと枠線が表示される。枠線をクリックすると全体を選択できる。

※更新プログラムの適用状況により，ワードアートや文字の効果の名称が異なることがある。

③**図形の書式**タブ→**文字の効果**→**変形**から「ボタン」を選択する。

④**図形の書式**タブの**サイズ**で高さと幅を「3.5cm」に調整する。

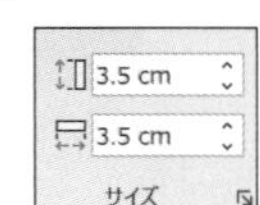


⑤完成例を参考に，スライド右上に適宜移動する。

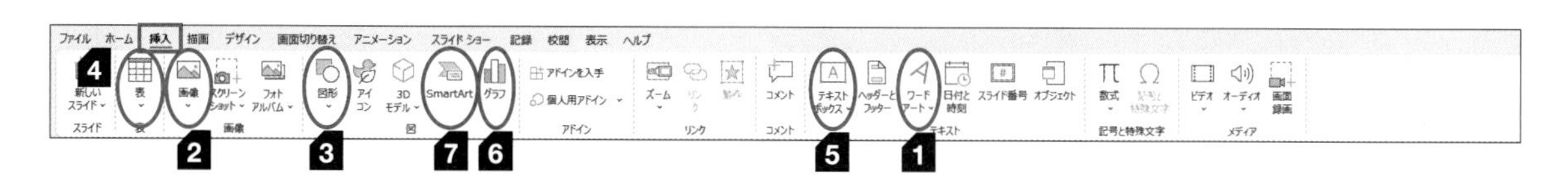

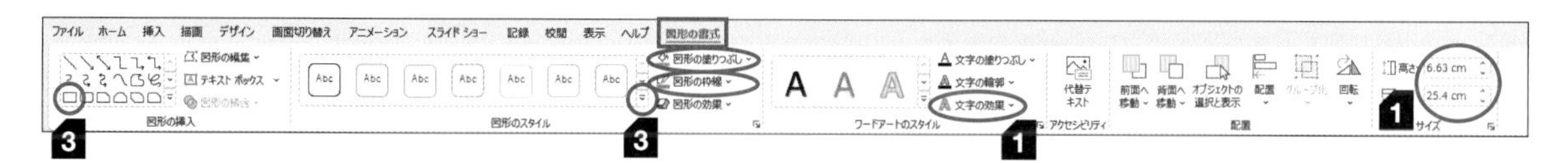

## 2 画像の挿入

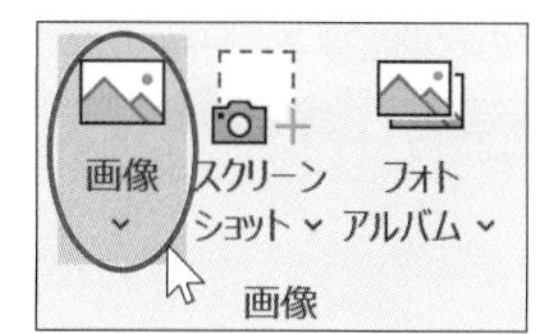


①スライド2を表示し，挿入タブ→画像をクリックし，図の挿入ダイアログボックスで場所を指定し「朝顔」を選択する。

②完成例を参考に，適宜サイズと位置を整える。

## 3 図形の挿入

**挿入タブ**

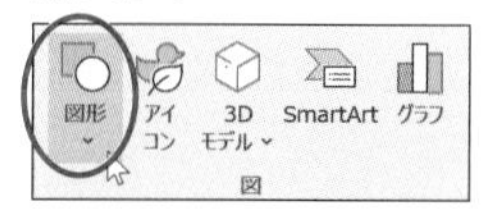


**描画ツールー書式タブ**

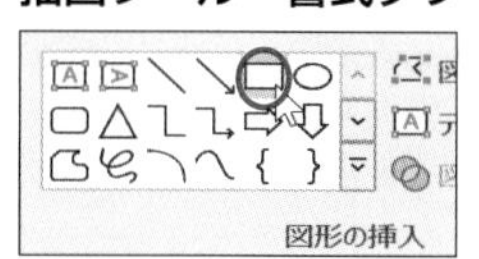


①スライド3を表示し，挿入タブ→図形から矢印：下を選択する。

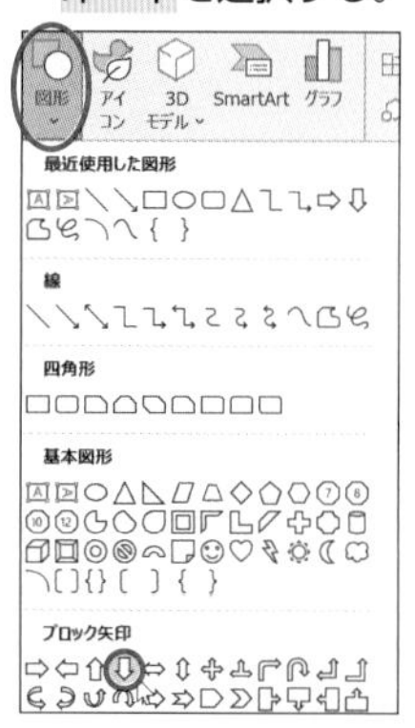


②ドラッグで描画し，完成例を参考に適宜サイズと位置を調整する。

③図形の書式タブ図形のスタイル(その他) をクリックし，「塗りつぶし-アクア、アクセント2」を選択する。

④図形の書式タブ→図形の挿入から正方形/長方形を選択する。

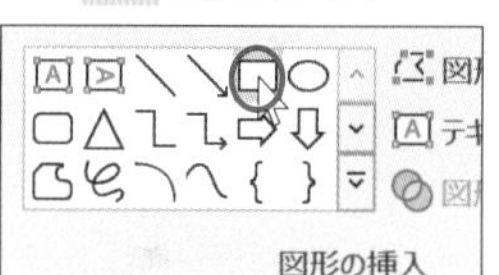


⑤5行目を囲むようにドラッグで描画する。

⑥図形の塗りつぶしから「塗りつぶしなし」を選択する。

⑦図形の枠線で「赤」を選択する。

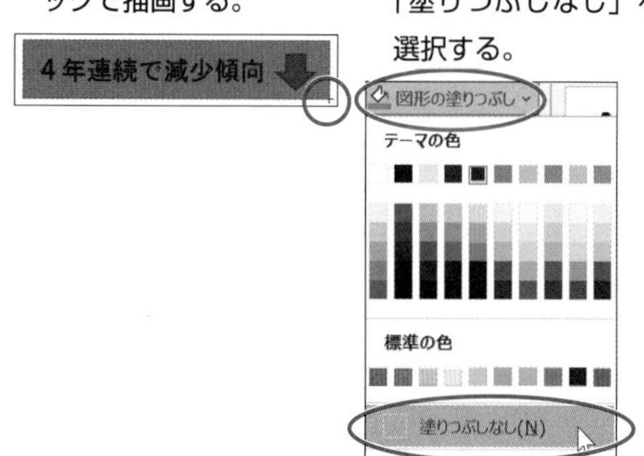


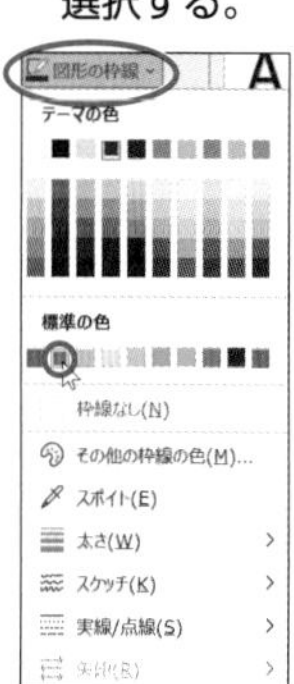


※更新プログラムの適用状況により，図形の名称が異なることがある。

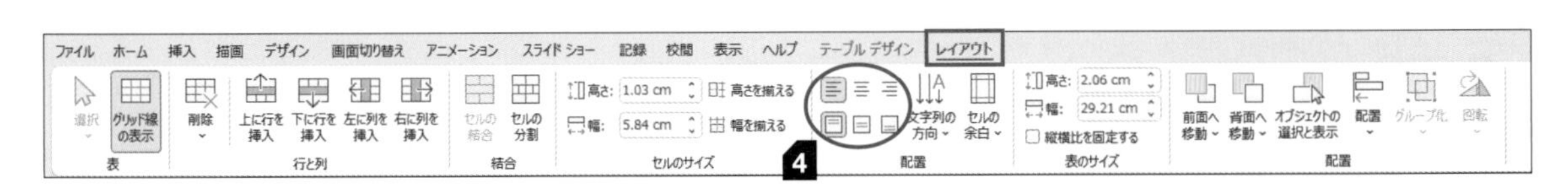


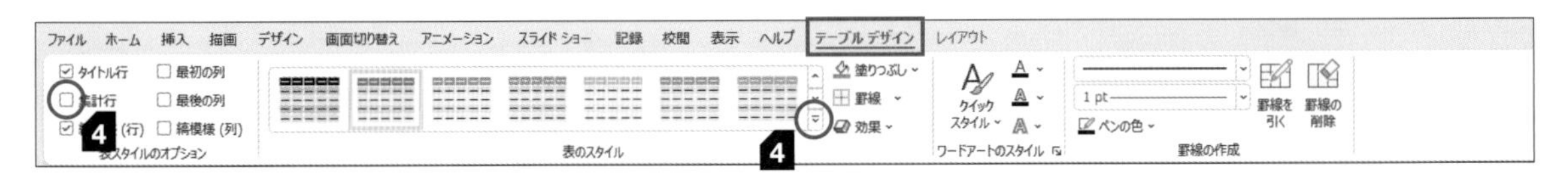


## 4 表の挿入

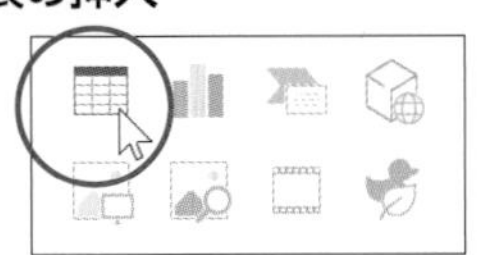

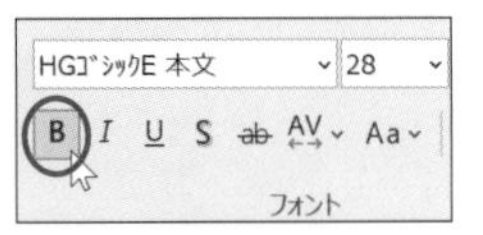


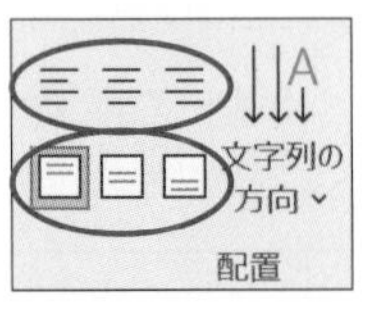


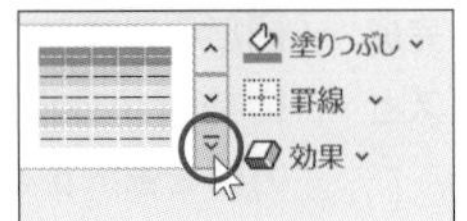


①スライド4を表示し，プレースホルダー内で表の挿入をクリックする。

②列数と行数を設定する。

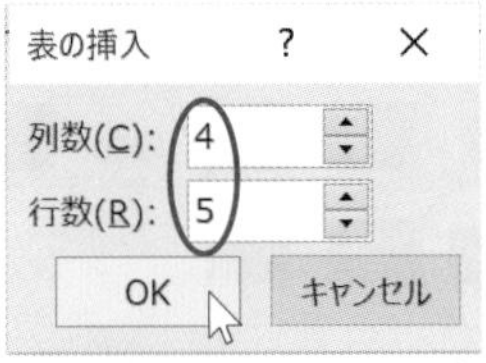

表の挿入 ? ×
列数(C): 4
行数(R): 5
OK キャンセル

③テキストを入力する。

④1行目を選択し，ホームタブに切り替えて「太字」をクリックし，オフの状態にする。

| 項目 | 予算額 | 決算額 | 比較増減額 |
| --- | --- | --- | --- |
| 部活動企画 | 360,000 | 384,235 | 5,765 |
| クラス企画 | 420,000 | 178,314 | 1,686 |
| 有志発表 | 200,000 | 303,318 | 7,682 |
| 合計 | 780,000 | 764,867 | 15,133 |

⑤テーブルデザインタブに切り替えて集計行に ☑ を付ける。

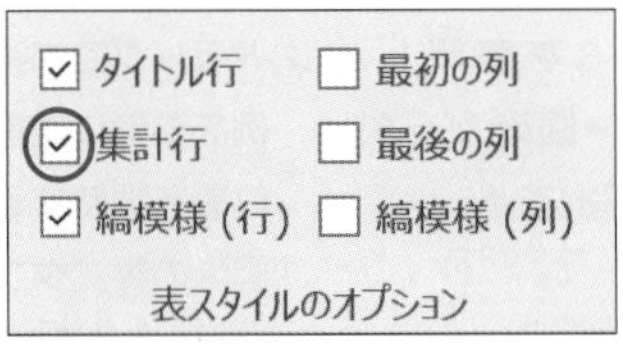

☑ タイトル行 ☐ 最初の列
☑ 集計行 ☐ 最後の列
☑ 縞模様 (行) ☐ 縞模様 (列)
表スタイルのオプション

⑥表全体を選択し，フォントサイズから「28」を選択する。

⑦レイアウトタブに切り替えて，完成例を参考にセル内の文字の配置を設定する(中央揃え／右揃え)。

⑧テーブルデザインタブに切り替えて表のスタイルから「中間スタイル1-アクセント2」を選択する。

## 5 テキストボックスの挿入

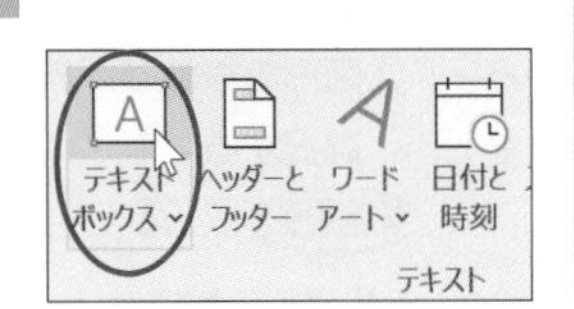


表が選択状態になっていると，テキストボックスが挿入できないので，注意する。

①スライド4で，挿入タブ→テキストボックス→横書きテキスト ボックスの描画を選択し，表の下でクリックする。

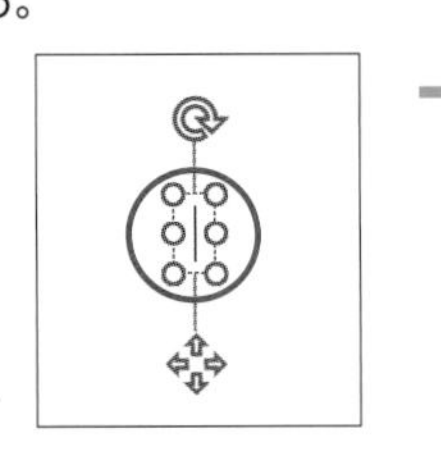

②テキストを入力する。

③完成例を参考に，テキストボックスを適宜移動する。

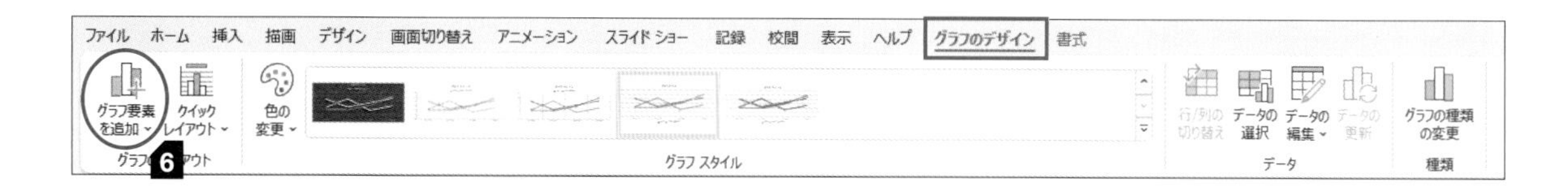

## 6 グラフの挿入

新しいスライドは表示しているスライドの後ろに挿入される。

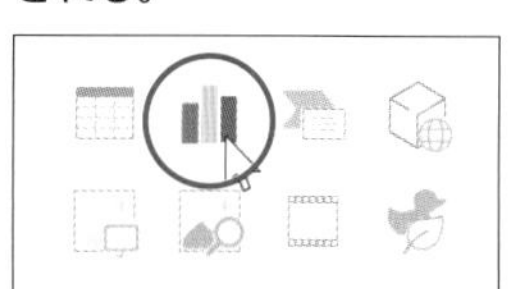

※各グラフ要素の表示/非表示はグラフ要素( ＋ )の代わりにグラフのデザインタブ→グラフ要素の追加を利用することもできる。

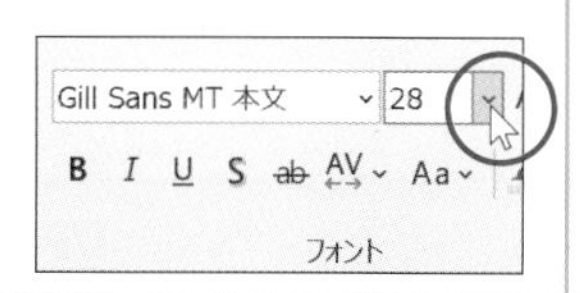

①スライド2で新しいスライドを挿入し，タイトルに「来場者数の推移」と入力する。プレースホルダー内のグラフの挿入をクリックする。

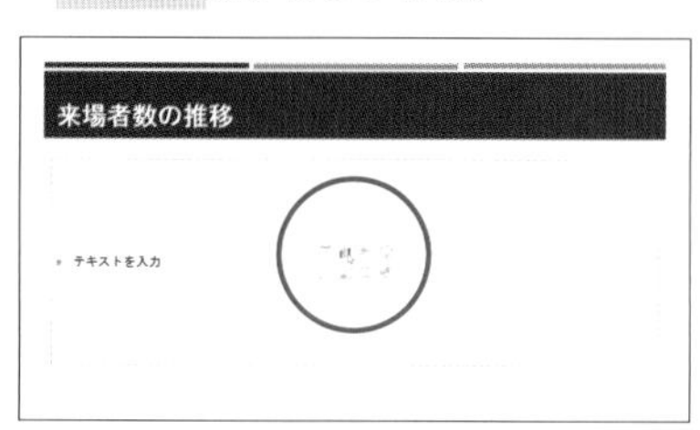


②グラフの挿入ダイアログボックスで，「折れ線」から「マーカー付き折れ線」を選び，OKをクリックする。

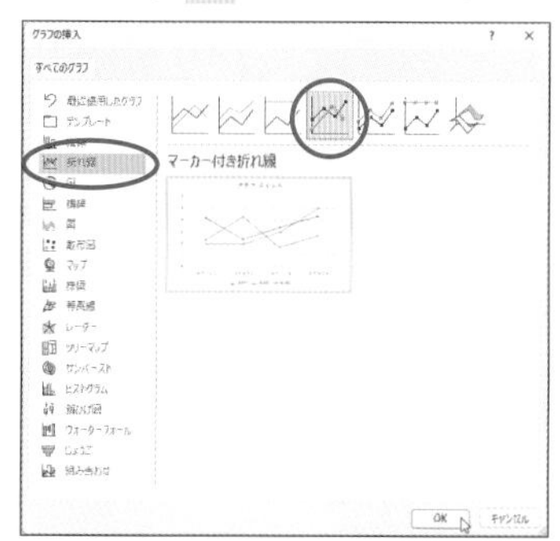

③ポップアップウィンドウで表示されたシートのサンプルデータを，次のように修正して，青い枠線のハンドルをドラッグしてデータ範囲をあわせる。

| | A | B |
|---|---|---|
| 1 | | 来場者数 |
| 2 | 20vv年 | 1,523 |
| 3 | 20ww年 | 1,631 |
| 4 | 20xx年 | 1,292 |
| 5 | 20yy年 | 1,084 |
| 6 | 20zz年 | 993 |

④グラフのタイトルや凡例を選択して Delete で削除する。

⑤グラフの右のグラフ要素( ＋ )をクリックし，表示されるグラフ要素の中からデータラベルに☑を付ける。

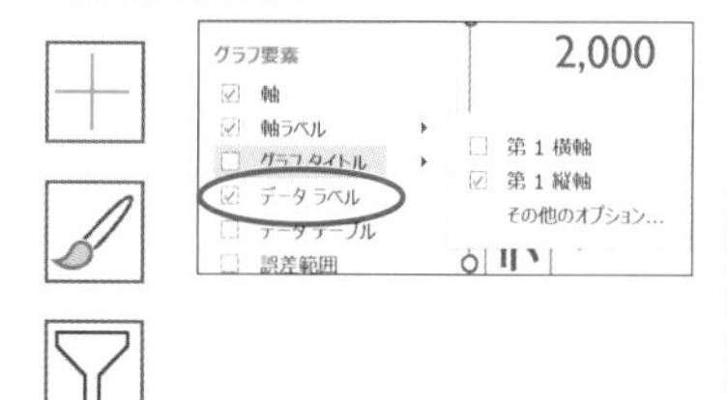


⑥同様にグラフ要素から軸ラベル→第1縦軸に☑を付けて表示し，「(人)」と入力する。

⑦縦軸ラベルの枠線をクリックして選択し，ホームタブ→文字列の方向をクリックし，横書きを選ぶ。

⑧縦(値)軸を右クリックして軸の書式設定を表示し，「軸のオプション」で次のように設定する。

軸の書式設定
軸のオプション　文字のオプション
軸のオプション
境界値
最小値(N) 800.0 リセット
最大値(X) 1800.0 自動
単位
主(J) 200.0 自動
補助(I) 40.0 自動

⑨グラフエリアを選択し，ホームタブに切り替え，フォントサイズから「28」を選択する。

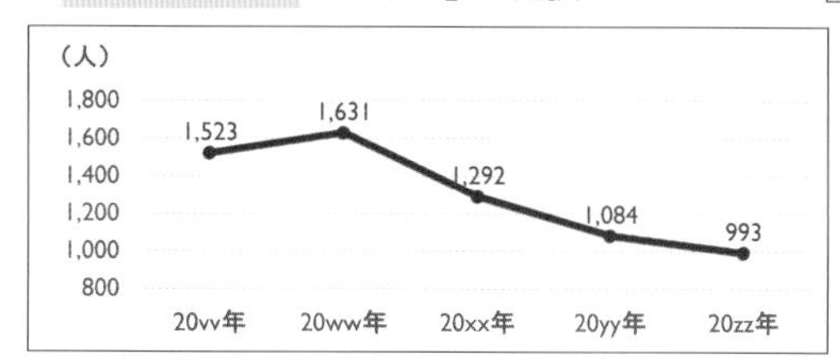


⑩完成例を参考に縦軸ラベルを適宜移動し，データ系列の線，マーカーの枠線の幅の値を大きくする。

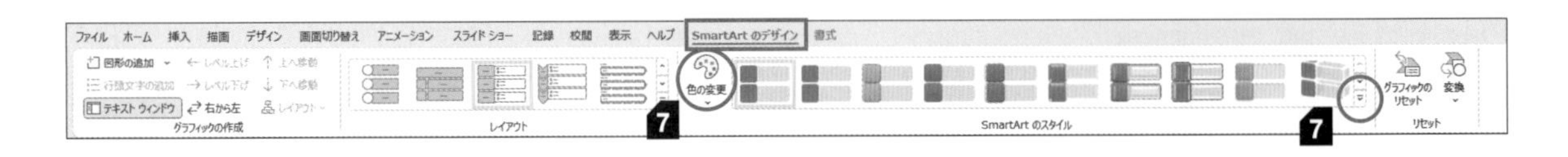

## 7 SmartArtの挿入

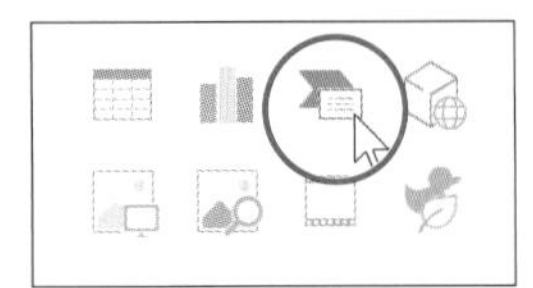

①スライド5で新しいスライドを挿入し，タイトルに「総括」と入力し，フォントサイズから「36」を選択する。

②プレースホルダー内のSmartArtグラフィックの挿入をクリックする。

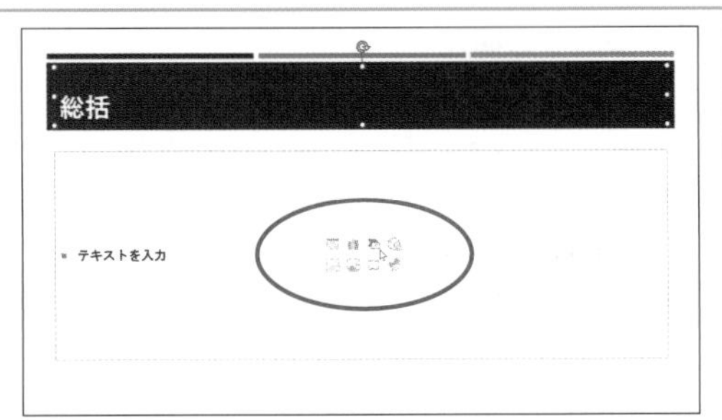


③SmartArtグラフィックの選択ダイアログボックスで，リストから「縦方向ボックス リスト」を選び，OKをクリックする。

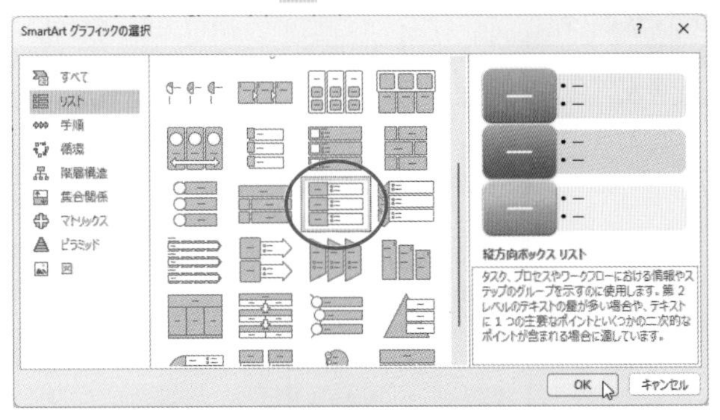

SmartArtグラフィック内の一部の図形を削除すると，残りの部分は枠内で自動的に拡大する。
テキストの入力には，SmartArt挿入時に表示されるテキストウィンドウを利用してもよい(p.113参照)。

④ボックス内をクリックして次のようにテキストを入力する。

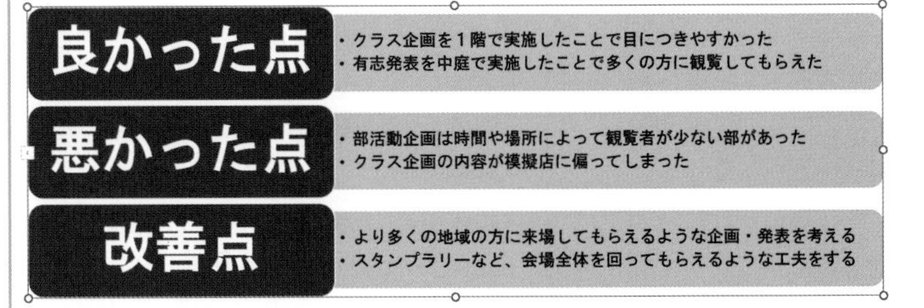


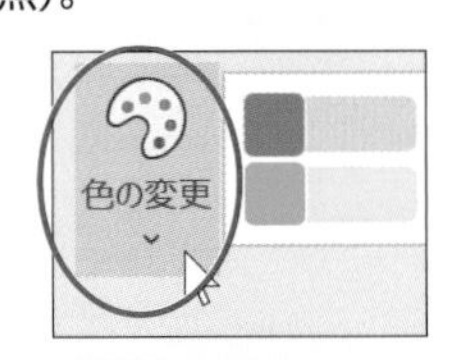


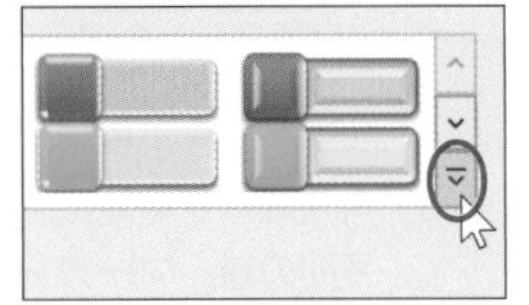

⑤SmartArtの枠線をクリックして全体を選択し，SmartArtのデザインタブ→色の変更から「カラフル-全アクセント」を選択する。

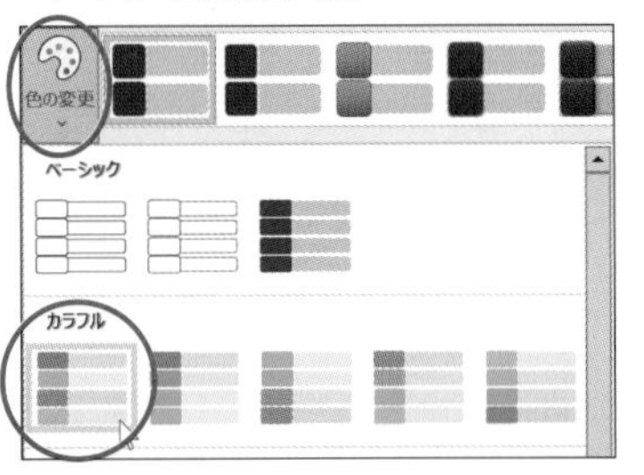


⑥SmartArtのスタイル(その他)から「グラデーション」を選択する。

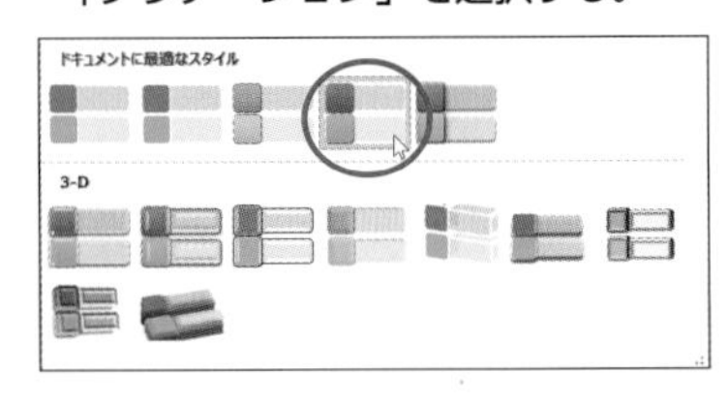

## こんなときどうする!?

| | |
|---|---|
| **?! 描画した図形を選択できないのだけど!?** | 図形やプレースホルダーなどスライド上のオブジェクトには,重なりの順序がある。大きいオブジェクトの背面に小さなオブジェクトがあるような場合,背面にあるオブジェクトは選択しづらい。このような場合は,[選択]ウィンドウを表示すると選択しやすくなる。<br>[選択]ウィンドウを表示するには,<br>・図形の書式タブ<br>・ホームタブの配置<br>・ホームタブの選択<br>のいずれかで,オブジェクトの選択と表示をクリックする。 |
| **?! SmartArtを一番最初の状態に戻すには!?** | SmartArtの枠線をクリックして全体を選択し,SmartArtのデザインタブ→グラフィックのリセットで,最初の状態に戻すことができる。 |
| **?! 箇条書きで作成してしまったのだけど,SmartArtに変換できるってほんと!?** | 箇条書きしたプレースホルダーの枠線をクリックして全体を選択し,ホームタブ→SmartArtに変換をクリックしてレイアウトを選択する。 |
| **?! SmartArtの中の文字をもっと効率よく入力したいのだけど!?**<br><br>再表示するにはSmartArtの左の枠線中央の ‹ をクリックしてもよい。 | SmartArtを挿入したときに図表とともに表示されるテキストウィンドウを利用するとよい。テキストウィンドウ内の行とそのレベルは,SmartArtグラフィックの図と対応しており,入力した文字列はそのまま図形内に反映される。図形を追加するときなどは改行してレベルを合わせればよいので大変効率がよい。<br>SmartArtのデザインタブ→テキストウィンドウで表示/非表示の切り替えができる。<br>テキストのレベルを下げるには Tab ,レベルを上げるには Shift + Tab を使う。 |

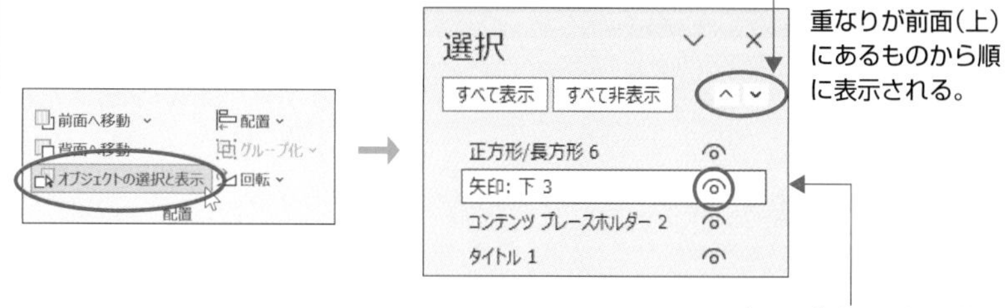


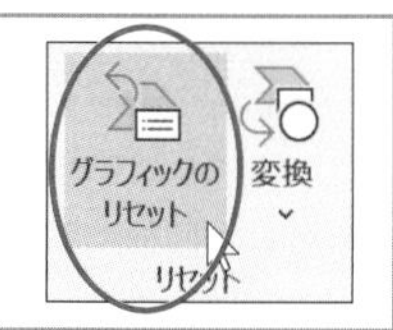


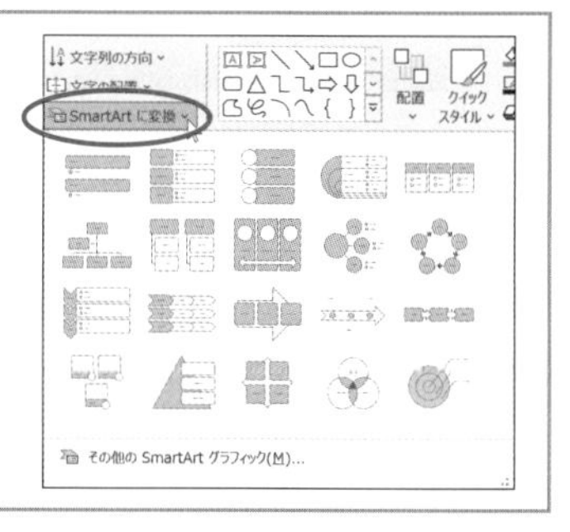


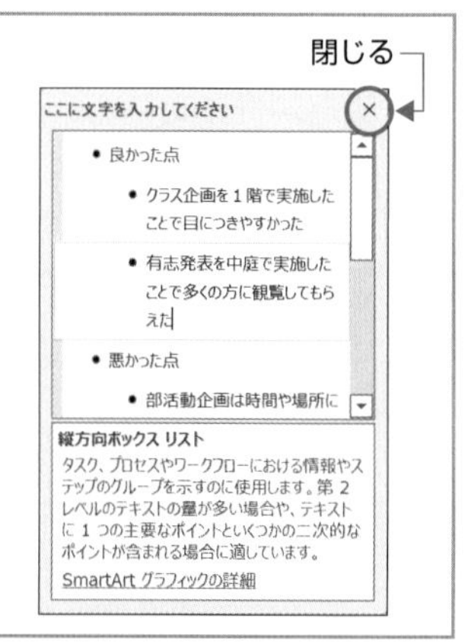

## やってみよう

### Let's Try 次のようなスライドを作成してみよう。 （ファイル名：修学旅行行き先希望調査報告）

〈スライド1〉

20○○年度
修学旅行行き先希望調査報告
青野丘高等学校 修学旅行検討委員会

・テーマ：「レトロスペクト」
・バリエーション：上から2番目左から1番目

〈スライド2〉

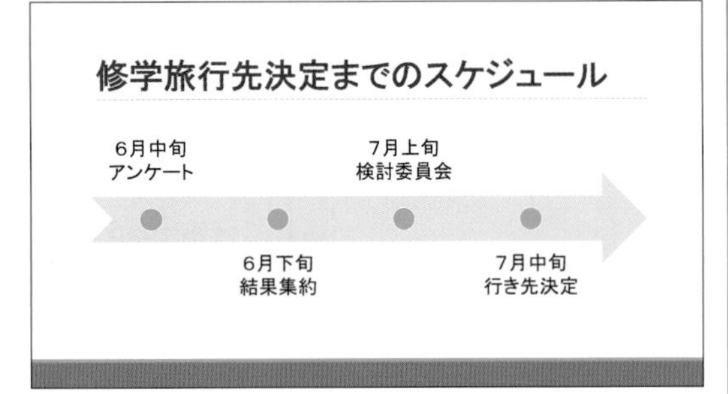


・SmartArt：「手順」から「タイムライン」
・SmartArtのフォントサイズ：28pt

〈スライド3〉

修学旅行先候補地
【今年度】
長崎・福岡
【次年度候補地】
① 北海道
② 大阪・兵庫
③ 兵庫・広島
④ 長崎・福岡
⑤ 沖縄

・スライドのレイアウト：2つのコンテンツ

〈スライド4〉

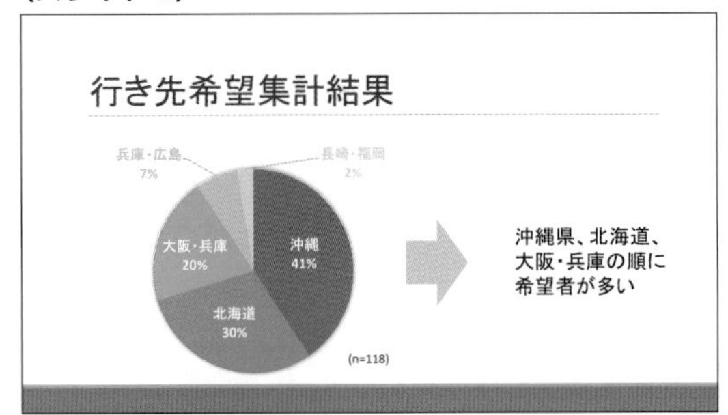


・グラフスタイル：スタイル9
色の変更：モノクロ パレット1
・データラベル
フォントサイズ：20pt、フォントの色：白、背景1
・テキストボックス
フォントの色：黒、テキスト1
フォントサイズ：28pt
・図形のスタイル（右矢印）：半透明-水色、アクセント1、アウトラインなし

〈グラフ用データ〉

| | A | B |
|---|---|---|
| 1 | 旅行先 | 希望者数 |
| 2 | 沖縄 | 48 |
| 3 | 北海道 | 35 |
| 4 | 大阪・兵庫 | 24 |
| 5 | 兵庫・広島 | 8 |
| 6 | 長崎・福岡 | 3 |

※各スライドのフォントサイズ，プレースホルダーやオブジェクトの位置・サイズは適宜調整する。

## Let's Try　次のようなスライドを作成してみよう。　（ファイル名：メニュー開発）

〈スライド1〉

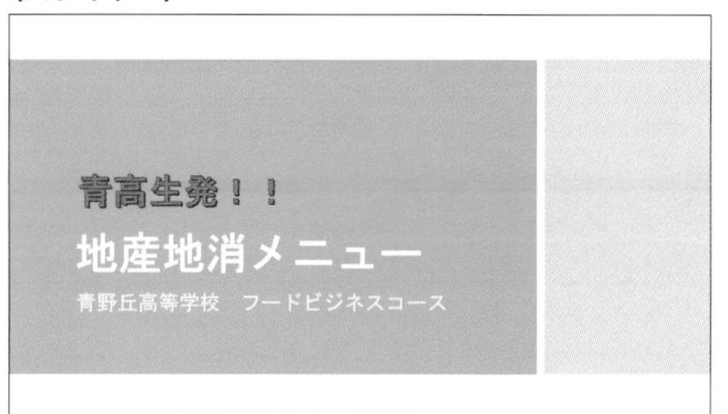


・テーマ：フレーム
・ワードアート：塗りつぶし（パターン）：濃い灰色、右上がり対角ストライプ（反転）；影（ぼかしなし）
・ワードアートのフォント：MSゴシック，48pt
・タイトルのフォントサイズ：60pt
・サブタイトルのフォントサイズ：28pt

〈スライド2〉

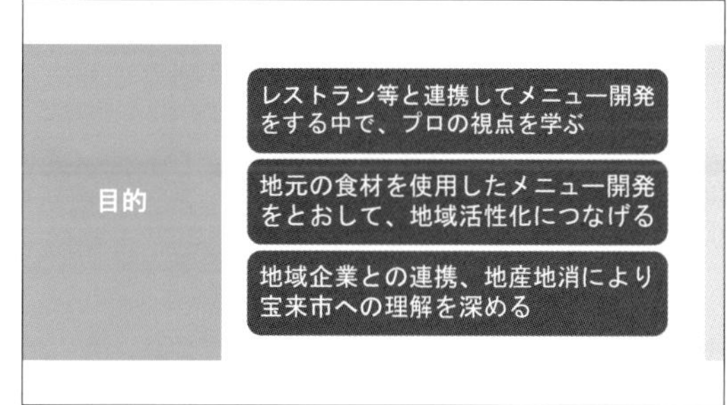


・SmartArt：「リスト」から「縦方向箇条書きリスト」
・色の変更：ベーシック-塗りつぶし-濃色2
・SnartArtのフォントサイズ：32pt

〈スライド3〉

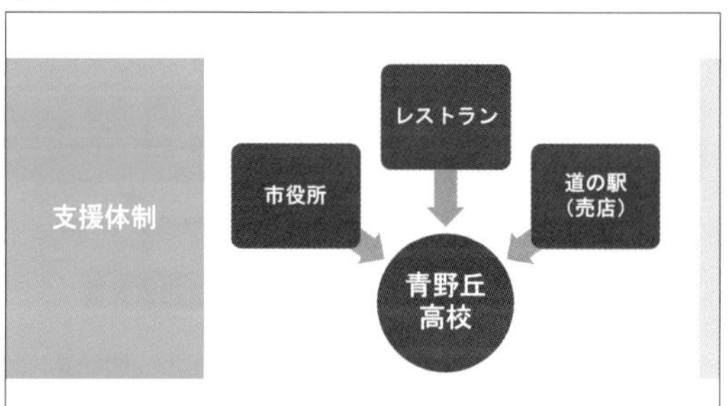


・SmartArt：「集合関係」から「集中」
・色の変更：ベーシック-塗りつぶし-濃色2
・SmartArtのフォントサイズ：28pt／36pt

〈スライド4〉

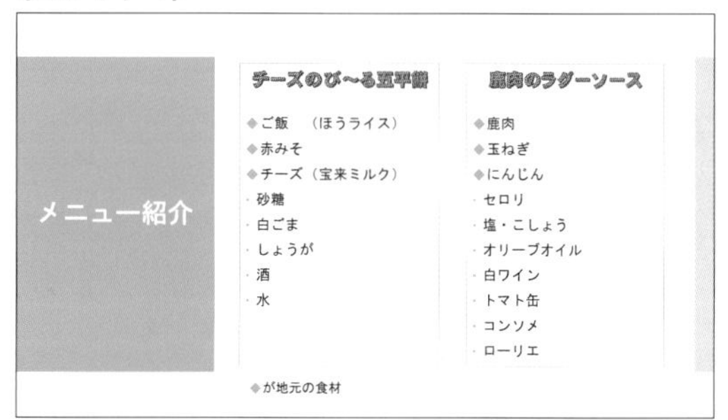


・スライドのレイアウト：比較
・図形のスタイル：枠線のみ-水色、アクセント1

〈スライド5〉

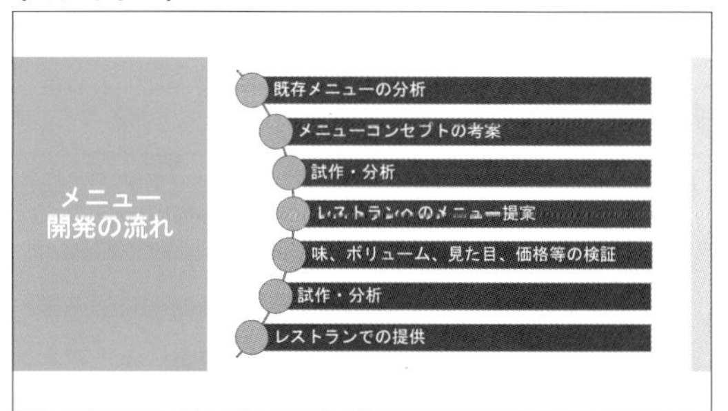


・SmartArt：「リスト」から「縦方向カーブリスト」
・色の変更：ベーシック-塗りつぶし-濃色2
・SmartArtのフォントサイズ：24pt

※各スライドのフォントサイズ，プレースホルダーやオブジェクトの位置・サイズは適宜調整する。

# 3 Excelの利用

**SUBJECT**

Excelで作成したグラフをスライドに取り込む
●Excelで表とグラフを作成
●Excelのグラフを取り込む

Excelで表作成 ▶ グラフ作成 ▶ グラフの取り込み

## 例題 31 Excelのグラフを挿入しよう （ファイル名：青花祭報告 4）

1 Excelで表作成
2 Excelでグラフ作成

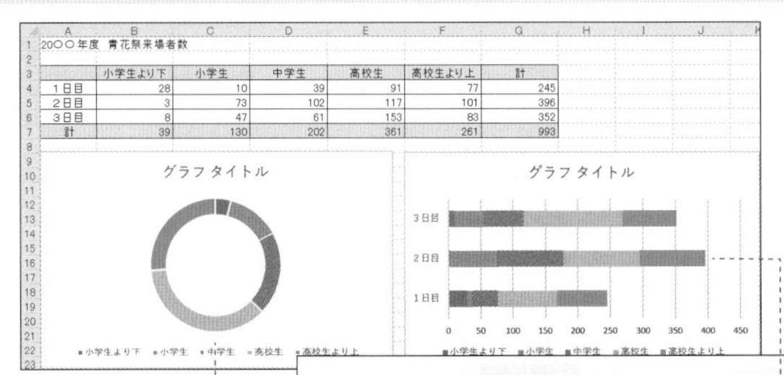

| | 小学生より下 | 小学生 | 中学生 | 高校生 | 高校生より上 | 計 |
|---|---|---|---|---|---|---|
| 1日目 | 28 | 10 | 39 | 91 | 77 | 245 |
| 2日目 | 3 | 73 | 102 | 117 | 101 | 396 |
| 3日目 | 8 | 47 | 61 | 153 | 83 | 352 |
| 計 | 39 | 130 | 202 | 361 | 261 | 993 |



3 グラフのスライドへの取り込み
4 グラフの編集

## 操作のポイント

### 1 Excelで表作成

Excelで次のような表を作成する。 （ファイル名：緑実祭入場者内訳）

| | A | B | C | D | E | F | G |
|---|---|---|---|---|---|---|---|
| 1 | 20○○年度 青花祭来場者数 | | | | | | |
| 2 | | | | | | | |
| 3 | | 小学生より下 | 小学生 | 中学生 | 高校生 | 高校生より上 | 計 |
| 4 | 1日目 | 28 | 10 | 39 | 91 | 77 | 245 |
| 5 | 2日目 | 3 | 73 | 102 | 117 | 101 | 396 |
| 6 | 3日目 | 8 | 47 | 61 | 153 | 83 | 352 |
| 7 | 計 | 39 | 130 | 202 | 361 | 261 | 993 |

### 2 Excelでグラフ作成

円グラフの元となるデータは，項目と数値が連続していないので，Ctrl を押しながら選択する。

※Excelブックは開いたまま閉じないでおく。

Excelで次のようなグラフを作成する。

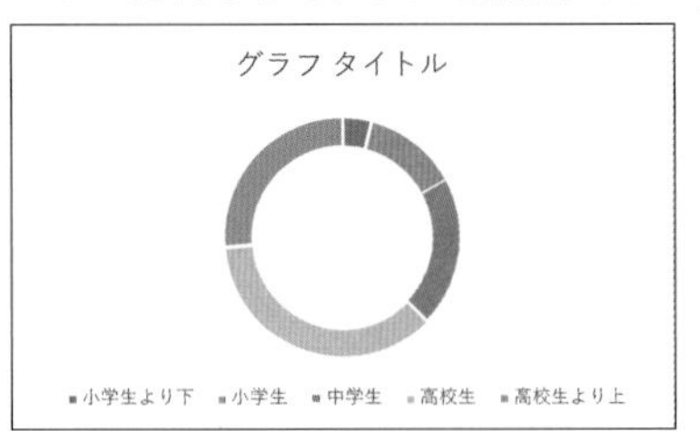



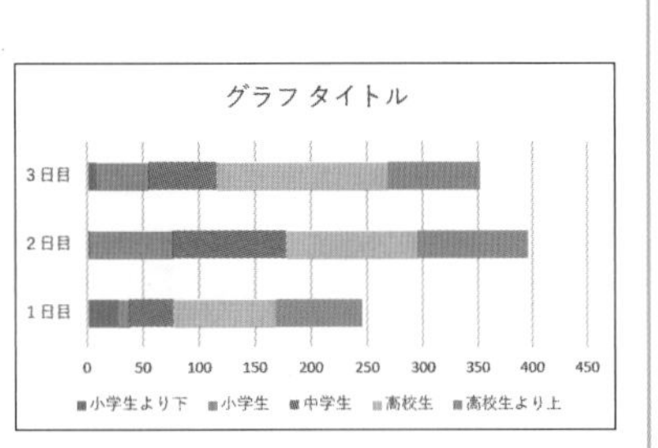

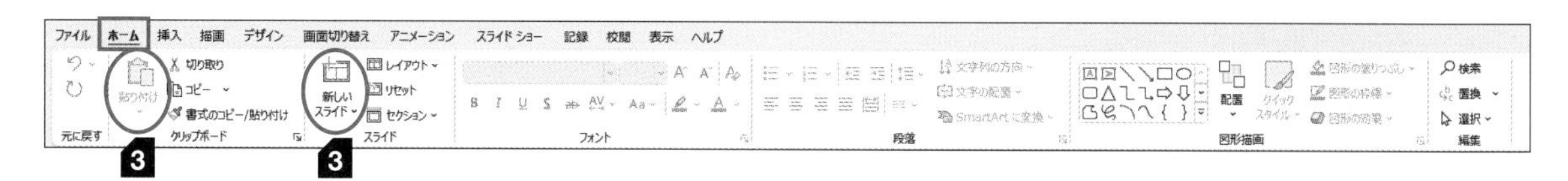


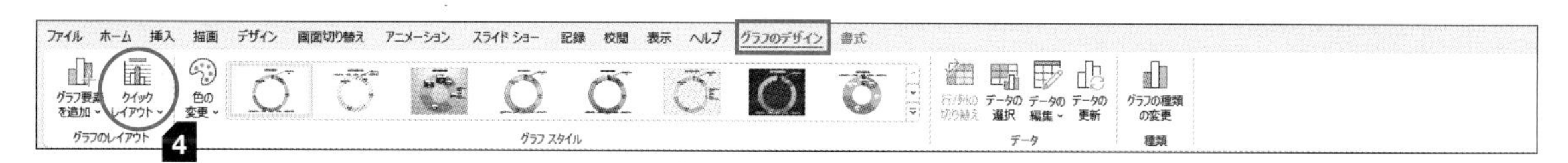


## 3 グラフのスライドへの取り込み

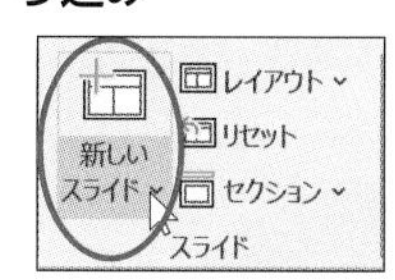


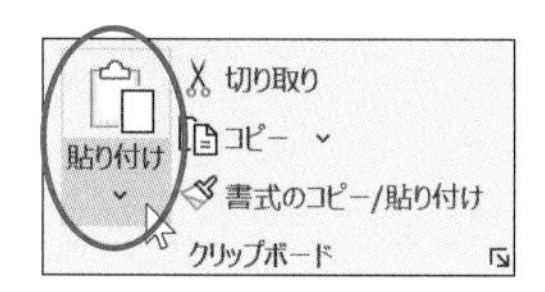


①p.108例題30で作成したスライド3の後ろに新しいスライド(2つのコンテンツ)を追加し，タイトルに「来場者の内訳」を入力する。

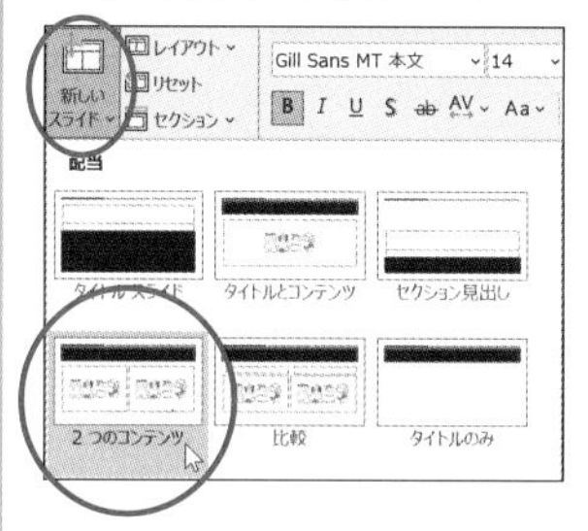


②Excelに切り替え，割合の円グラフを選択し，ホームタブ→コピーをクリックする。

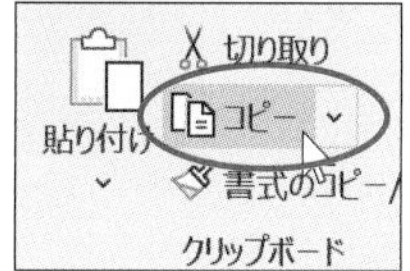


③PowerPointに切り替え，左側のコンテンツプレースホルダーを選択し，ホームタブ→貼り付けのオプション→貼り付け先のテーマを使用しブックを埋め込むを選択する。

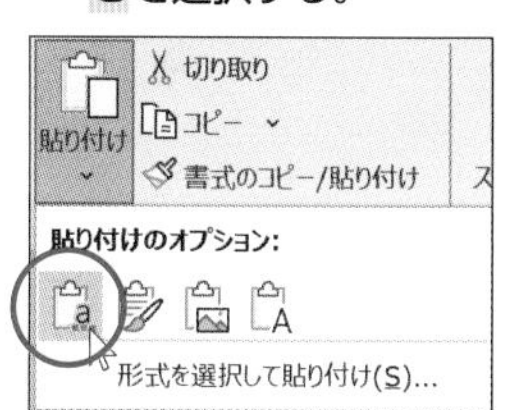


④同様にExcelで人数の横棒グラフをコピーし，右側のプレースホルダーに貼り付けのオプション→貼り付け先のテーマを使用しブックを埋め込むをクリックして貼り付ける。

⑤縦(値)軸をポイントして右クリック→軸の書式設定を選択し，軸の書式設定の軸のオプションで「軸を反転する」にチェックを入れる。

※貼り付け後は，Excelブックを閉じてかまわない。

## 4 グラフの編集

①1つ目のグラフは，グラフのデザインタブ→クイックレイアウトから「レイアウト1」，2つ目のグラフは「レイアウト2」を選択し，グラフタイトルを入力する。

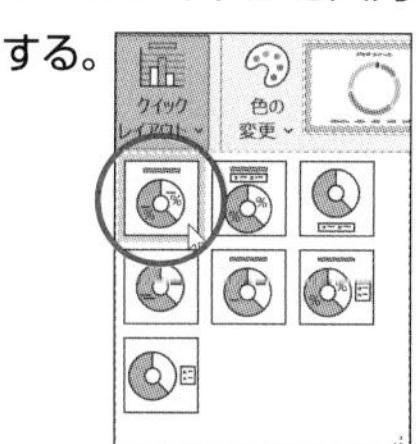


②グラフエリアを選択し，ホームタブに切り替え，フォントサイズから「14」を選択する。

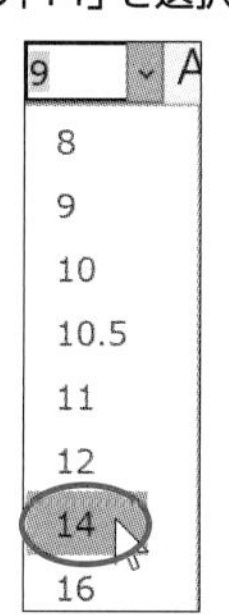


③2つ目のグラフを選択してグラフ要素( ＋ )をクリックし，凡例を「下」に変更する。

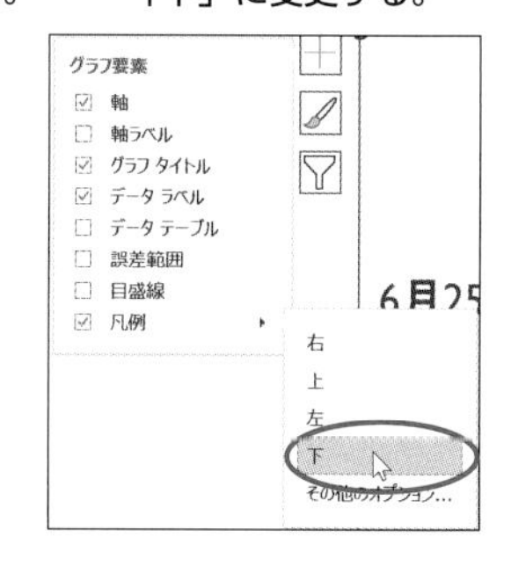


※グラフタイトルは「年代別割合」「年代別人数(日別)」

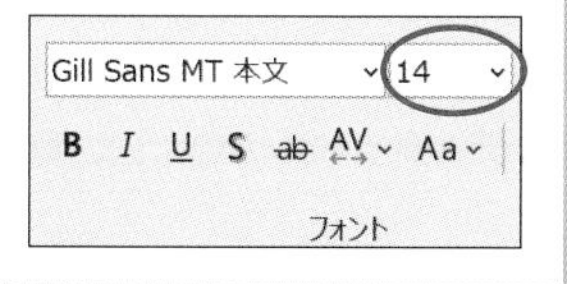


④完成例を参考に，データラベルのサイズ，位置を調整し，グラフスタイル，フォントカラー，塗りつぶしなどを適宜設定する。

## こんなときどうする!?

### ?! グラフのデータを修正したいのだけど？

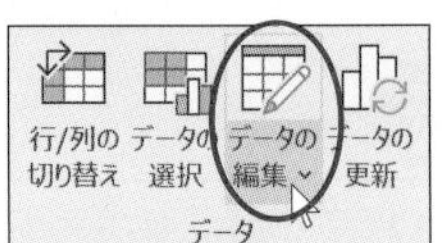


①データを修正したいグラフを選び，グラフのデザインタブ→データの編集をクリックする。

②グラフの元であるシートが別ウィンドウで表示され，リンクされているデータを修正できる。

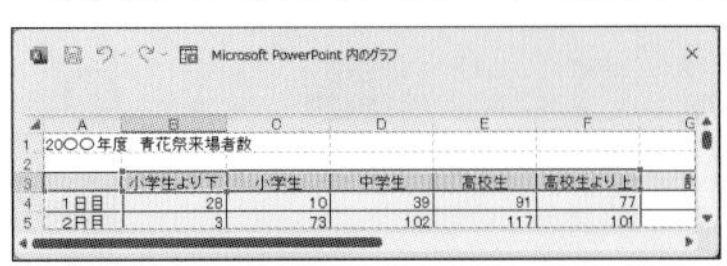

### ?! データラベルの位置って移動できるの？

①移動したいデータラベルを２回クリックする（そのラベルだけが単独で選択される）。

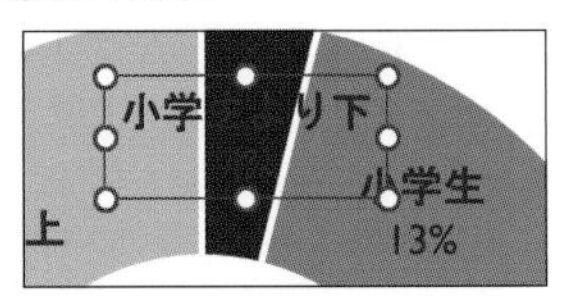


②枠線をポイントしてドラッグすることで移動できる。また，ハンドルをポイントしてサイズ変更ができる。

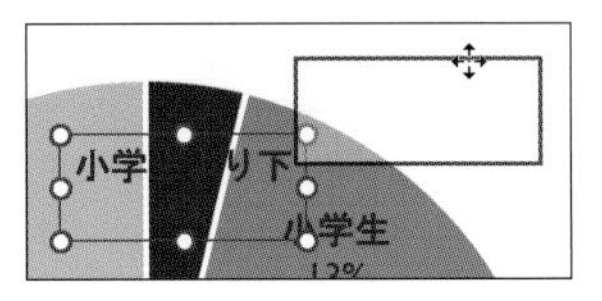


## やってみよう

### Let's Try

Excelで次のような表を作成後グラフを作成し，p.114のLet's Tryで作成した「修学旅行行き先希望調査報告」にこれを取り込んだスライド５を追加してみよう。

（ファイル名：修学旅行行き先希望調査報告２）

| | A | B | C | D | E |
|---|---|---|---|---|---|
| 1 | 20○○年度　修学旅行希望テーマ | | | | |
| 2 | | | | | |
| 3 | | ２年１組 (n=80) | ２年２組 (n=78) | ２年３組 (n=78) | 合計 |
| 4 | 歴史・文化 | 18 | 20 | 24 | 62 |
| 5 | 自然・環境 | 22 | 25 | 23 | 70 |
| 6 | 産業・キャリア | 11 | 7 | 6 | 24 |
| 7 | 平和 | 9 | 12 | 10 | 31 |
| 8 | SDG s | 12 | 5 | 8 | 25 |
| 9 | その他 | 8 | 9 | 7 | 24 |
| 10 | 合計 | 80 | 78 | 78 | 236 |

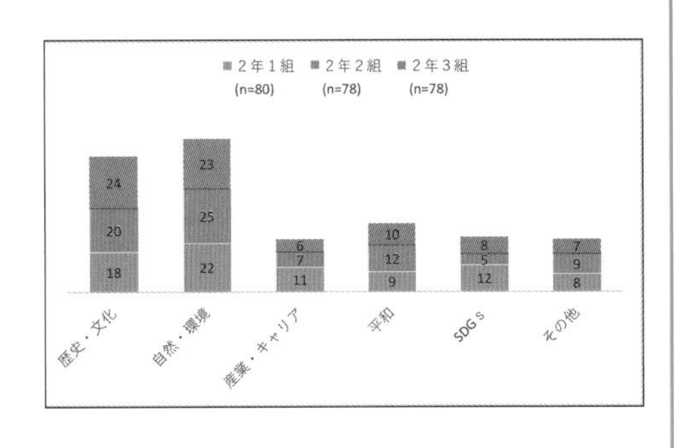


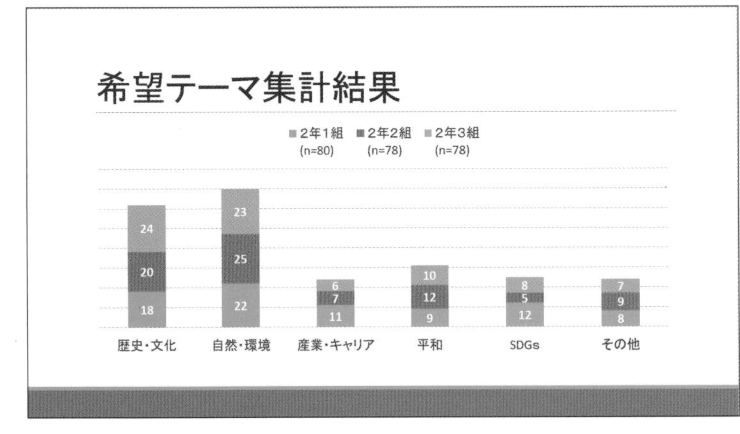


- クイックレイアウト：レイアウト２
- タイトルを削除する。
- Excel上でグラフをコピーし，PowerPointのスライド５に貼りつける。
  貼り付けのオプション→貼り付け先のテーマを使用しブックを埋め込む
- グラフエリアのフォントサイズ：18pt
- データラベルの色：白、背景１

## Let's Try

Excelで次のような表を作成後グラフを作成し，p.115のLet's Tryで作成した「メニュー開発」にこれを取り込んだスライド6を追加してみよう。（ファイル名：メニュー開発２）

| | A | B | C |
|---|---|---|---|
| 1 | 客数 | | |
| 2 | | 道の駅売店 | レストラン |
| 3 | | チーズのび～る五平餅 | 鹿肉のラグーソース |
| 4 | 1週目 | 318 | 224 |
| 5 | 2週目 | 349 | 259 |
| 6 | 3週目 | 366 | 336 |
| 7 | 4週目 | 389 | 315 |
| 8 | 合計 | 1422 | 1134 |

| | A | B | C |
|---|---|---|---|
| 1 | 販売数 | | |
| 2 | | 道の駅売店 | レストラン |
| 3 | | チーズのび～る五平餅 | 鹿肉のラグーソース |
| 4 | 1 週目 | 56 | 7 |
| 5 | 2 週目 | 73 | 12 |
| 6 | 3 週目 | 98 | 23 |
| 7 | 4 週目 | 132 | 21 |
| 8 | 合計 | 359 | 63 |

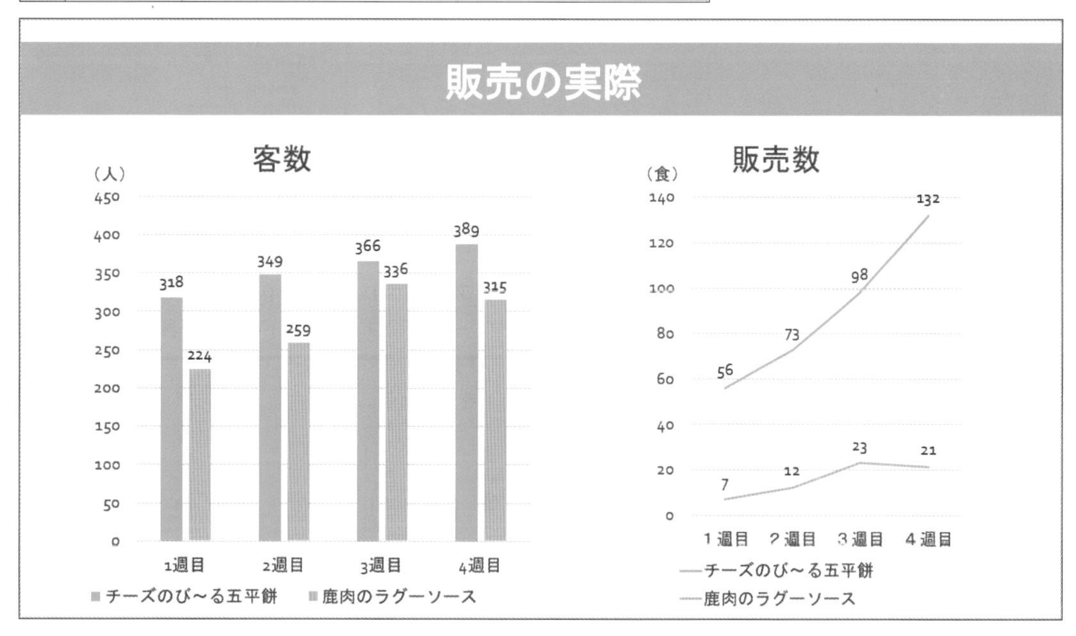


・スライドのレイアウト：白紙　・テキストボックスの図形のスタイル：グラデーション-水色、アクセント1
・貼り付けのオプション→貼り付け先のテーマを使用しブックを埋め込む
・グラフエリアのフォントサイズ：16pt　・グラフタイトルのフォントサイズ：28pt
・縦(値)軸ラベル：横書き

# 4 効果的なプレゼンテーションにする

画面切り替えの設定 ▶ アニメーションの設定 ▶ リハーサル ▶ スライドショー

**SUBJECT**

画面切り替えやアニメーションを設定し，入念なリハーサルをして，効果的なプレゼンテーションの準備をする

●画面切り替え ●スライドショー
●アニメーション ●リハーサル
●目的別スライドショー
●資料の印刷 ●インク注釈

## 例題32 画面切り替えを設定してみよう

（ファイル名：青花祭報告５）

**1 画面切り替えの設定**

スライドショー実行時，前のスライドから次のスライドに切り替わるときに適用される動きの効果を，「画面切り替え」という。

**2 スライドショーの実行**

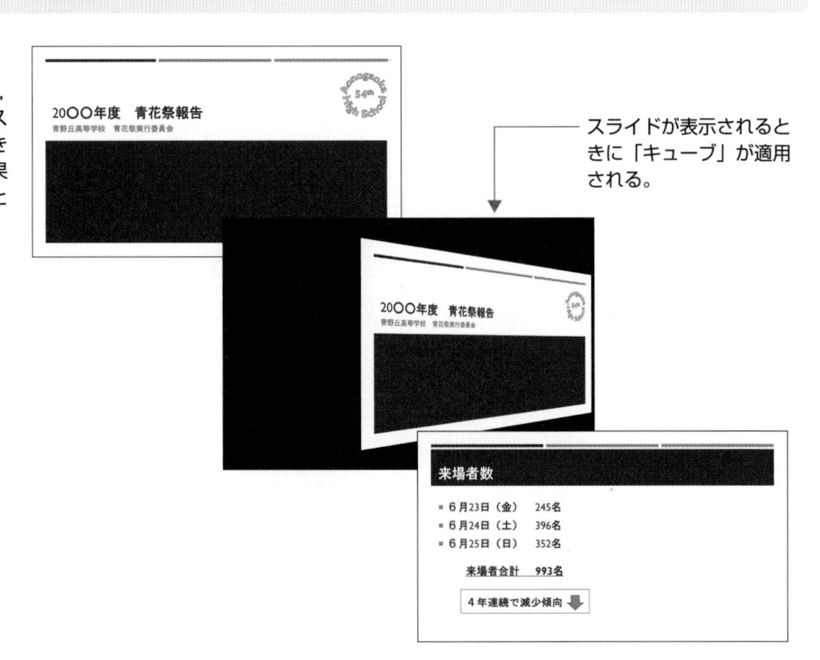


スライドが表示されるときに「キューブ」が適用される。

## 操作のポイント

### 1 画面切り替えの設定

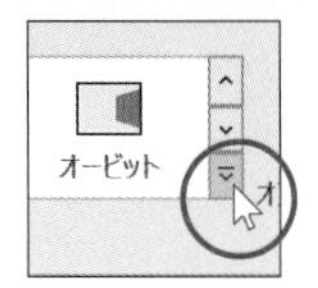


①p.116 例題31 で作成したスライド１を表示し**画面切り替え**タブ→**画面切り替え（その他）**（左図）をクリックし，「はなやか」から「キューブ」を選択する。

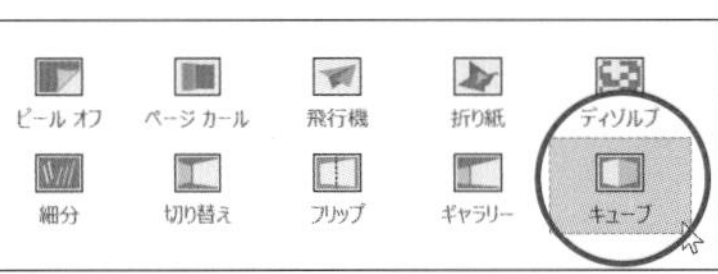


③**プレビュー**をクリックして確認する。

②スライドのサムネイルで，スライド番号の下に ★ が表示されたことを確認する。

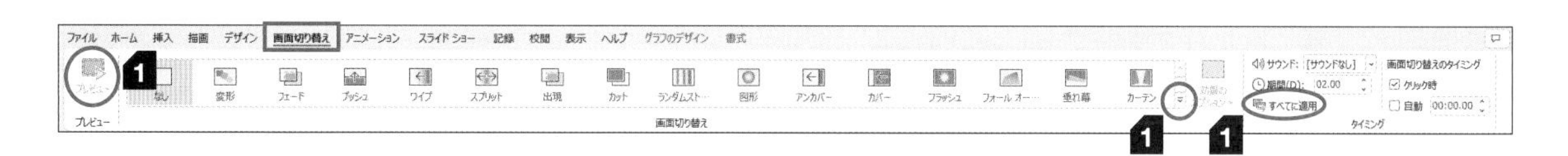

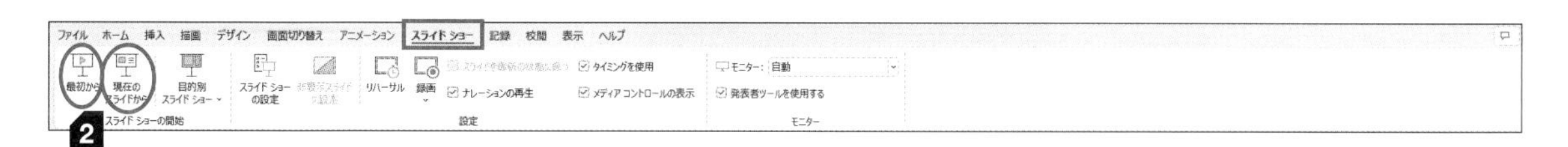

**2　スライドショーの実行**

スライドショーを実行する。

●スライドショータブから

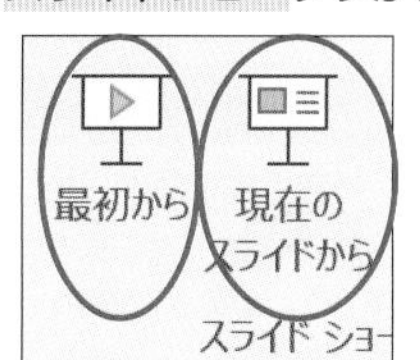


●表示モード切り替えボタンから（現在のスライドから）

●キー操作で
- F5（最初から）
- Shift＋F5（現在のスライドから）

途中で終了する場合は，Esc か，右クリックからスライドショーの終了を選択する。

## こんなときどうする!?

| | |
|---|---|
| ?! 画面切り替え設定を解除するには？ | 画面切り替えの一覧から「なし」を適用する。 |
| ?! 画面切り替えのスピードをあげたいのだけど？ | 「期間」（切り替えの継続時間）を短くする。 |
| ?! 画面切り替えは必ずクリックする必要があるの？ | 「画面切り替えのタイミング」で「自動的に切り替え」に☑を入れて，時間を設定すると，クリックしなくても設定した時間がたてば画面が切り替わる。 |

## やってみよう

**Let's Try**

p.114のLet' s Tryで作成した「修学旅行行き先希望調査報告」を開き，画面切り替えタブで画面切り替えの一覧から「切り替え」を選択し，「すべてに適用」をクリックしよう。その後，スライド1を表示し画面切り替えを「なし」にしよう。それぞれの場合で最初からスライドショーを実行し，画面切り替えの様子を確認しよう。

（ファイル名：修学旅行行き先希望調査報告3）

〈例〉

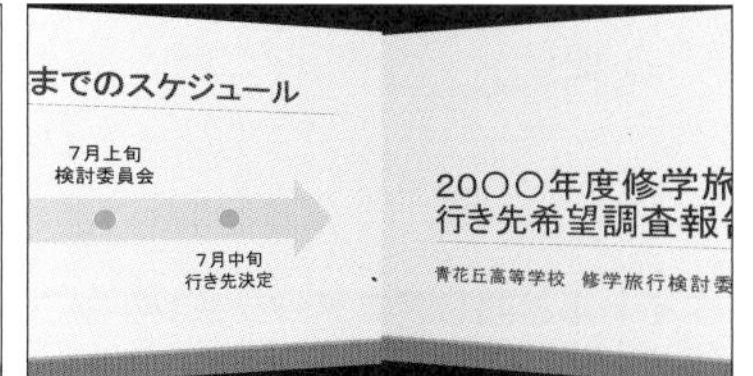


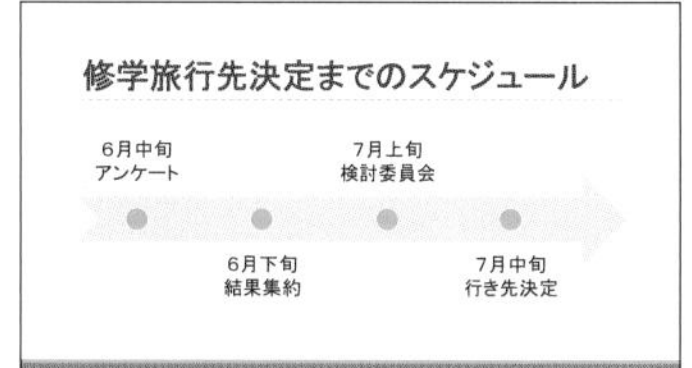

# 例題33 アニメーション効果を設定してみよう

（ファイル名：青花祭報告6）

1 アニメーションの設定
スライドショー実行時，スライド上の図やテキストなど，それぞれが表示されるときの動きの設定をアニメーションという。
2 アニメーションのコピー
3 その他のアニメーションの設定とコピー
4 スライドショーの実行

(例)スライド4

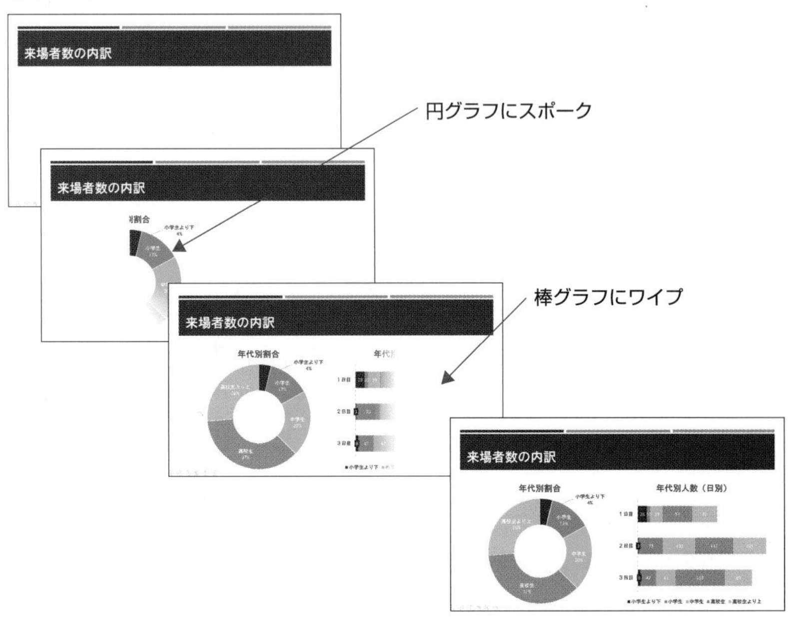


## 操作のポイント

### 1 アニメーションの設定

アニメーションには次の4つがある。
・開始
・強調
・終了
・アニメーションの軌跡

効果のオプションは，設定したアニメーションに応じた内容になる。

①スライド1でタイトルの枠を選択する。
②アニメーションタブ→アニメーションから「ワイプ」を選択する。

③効果のオプションで「左から」を選択する。

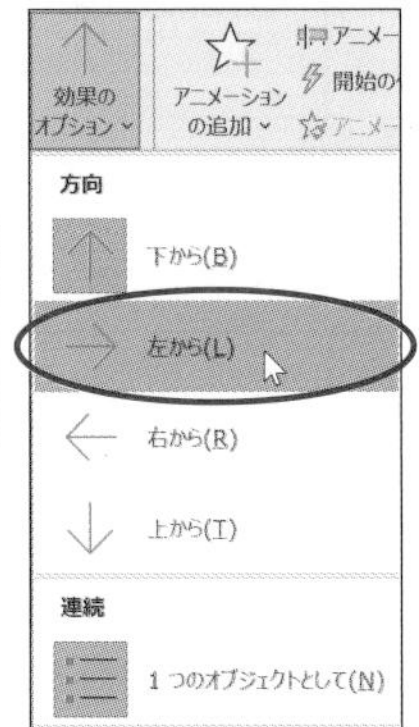


④タイミンググループの開始で，「直前の動作と同時」を選択する。

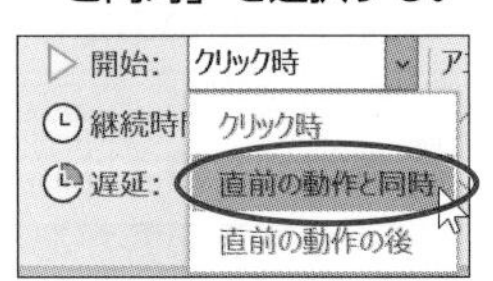


⑤プレビューで動作を確認する。

### 2 アニメーションのコピー

①アニメーションのコピー/貼り付けをクリックし，サブタイトルの上でクリックして適用する。

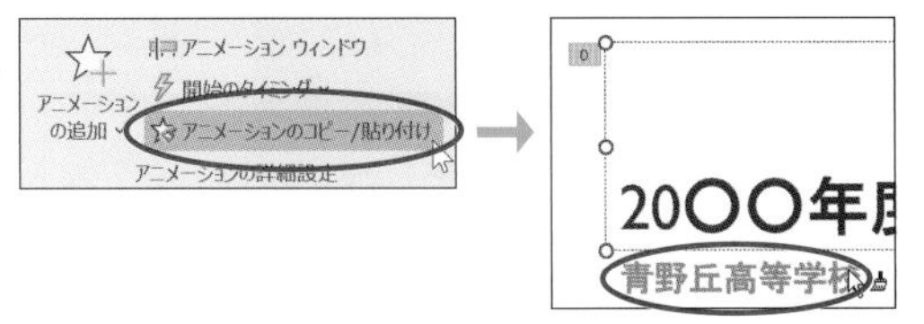


※タイトルと同じアニメーションがサブタイトルに適用される。

②プレビューで動作を確認する。

## 3 その他のアニメーションの設定とコピー

その他にも次のようにアニメーションを設定する。

| | 設定先 | アニメーション | 効果のオプション | 開始 |
|---|---|---|---|---|
| スライド1 | ワードアート | 開始：フェード | 1つのオブジェクトとして | 直前の動作と同時 |
| スライド4 | 左のグラフ | 開始：ホイール | 1スポーク | 直前の動作の後 |
| | 右のグラフ | 開始：ワイプ | 左から | |
| スライド6 | 表 | 開始：ワイプ | 上から | クリック時 |
| | テキストボックス | 開始：スライドイン | 右から | 直前の動作と同時 |
| スライド7 | SmartArt | スライド6の表のアニメーションをコピー | | |

アニメーションを開始するタイミングには，次の3つがある。
- ・クリック時
- ・直前の動作と同時
- ・直前の動作の後

## 4 スライドショーの実行

スライドショーを実行する。

●スライドショータブから

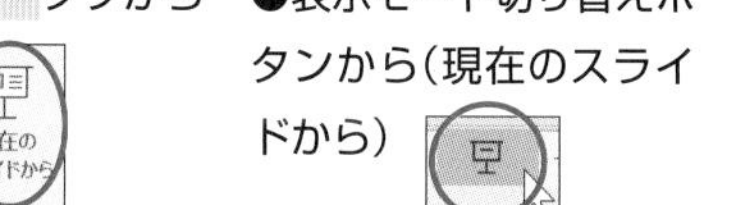

●表示モード切り替えボタンから（現在のスライドから）

●キー操作で
- ・F5（最初から）
- ・Shift ＋ F5（現在のスライドから）

途中で終了する場合は，Esc か，右クリックからスライドショーの終了を選択する。

## こんなときどうする!?

### ?! アニメーションは1つしか設定できないの!?

同じオブジェクトに2つ以上のアニメーションを設定するときは，アニメーションの追加をクリックし，追加したいアニメーションを選択する。ただしグレーで表示されているアニメーションは追加できない。

### ?! アニメーションの順番は変えられないの!?

アニメーションウィンドウをクリックすると右側にアニメーションウィンドウが表示され，アニメーションの設定状態が一覧できる。順番を変えたいオブジェクトを選び，▲ ▼ で順番を入れ替えられる。

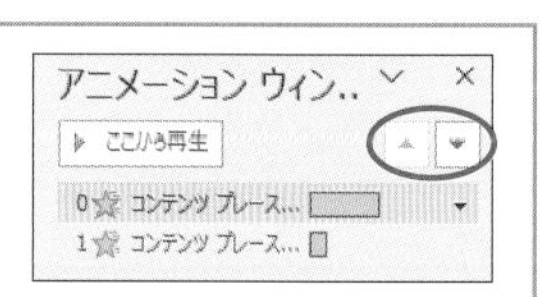

### ?! アニメーションの設定を解除するには!?

アニメーションタブのアニメーションの一覧から「なし」を選ぶ。
あるいはアニメーションウィンドウで解除するオブジェクトを選択して Delete を押す。

## やってみよう

### Let's Try

p.121のLet's Tryで作成した「修学旅行行き先希望調査報告3」に，適宜アニメーションの設定をしてみよう。　（ファイル名：修学旅行行き先希望調査報告4）

## 例題34 リハーサルをしよう

（ファイル名：青花祭報告７）

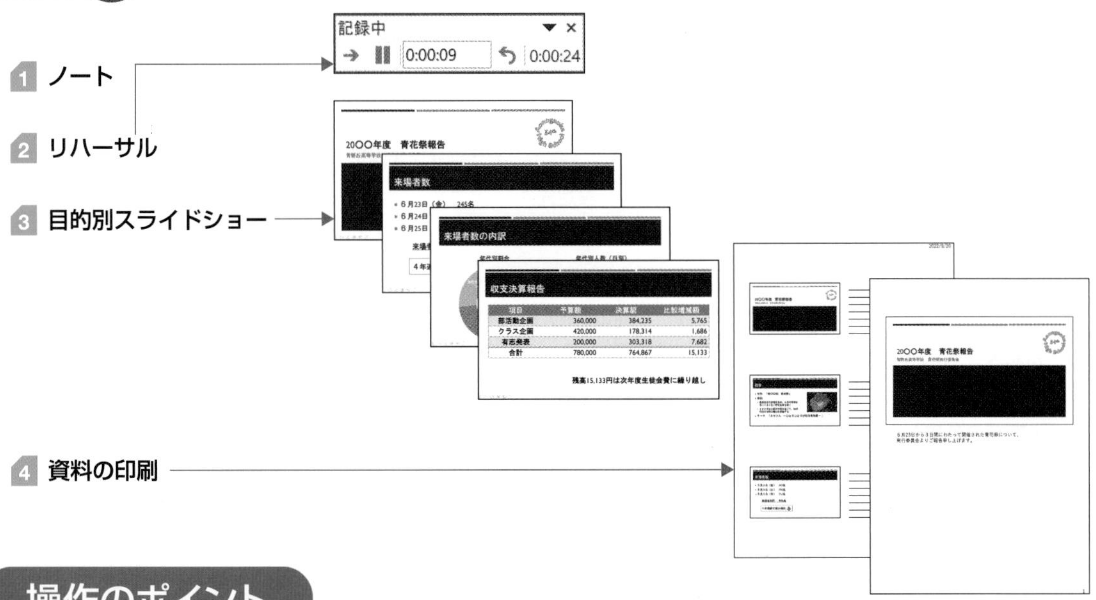


## 操作のポイント

### 1 ノート

①スライド1を表示し，ステータスバー上のノートをクリックしてノートペインを表示する。

②スライドペインとノートペインの境界線をポイントし，マウスポインターの形状が⇕になったら適宜ドラッグしてノートペインの領域を広げる。

６月23日から３日間にわたって開催された青花祭について、実行委員会よりご報告申し上げます。

③ノートペインに右のように入力する。

### 2 リハーサル

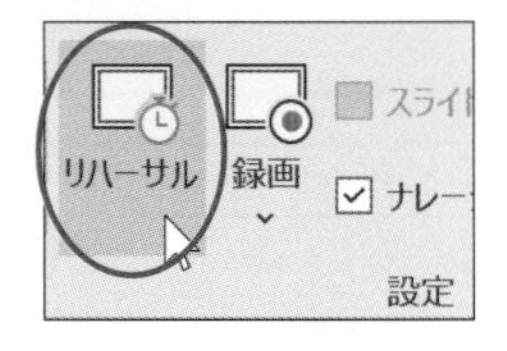


①スライドショータブ→リハーサルをクリックする。

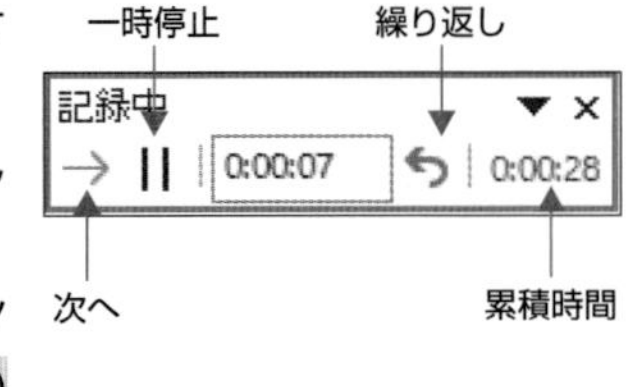


②ここでは約20秒経過したら次へをクリックして最後までスライドショーを実行する。

③スライドショーが終了したら，今回のタイミングを保存するか確認されるので，ここでははいをクリックする。

Microsoft PowerPoint
スライド ショーの所要時間は 0:02:57 です。今回のタイミングを保存しますか?
はい(Y)　いいえ(N)

④スライド一覧表示に切り替え，各スライドの下に計測時間が表示されることを確認する。

### 3 目的別スライドショー

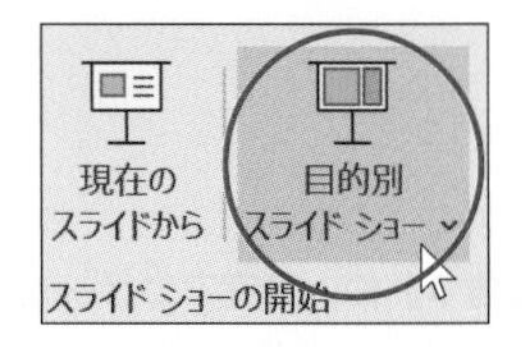


①スライドショー タブ→目的別スライドショー→目的別スライドショーをクリックする。

②新規作成をクリックし，目的別スライドショーの定義を表示する。

③スライドショーの名前に「会計報告」と入力し，１，３，５，６のスライドに☑を入れて追加をクリックし，OKをクリックする。

④目的別スライドショーに戻ったら開始をクリックする。

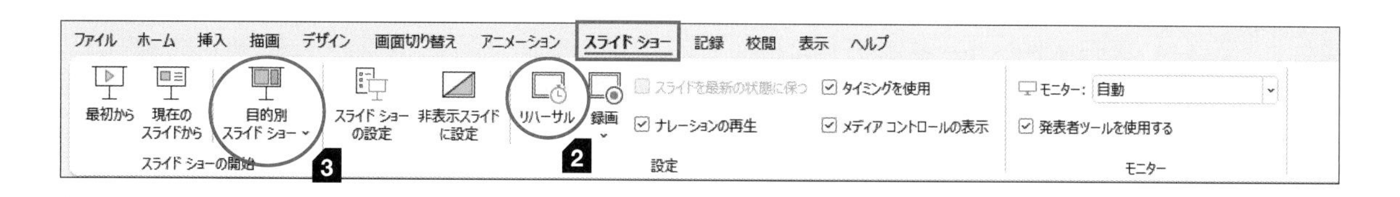


## 4 資料の印刷

印刷対象には
・スライド
・配付資料
・ノート
・アウトライン
がある。

ファイルタブに切り替え，印刷をクリックすると，画面右に印刷のプレビューが表示される。印刷対象を設定してプレビューを確認後，印刷する。

①印刷の対象を指定する。

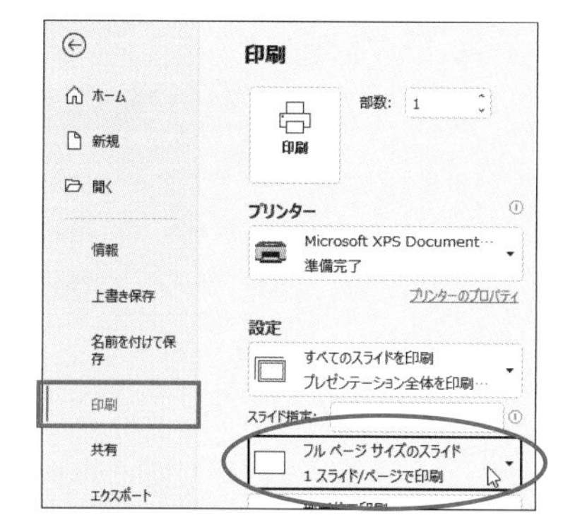


②部数を指定し，印刷する。

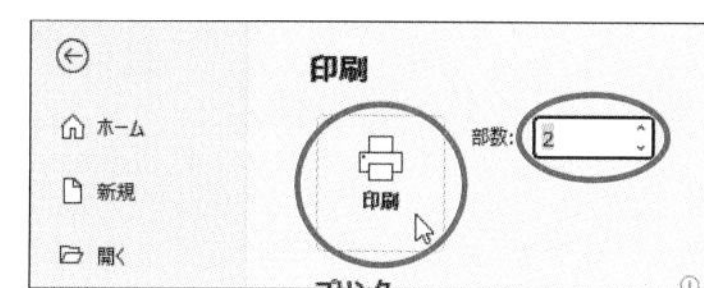

●フルページサイズのスライド

●配布資料（3スライド）

●ノート

●アウトライン

## こんなときどうする!?

### ?! リハーサルで保存した時間は修正できないの!?

画面切り替えタブのタイミングに保存されているので，修正したいスライドを選択し，「自動的に切り替え」でスライドごとに時間を設定できる。

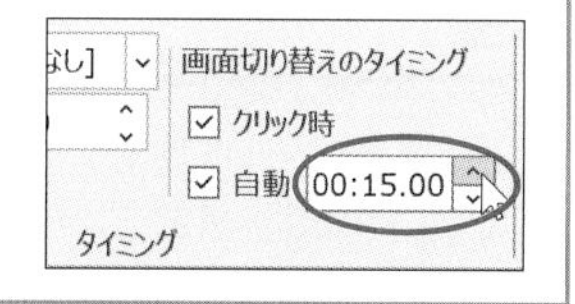


### ?! フルページでA４用紙に印刷した時の上下左右の余白を同じにできないの!?

通常スライドは縦横の比率が画面の比率になっているので，スライドの比率を用紙の比率（$1:\sqrt{2}$）に合わせればよい。

①デザインタブ→スライドのサイズ→ユーザー設定のスライドのサイズをクリックする。

②スライドのサイズダイアログボックスが表示されるので，スライドのサイズ指定から「A4」を選択する。

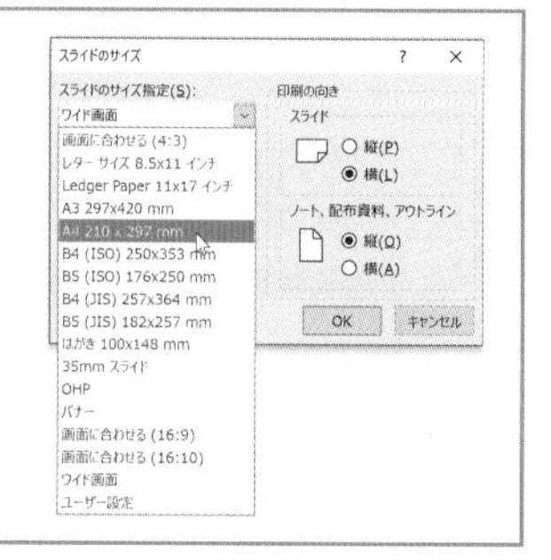

## 例題 35 スライドショーを実行しよう

（ファイル名：青花祭報告８）

**1** ペンによるスライドへの書き込み(インク注釈)

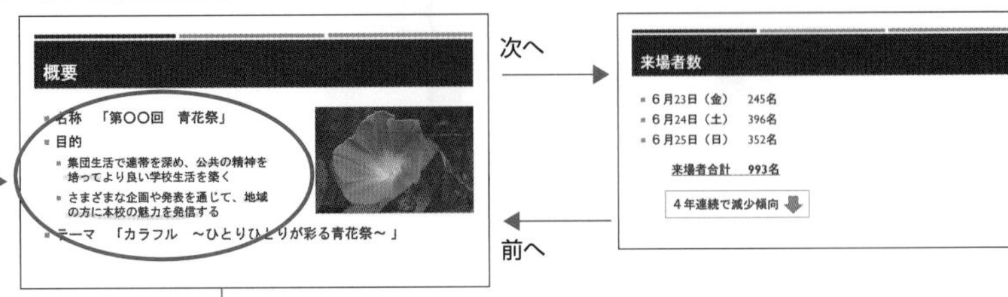


**2** スライドの切り替え

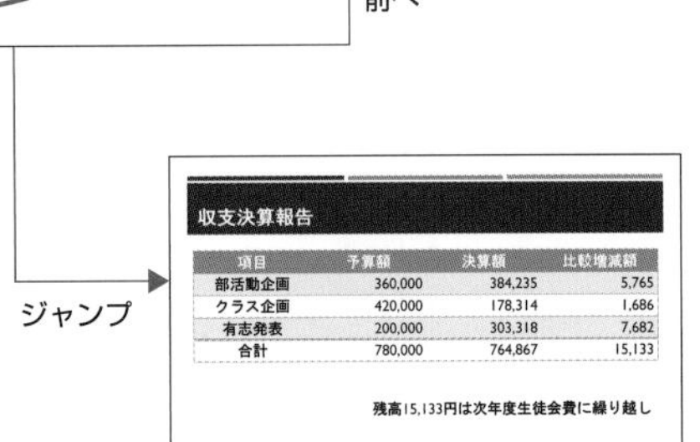


## 操作のポイント

### 1 ペンによるスライドへの書き込み(インク注釈)

ペンを解除して通常のマウス操作に戻すには，もう一度ペンのアイコンをクリックして「ペン」を選びなおす(OFF)。

①スライド２を表示し，画面切り替えタブで「自動」の☑を外す。

②スライドショー実行中に画面左下をポイントするとアイコンが表示されるので，ペンのアイコンをクリックし,「蛍光ペン」を選択する。

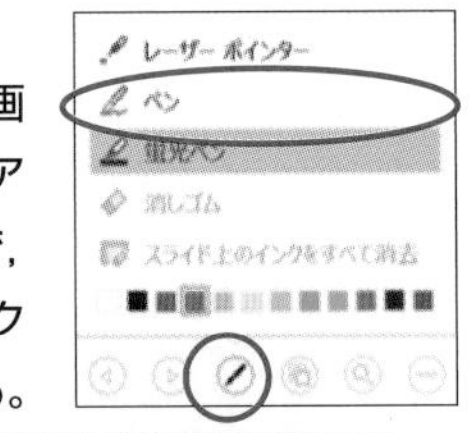


※画面上で右クリックしてポインターオプション→蛍光ペンを選んでもよい。

③ドラッグでスライドへ書き込む。

- 集団生活で連帯を深め、公共の精神を培ってより良い学校生活を築く
- さまざまな企画や発表を通じて、地域の方に本校の魅力を発信する

※画面切り替え前であれば E で書き込みを削除できる。

④スライドを移動しても注釈は画面上に残っている。スライドショー終了時にインク注釈を保持するか破棄するか選択できる。保持すると注釈部分は図形となってスライド上に残る。

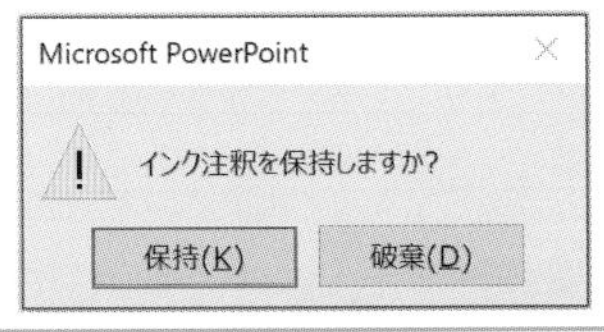


### 2 スライドの切り替え

スライドショータブの「発表者ツールを使用する」が☑の場合，外部モニタに接続してスライドショーを実行すると，発表者の画面には「発表者ツール」が表示される( Alt + F5 でも表示される)。

スライドショー実行時，スライドを切り替えるにはいくつかの方法がある。

●次に進むには
- クリック
- Space ・ Enter
- ↓ ・ →
- 右クリックして次へ

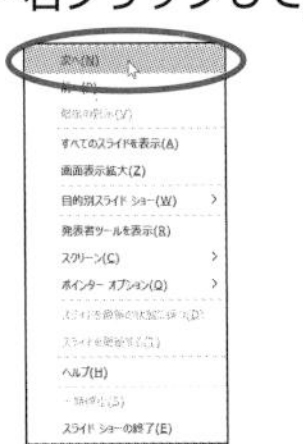
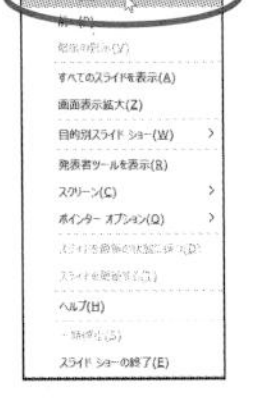


- スライド上のアイコンで

●前に戻るには
- BackSpace
- ↑ ・ ←
- 右クリックして前へ

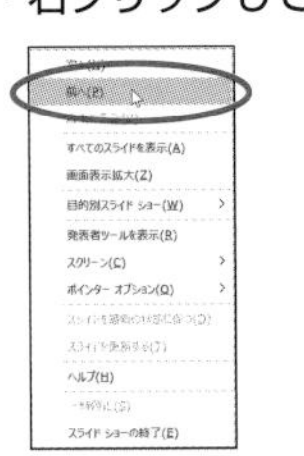


- スライド上のアイコンで

●ジャンプするには
- スライド番号を入力して Enter
- スライド上のアイコンをクリックすると一覧が表示されるのでジャンプ先を選択する。

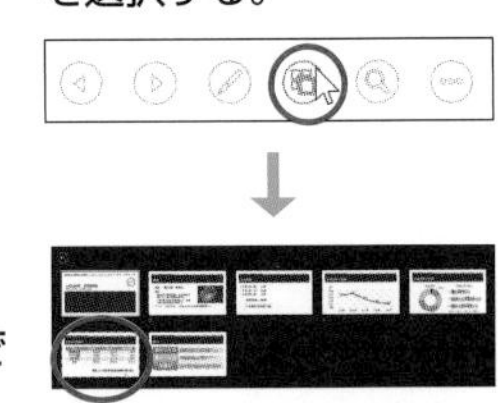

# 実習問題

## Let's Try

次のようなプレゼンテーションファイルを作成してみよう。
また，画面切り替えやアニメーションを適宜工夫して設定しよう。

（ファイル名：天文台サポーター募集）

**1**

青野丘高等学校
天文台サポーターの募集

青野丘高等学校　天文部

・テーマ：「クォータブル」
・タイトル：54pt
・サブタイトル：24pt
・バリエーション-その他-配色-青緑

**2**

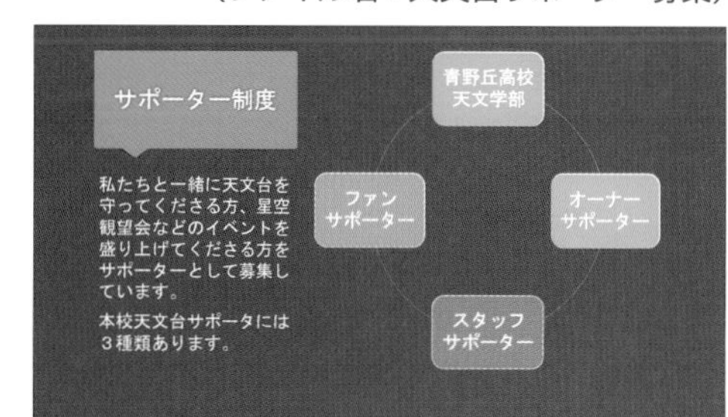


・スライドのレイアウト：タイトル付きのコンテンツ
・タイトル：32pt（スライド2・6共通）
・テキスト：24pt
・SmartArt：「循環」から「矢印無し循環」，24pt
・色の変更：「カラフル-全アクセント」

**3**

サポーターの種類

| | |
|---|---|
| オーナーサポーター | 資金的な援助をしていただくサポーター |
| スタッフサポーター | 天文部と一緒にスタッフとして、天文台の活動を支援していただくサポーター |
| ファンサポーター | お客様として天文台のイベント参加し、盛り上げていただくサポーター |

・タイトル：40pt（スライド3～5共通）
・表のスタイル：スタイル（中間）1
・表スタイルのオプション：縞模様（行）
・表のフォント：28pt／24pt

**4**

サポーター登録人数の推移

0　50　100　150　200　250
20ww年　18　70　118
20xx年　14　81　103
20yy年　11　73　131
20zz年　8　75　94
■オーナー　■スタッフ　■ファン

・グラフ：積み上げ横棒，グラフスタイル「スタイル9」，色の変更「カラフルなパレット1」
・グラフエリアのフォント：20pt

| | A | B | C | D |
|---|---|---|---|---|
| 1 | | オーナー | スタッフ | ファン |
| 2 | 20ww年 | 18 | 70 | 118 |
| 3 | 20xx年 | 14 | 81 | 103 |
| 4 | 20yy年 | 11 | 73 | 131 |
| 5 | 20zz年 | 8 | 75 | 94 |

**5**

サポータ特典

★青野丘高等学校天文台「サポーター認定証」の交付
★機関紙（毎月1部）の送付
★星空観望会やトークイベント等の優先予約
★天体望遠鏡や双眼鏡の無料貸し出し

※予約・貸し出しの際は「サポーター認定証」をご提示ください。

・フォントサイズ：28pt
・箇条書き-箇条書きと段落番号-ユーザ設定-記号と特殊文字-フォント「Wingdings2」から「★」を選択

**6**

【お申し込み】
青野丘高等学校
天文部

https://example.com
astronomy@example.jp
ご登録お待ちしています！

・スライドのレイアウト：名札
・テキストボックス：28pt

※各スライドのフォントサイズおよびプレースホルダーやオブジェクトの位置，サイズは適宜調整する。

# 第5章 インターネットの活用

# 1 Webブラウザーを利用する

SUBJECT

Webブラウザーの基本操作と検索
●URLの入力　●リンク
●戻る／進む　●最新の情報に更新
●検索

Webブラウザーの基本操作 ▶ 検索エンジンの利用

## 例題36 Webブラウザーを使おう

1 Webブラウザーの起動
2 URLの入力
3 リンク
4 戻る／進む
5 最新の情報に更新
6 検索

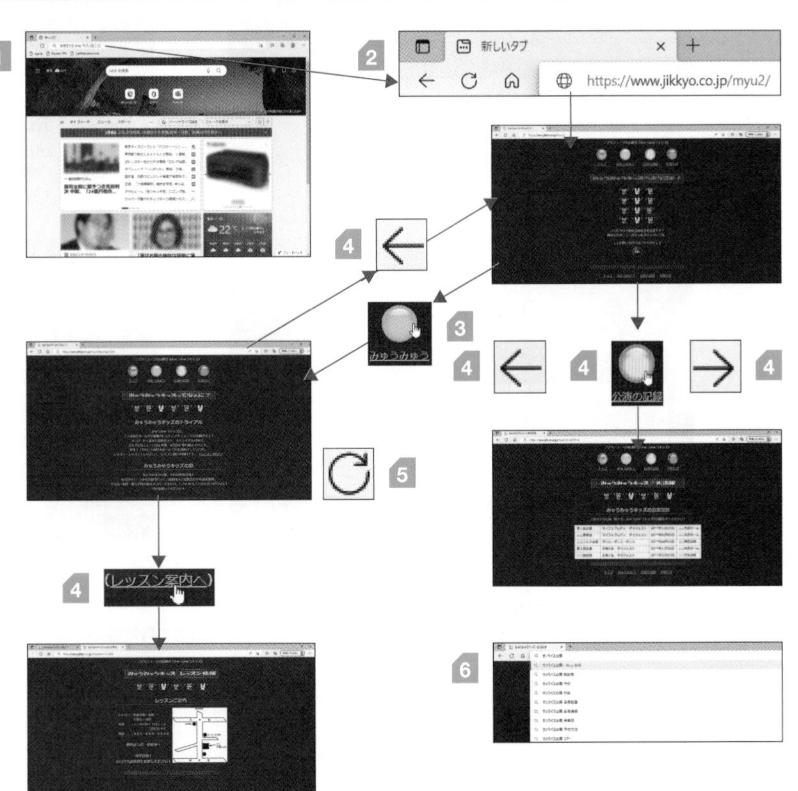


## 操作のポイント

### 1 Webブラウザーの起動

Microsoft Edge

(ホーム)で最初のページに戻る。このボタンの表示のオン・オフやどのページをホームとするかは ⋯(設定など)を利用する(p.130参照)。

Webブラウザーを起動すると，最初にWebブラウザーに設定済みのWebページ(ホーム)が表示される。

## 2 URLの入力

アドレスバーの検索ボックスをクリックし，表示したいWebページのURLを(ここではhttps://www.jikkyo.co.jp/myu2/)を直接キー入力し，Enter を押す。

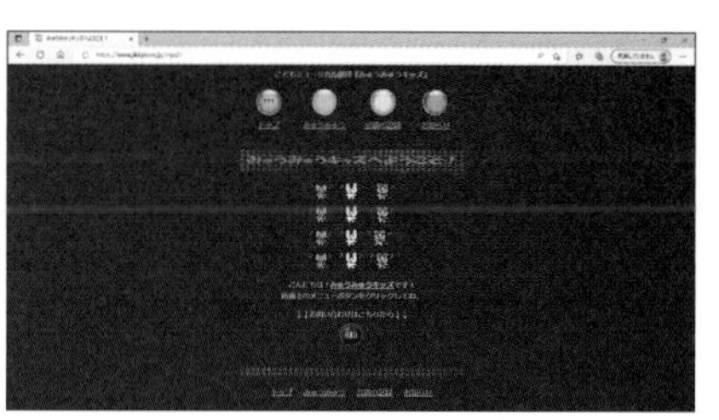

## 3 リンクする

タブは，１つのウィンドウ内に複数のWebページを開いておくための機能。タブをクリックしてWebページの表示を切り替えられる。
リンクはWebページ内の設定によっては，新しいタブで開くことがある。
また，リンクで右クリックをして新しいタブで開くこともできる。

Webページ上の文字列やアイコンなどの上でマウスポインターの形状が に変わったところでクリックすると，リンクされたWebページが表示される

- 同じウィンドウ内に表示される場合
- リンクの設定により新しいタブで表示される場合
- 新しいタブを開いて表示する場合(右クリック→リンクを新しいタブで開く)

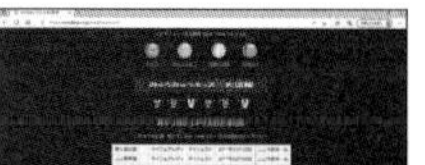


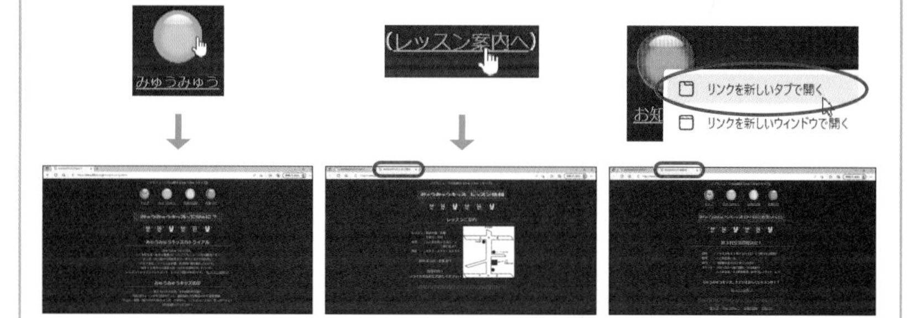

## 4 戻る／進む

URLの入力やリンクなどでいくつかのWebページを表示すると，前後のWebページに戻ったり進んだりできる。

前に見たページ　次に見たページ　その次に見たページ

戻る　戻る　進む

〈表示中のページ〉

## 5 最新の情報に更新

表示中のWebページは，最新のものに更新できる。ニュースサイトを閲覧するときなどに便利である。

表示中のページ

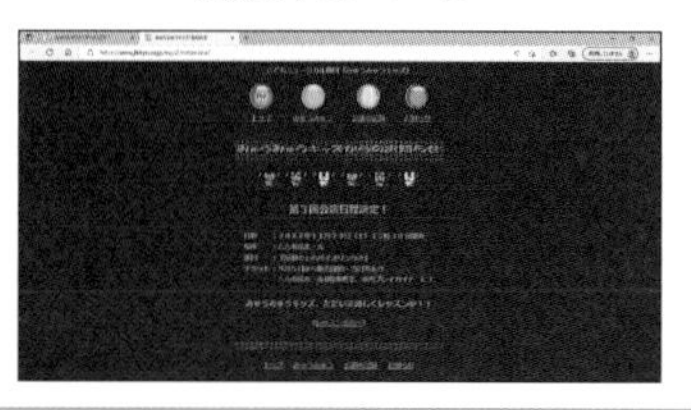

最新情報に更新

同じページ(最新)

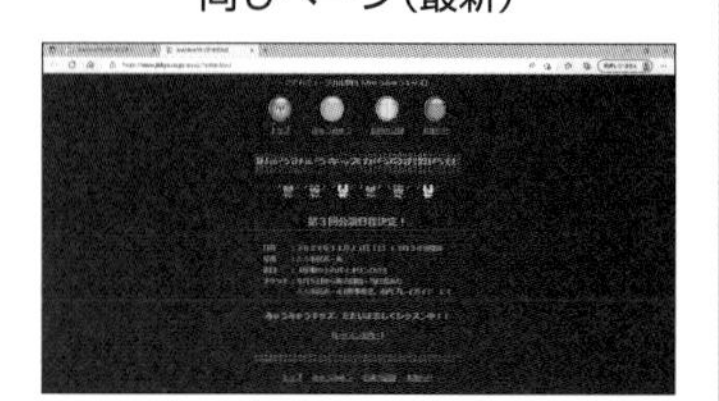

| | |
|---|---|
| **6 検索**<br><br>検索ワードは，Space で区切って複数のワードを入力すると検索効率がよい。<br>タスクバーの検索ボックスからでも検索できる。 | アドレスバーの検索ボックスに検索ワード(ここでは「サンライズ出雲」)を入力して Enter を押す。表示された一覧から該当しそうなものをクリックしてリンクをたどる。<br>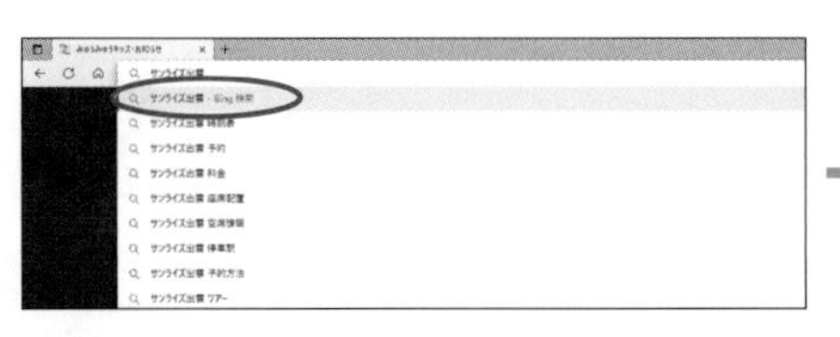<br>※入力途中に表示される候補リストからクリックで選んでもよい。 |

## こんなときどうする!?

| | |
|---|---|
| **?! URLってなんのこと？** | URLはUniform Resource Locatorの略で，Web上の特定の場所を指定する方法。「スキーム名://ホスト名.ドメイン名/パス名/ファイル名」という順番。「http://」や「https://」で始まる場合が多い。一般にWebアドレスなどともいわれる。 |
| **?! このページを表示できません!?** | アドレスの入力ミスがないかどうか確認しよう。「.」が「,」になっていたり，「_」と「-」を勘違いしたりしていないだろうか?<br>間違っていたら入力し直してみよう。<br>また，アドレスが変更されていたり，そのサイトが削除されたりした場合は表示できない<br>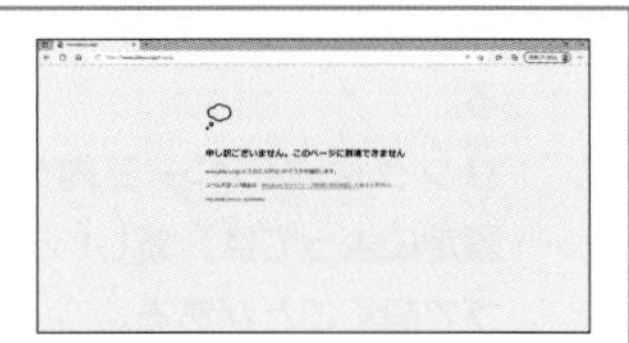 |
| **?! Webページの表示倍率を大きくできないの!?**<br><br>既定倍率に戻すには，Ctrl + 0 キーを押すとよい。 | 画面右上の ･･･ (設定など)→ズームの − と ＋ で変更できる。<br>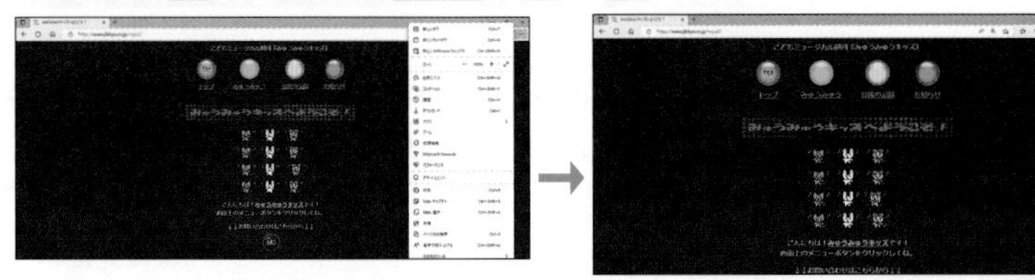<br>※ Ctrl を押しながらマウスホイールを回したり，Ctrl + ＋ キー/ Ctrl + − キーでも拡大・縮小できる。 |
| **?! いつも決まったWebページから始める方法は!?**<br><br>※Webブラウザーのバージョンによって，画面や操作手順が異なる。 | 決まったページを「ホーム」に設定する方法がある。<br>① ･･･ (設定など)→設定をクリックする。<br>②[スタート]、[ホーム]、および[新規]タブをクリックし，ツールバーに[ホーム]ボタンを表示を にする。<br>③決まったページをホームに設定したいときは，下の入力ボックスにそのURLを入力し，保存をクリックする。<br>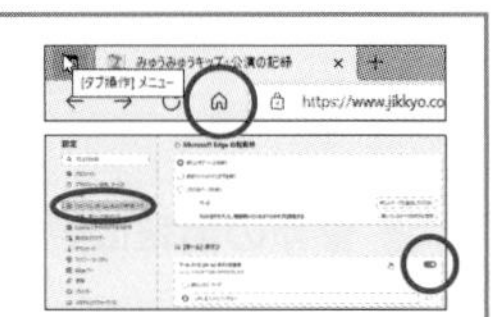 |
| **?! 新しいタブを増やすには!?** | タブの右にある ＋ をクリックする。<br>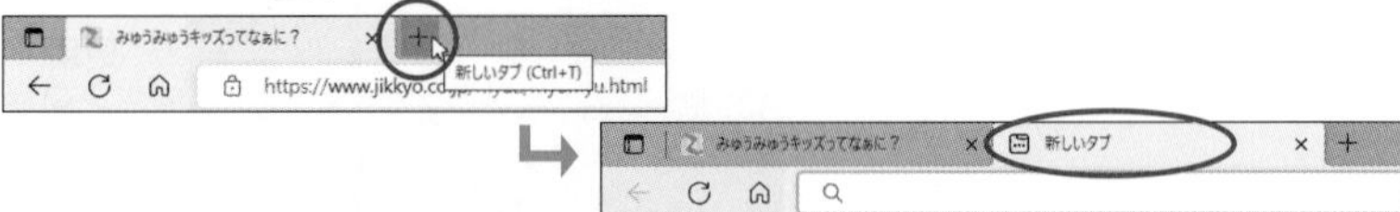 |

**?! 表示中のタブを減らすには!?**

不要なタブを削除するには，タブ内の ×をクリックする。

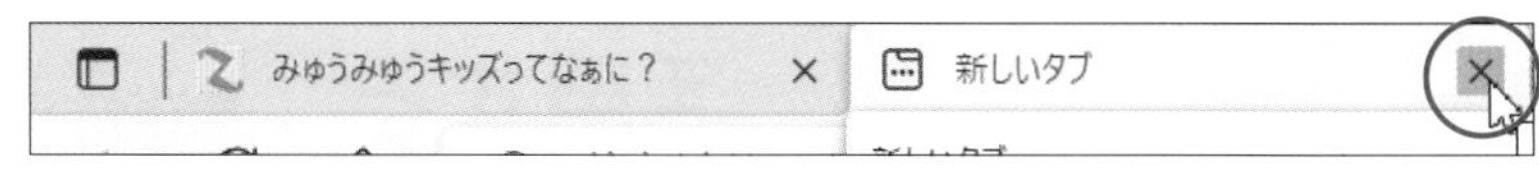


**?! 頻繁に見る好きなWebページをどこかに登録しておける!?**

「お気に入り」に登録しておくことができる。

①登録したいWebページのアドレスバー右の☆をクリック。

②完了をクリックすると，アドレスバー右の☆が★に変わる。

③画面右上の☆≡（お気に入り）をクリックすると，お気に入りリストが表示される。

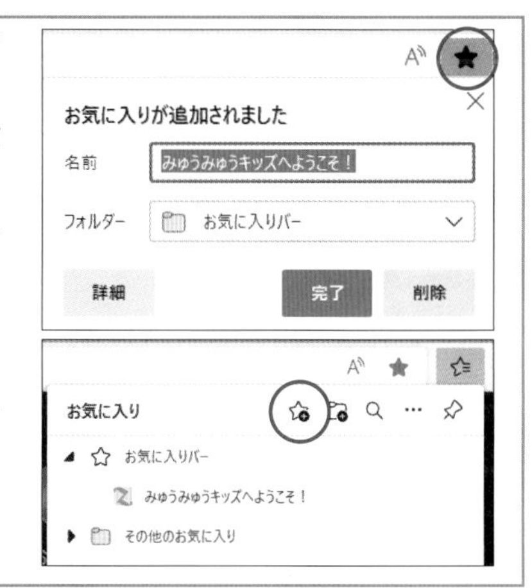


※Webブラウザーのバージョンによって，画面や操作手順が異なる。

**?! 先週見たWebページなんだけど，また最初から検索しないといけないの!?**

「履歴」を活用する方法がある。

①•••（設定など）－履歴をクリックすると，これまでの閲覧履歴が表示される。

②閲覧したWebページが日付時刻の新しい順にリストになっているので，目的のWebページを見つけてクリックする。

## やってみよう

**Let's Try** 次のアドレス（URL）を入力してWebサイトを表示し，リンクをたどってみよう。

・日本科学未来館
　https://www.miraikan.jst.go.jp/

・東京大学総合研究博物館
　https://www.um.u-tokyo.ac.jp/

# 2 Webデータを活用する

**SUBJECT**

Webページ上のデータを他のアプリで活用する
●Webページの印刷　●PDFデータの閲覧と印刷
●データファイルのダウンロードと加工
●メール送信

Webページの印刷 ▶ PDFデータの閲覧と印刷 ▶ データのダウンロードと加工

## 例題 37 Webデータを利用してみよう

### 1 Webページの印刷

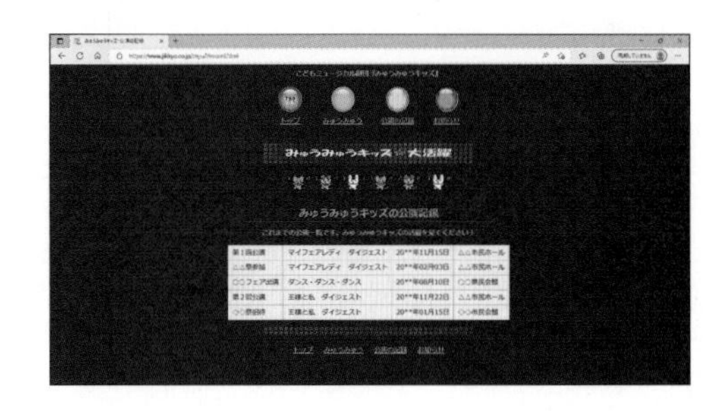

→

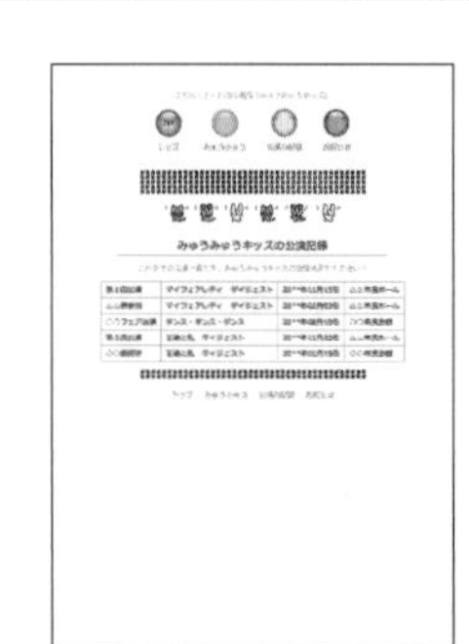

### 2 PDFデータの閲覧と印刷

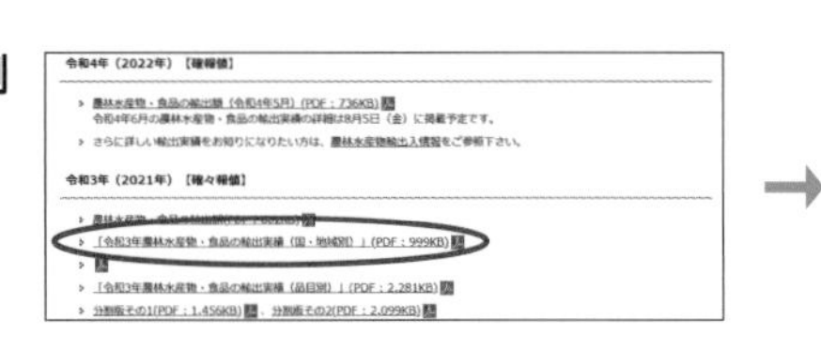

→

### 3 データファイルのダウンロードと加工

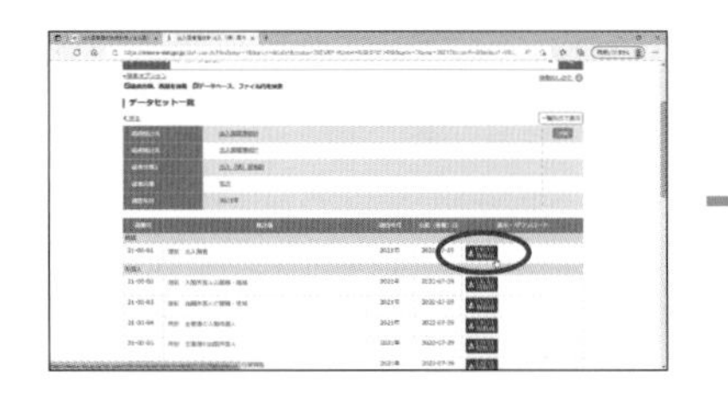

→

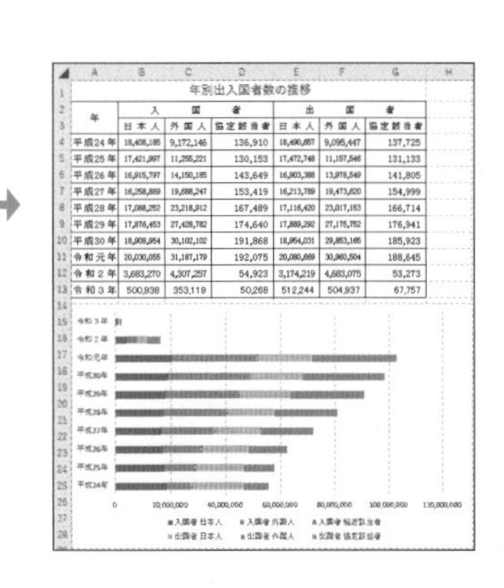

年別出入国者数の推移

| 年 | 入国者 | | | 出国者 | | |
|---|---|---|---|---|---|---|
| | 日本人 | 外国人 | 協定該当者 | 日本人 | 外国人 | 協定該当者 |
| 平成24年 | 18,408,185 | 9,172,146 | 136,910 | 18,490,657 | 9,095,447 | 137,725 |
| 平成25年 | 17,421,997 | 11,255,221 | 130,153 | 17,472,748 | 11,157,546 | 131,133 |
| 平成26年 | 16,915,797 | 14,150,185 | 143,649 | 16,903,388 | 13,978,549 | 141,805 |
| 平成27年 | 16,258,889 | 19,688,247 | 153,419 | 16,213,789 | 19,473,620 | 154,999 |
| 平成28年 | 17,088,252 | 23,218,912 | 167,489 | 17,116,420 | 23,017,153 | 166,714 |
| 平成29年 | 17,876,453 | 27,428,782 | 174,640 | 17,889,292 | 27,175,752 | 176,941 |
| 平成30年 | 18,908,954 | 30,102,102 | 191,868 | 18,954,031 | 29,853,165 | 185,923 |
| 令和元年 | 20,030,055 | 31,187,179 | 192,075 | 20,080,669 | 30,960,504 | 188,645 |
| 令和2年 | 3,683,270 | 4,307,257 | 54,923 | 3,174,219 | 4,683,075 | 53,273 |
| 令和3年 | 500,938 | 353,119 | 50,268 | 512,244 | 504,937 | 67,757 |

**補足**　書籍やWebページなどの他人の著作物は，一定の条件を満たせば著作権者の許諾を得ずに一部を引用することができる。
●引用に必要な条件：「出典を明示すること」「引用した部分が本文と明確に分かれていること」「引用を行う必然性があること」「引用する部分は原文であること」「質・量ともに本文が主で引用が従であること」
●引用の方法：引用する部分は「　」で囲むなどして，本文と区別する。引用部分の後に，著者名・書名・出版社・出版年・ページ番号などの情報を付け加える。Webページの場合は，サイト作者名・Webページのタイトル・Webサイトの名称・URL・更新日などを追記する。

## 操作のポイント

### 1 Webページの印刷

著作権が関係するので，許可を得ていない場合，印刷物の利用は個人的なものに限られる。

①印刷したいWebページを表示して [･･･]（設定など）—印刷をクリックする。
②部数などを設定し，[印刷] をクリックする。

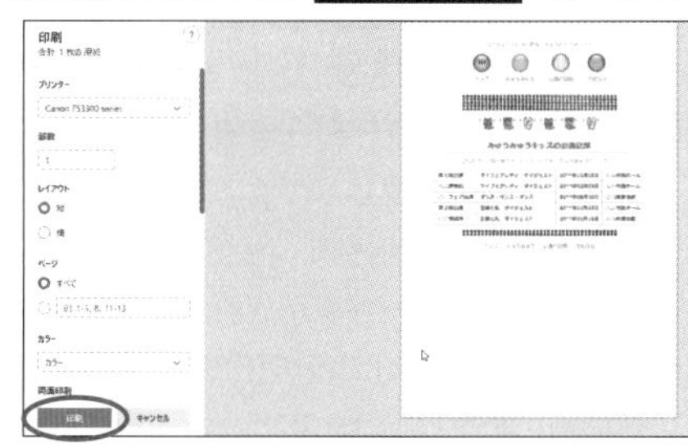

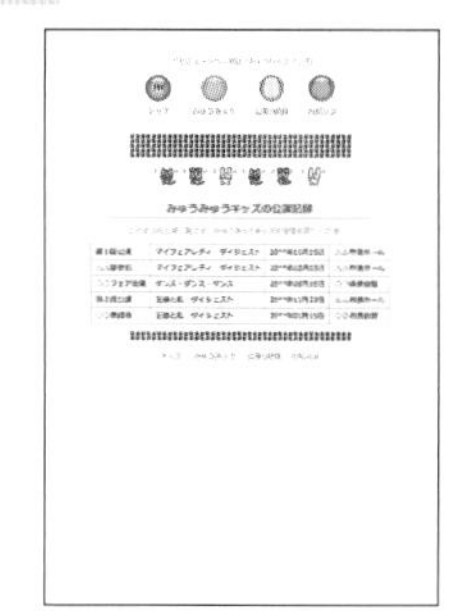

### 2 PDFデータの閲覧と印刷

著作権が関係するので，許可を得ていない場合，印刷物や保存したデータの利用は個人的なものに限られる。

Webサイト内をリンクしていくと，PDFファイルが表示されることがある。ほとんどのWebブラウザーがシームレスに表示するので，PDFファイルであることに気がつかないこともある。ここでは，次の検索で表示されるPDFデータを印刷してみよう。

①「食品輸出統計」で検索した結果から「農林水産物･食品の輸出に関する統計情報」（農林水産省）をクリックする。
②直近の確報値からリンク先として「農林水産物・食品の輸出額（＊＊年＊＊月）（PDF:＊＊＊KB）」をクリックする（検索した時期により＊＊年＊＊月は異なる）。

③通常と同じくWebブラウザーにPDFデータが表示される。画面上をクリックするとツールバーが表示されるので，[印刷アイコン]（印刷）をクリックする。

※ [保存アイコン]（上書き保存）をクリックすると，本来のデータはWebサーバー上にあるので，実質ダウンロードにあたる。
PC上で保存場所を選び，ファイル名を付けてPDFとして保存できる。

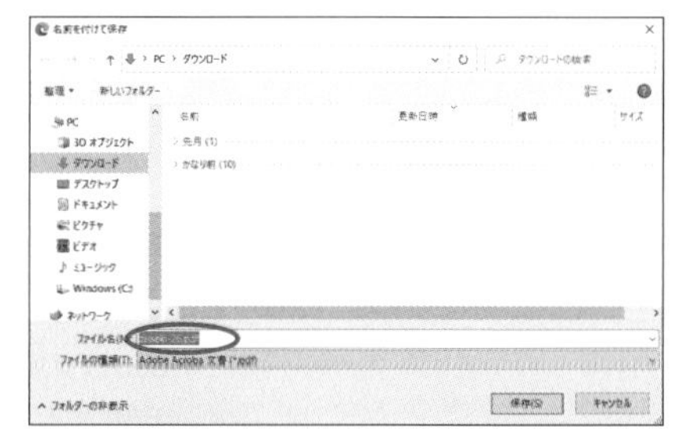

※PC上に保存したPDFファイルをダブルクリックすると，WebブラウザーかPDFファイル閲覧ソフトウェアが起動して閲覧できる。

## 3 データファイルのダウンロードと加工

ダウンロードが許されたデータでも著作権が関係していることは変わらないが，管理者が利用許諾をしたものといえる。
その場合でも引用元を明記したほうが信頼度は高い。
ダウンロードするときは，データの信頼性のみならず，ウイルスなどに対する安全性の観点からも信頼できるサイトからに限るべきである。

Excelのようなアプリのファイルの場合，ファイル形式のバージョンが異なる場合があるので，保存するときには「ファイルの種類」に気をつける。

Webサイト内をリンクしていくと，ExcelやCSVファイルをダウンロードできる場合がある。ここでは，次の検索で表示されるWebページからExcelファイルをダウンロードし，必要な加工を加えてみよう。

①「入国者数統計」で検索した結果から「出入国管理統計統計表｜出入国在留管理庁」をクリックする。
②「出入(帰)国者数」の「年報」から直近のものをクリックする。
③新しいタブが追加され，「e-Stat」の該当するページが表示される。
④「港別　出入国者」の行の[EXCEL閲覧用] をクリックする。
⑤ファイルがダウンロードされるので ファイルを開く をクリックする。

※PCの「ダウンロード」フォルダに保存される。必要に応じて名前の変更，移動，削除をするとよい。

⑥Excelが起動してファイルを開くと，ダウンロードデータのため保護ビューで開くので，［編集を有効にする(E)］をクリックする。
⑦完成例を参考に，適宜データを加工する。

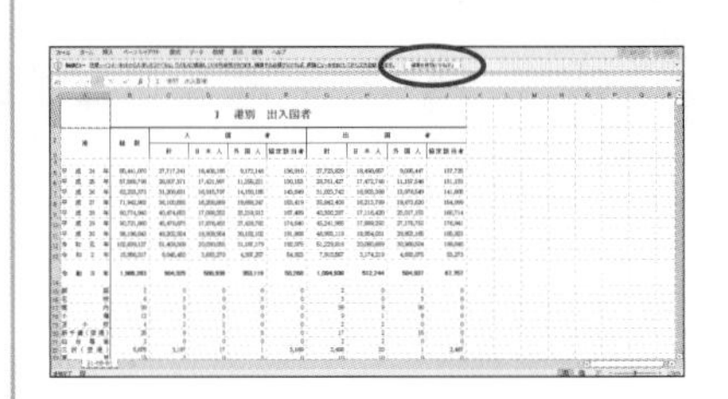


→

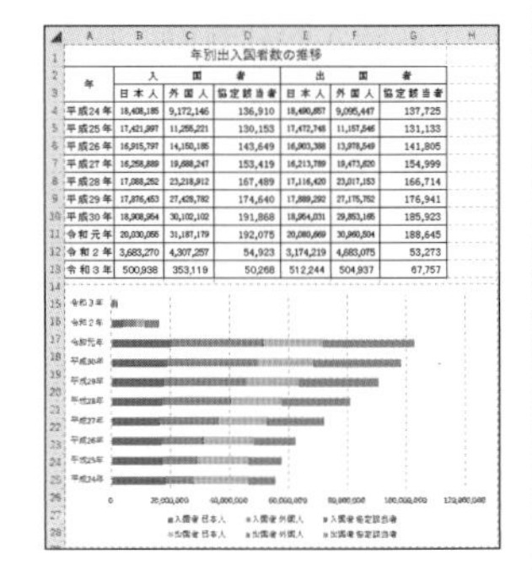


## やってみよう

### Let's Try

(1) 「クリエイティブ・コモンズ・ライセンス」について，どのようなものかレポートにまとめよう。

(2) 「もんじゃ焼き」「関西風お好み焼き」「広島風お好み焼き」および「チヂミ」の４種類の鉄板料理について，レシピ，調理器具と調理方法などの情報を収集し，複数のアプリを駆使してこれらの料理を比較するレポートにまとめてみよう

・レシピ情報から小麦粉とだしや卵など液体成分の割合を求め，Excelのグラフで比較する。
・各料理の完成例写真やイラストがあれば取り込む。
・地域分布があればこれを図にしてみる。
・それぞれの応用バリエーションにはどんなものがあるか比較する。

## 例題38 メールを送信してみよう

1 メールへリンク

2 メール作成

3 メール送信

●Outlook2021

●Windows11メール

## 操作のポイント

### 1 メールへリンク

Webページの中にはメールアドレスにリンクを設定して連絡用に利用している場合がある。他に送信フォームのWebページを設けていることも多い。

Webページ内のメールリンクをクリックする。

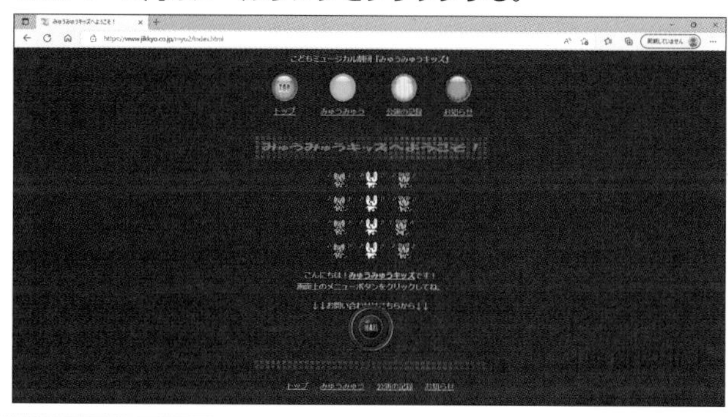

### 2 メール作成

メールアプリは，ユーザー名やサーバー情報などを前もって設定しておく必要がある。

設定済みのメールアプリが自動的に起動し，メール作成ウィンドウで「件名」「本文」を入力する(Webページ内でリンクされている場合は，宛先が自動的に入ることが多い。ここではtest@jikkyo.co.jpとする)。

●Outlook2021

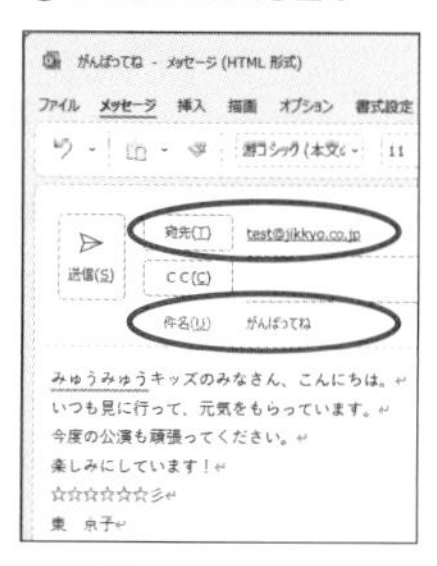


●Windows11メール

### 3 メール送信

送信する。

●Outlook2021

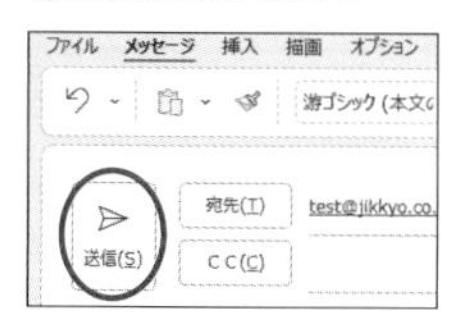


●Windows11メール

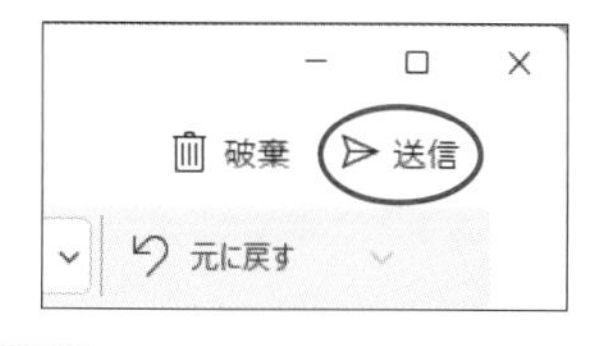

ポイントでマスター
基礎からはじめる情報リテラシー
Office 2021 対応

表紙デザイン
エッジデザインオフィス
本文基本デザイン
難波　邦夫

●著作者——杉本くみ子 大澤栄子　ほか２名

●発行者——小田良次

●印刷所——株式会社広済堂ネクスト

〒102-8377 東京都千代田区五番町5
電話〈営業〉(03) 3238-7777
●発行所——実教出版株式会社
〈編修〉(03) 3238-7785
〈総務〉(03) 3238-7700
https://www.jikkyo.co.jp/

002502023　ISBN 978-4-407-35988-6

## ローマ字・かな対応表

| | | | | | |
|---|---|---|---|---|---|
| あ | あ<br>A | い<br>I | う<br>U | え<br>E | お<br>O |
| | ぁ<br>LA<br>XA | ぃ<br>LI<br>XI | ぅ<br>LU<br>XU | ぇ<br>LE<br>XE | ぉ<br>LO<br>XO |
| か | か<br>KA | き<br>KI | く<br>KU | け<br>KE | こ<br>KO |
| | きゃ<br>KYA | きぃ<br>KYI | きゅ<br>KYU | きぇ<br>KYE | きょ<br>KYO |
| | くぁ<br>KWA | | | | |
| さ | さ<br>SA | し<br>SI<br>SHI | す<br>SU | せ<br>SE | そ<br>SO |
| | しゃ<br>SYA<br>SHA | しぃ<br>SYI | しゅ<br>SYU<br>SHU | しぇ<br>SYE<br>SHE | しょ<br>SYO<br>SHO |
| た | た<br>TA | ち<br>TI<br>CHI | つ<br>TU<br>TSU | て<br>TE | と<br>TO |
| | つぁ<br>TSA | | っ<br>LTU | | |
| | ちゃ<br>TYA<br>CYA<br>CHA | ちぃ<br>TYI<br>CYI | ちゅ<br>TYU<br>CYU<br>CHU | ちぇ<br>TYE<br>CYE<br>CHE | ちょ<br>TYO<br>CYO<br>CHO |
| | てゃ<br>THA | てぃ<br>THI | てゅ<br>THU | てぇ<br>THE | てょ<br>THO |
| | | | とぅ<br>TWU | | |
| | | | どぅ<br>DWU | | |
| な | な<br>NA | に<br>NI | ぬ<br>NU | ね<br>NE | の<br>NO |
| | にゃ<br>NYA | にぃ<br>NYI | にゅ<br>NYU | にぇ<br>NYE | にょ<br>NYO |
| は | は<br>HA | ひ<br>HI | ふ<br>HU<br>FU | へ<br>HE | ほ<br>HO |
| | ひゃ<br>HYA | ひぃ<br>HYI | ひゅ<br>HYU | ひぇ<br>HYE | ひょ<br>HYO |
| | ふぁ<br>FA | ふぃ<br>FI | | ふぇ<br>FE | ふぉ<br>FO |
| | ふゃ<br>FYA | ふぃ<br>FYI | ふゅ<br>FYU | ふぇ<br>FYE | ふょ<br>FYO |
| ま | ま<br>MA | み<br>MI | む<br>MU | め<br>ME | も<br>MO |
| | みゃ<br>MYA | みぃ<br>MYI | みゅ<br>MYU | みぇ<br>MYE | みょ<br>MYO |

| | | | | | |
|---|---|---|---|---|---|
| や | や<br>YA | い<br>YI | ゆ<br>YU | いぇ<br>YE | よ<br>YO |
| | ゃ<br>LYA<br>XYA | ぃ<br>LYI<br>XYI | ゅ<br>LYU<br>XYU | ぇ<br>LYE<br>XYE | ょ<br>LYO<br>XYO |
| ら | ら<br>RA | り<br>RI | る<br>RU | れ<br>RE | ろ<br>RO |
| | りゃ<br>RYA | りぃ<br>RYI | りゅ<br>RYU | りぇ<br>RYE | りょ<br>RYO |
| わ | わ<br>WA | うぃ<br>WI | う<br>WU | うぇ<br>WE | を<br>WO |
| ん | ん<br>NN | ん<br>N | Nに続けて子音を入力すれば，Nだけで「ん」となる。 | | |
| が | が<br>GA | ぎ<br>GI | ぐ<br>GU | げ<br>GE | ご<br>GO |
| | ぎゃ<br>GYA | ぎぃ<br>GYI | ぎゅ<br>GYU | ぎぇ<br>GYE | ぎょ<br>GYO |
| ざ | ざ<br>ZA | じ<br>ZI<br>JI | ず<br>ZU | ぜ<br>ZE | ぞ<br>ZO |
| | じゃ<br>JYA<br>ZYA<br>JA | じぃ<br>JYI<br>ZYI | じゅ<br>JYU<br>ZYU<br>JU | じぇ<br>JYE<br>ZYE<br>JE | じょ<br>JYO<br>ZYO<br>JO |
| だ | だ<br>DA | ぢ<br>DI | づ<br>DU | で<br>DE | ど<br>DO |
| | ぢゃ<br>DYA | ぢぃ<br>DYI | ぢゅ<br>DYU | ぢぇ<br>DYE | ぢょ<br>DYO |
| | でゃ<br>DHA | でぃ<br>DHI | でゅ<br>DHU | でぇ<br>DHE | でょ<br>DHO |
| ば | ば<br>BA | び<br>BI | ぶ<br>BU | べ<br>BE | ぼ<br>BO |
| | びゃ<br>BYA | びぃ<br>BYI | びゅ<br>BYU | びぇ<br>BYE | びょ<br>BYO |
| ぱ | ぱ<br>PA | ぴ<br>PI | ぷ<br>PU | ぺ<br>PE | ぽ<br>PO |
| | ぴゃ<br>PYA | ぴぃ<br>PYI | ぴゅ<br>PYU | ぴぇ<br>PYE | ぴょ<br>PYO |
| ヴぁ | ヴぁ<br>VA | ヴぃ<br>VI | ヴ<br>VU | ヴぇ<br>VE | ヴぉ<br>VO |

**っ（促音）**

後ろに子音を2つ続ける。

［例］　だった…DATTA

単独で入力するとき「L」または「x」をつける。

っ
LTU
XTU

# Microsoft365のリボン一覧

## Word

### ▼ホーム

ファイル　ホーム　挿入　描画　デザイン　レイアウト　参考資料　差し込み文書　校閲　表示　ヘルプ　コメント　編集　共有

貼り付け　切り取り　コピー　書式のコピー/貼り付け　游明朝 (本文のフォン　10.5　Aa　標準　行間詰め　見出し 1　見出し 2　表題　検索　置換　選択　ディクテーション　エディター　ファイルを再使用する

元に戻す　クリップボード　フォント　段落　スタイル　編集　音声　エディター　ファイルを再使用する

### ▼挿入

ファイル　ホーム　挿入　描画　デザイン　レイアウト　参考資料　差し込み文書　校閲　表示　ヘルプ　コメント　編集　共有

表紙　空白のページ　ページ区切り　表　画像　図形　アイコン　3D モデル　SmartArt　グラフ　スクリーンショット　ファイルを再使用する　アドインを入手　個人用アドイン　ウィキペディア　オンラインビデオ　リンク　ブックマーク　相互参照　コメント　ヘッダー　フッター　ページ番号　あいさつ文　テキストボックス　クイック パーツ　ワードアート　ドロップキャップ　署名欄　日付と時刻　オブジェクト　数式　記号と特殊文字

ページ　表　図　ファイルを再使用する　アドイン　メディア　リンク　コメント　ヘッダーとフッター　テキスト　記号と特殊文字

### ▼デザイン

ファイル　ホーム　挿入　描画　デザイン　レイアウト　参考資料　差し込み文書　校閲　表示　ヘルプ　コメント　編集　共有

テーマ　表題　配色　フォント　段落の間隔　効果　既定に設定　透かし　ページの色　ページ罫線

ドキュメントの書式設定　ページの背景

### ▼レイアウト

ファイル　ホーム　挿入　描画　デザイン　レイアウト　参考資料　差し込み文書　校閲　表示　ヘルプ　コメント　編集　共有

文字列の方向　余白　印刷の向き　サイズ　段組み　区切り　行番号　ハイフネーション　原稿用紙設定　インデント　左: 0 字　右: 0 字　間隔　前: 0 行　後: 0 行　位置　文字列の折り返し　前面へ移動　背面へ移動　オブジェクトの選択と表示　配置　グループ化　回転

ページ設定　原稿用紙　段落　配置

### ▼表示

ファイル　ホーム　挿入　描画　デザイン　レイアウト　参考資料　差し込み文書　校閲　表示　ヘルプ　コメント　編集　共有

閲覧モード　印刷レイアウト　Web レイアウト　アウトライン　下書き　フォーカス　イマーシブ リーダー　縦　並べて表示　ルーラー　グリッド線　ナビゲーション ウィンドウ　ズーム　100%　1 ページ　複数ページ　ページ幅を基準に表示　新しいウィンドウを開く　整列　分割　並べて比較　同時にスクロール　ウィンドウの位置を元に戻す　ウィンドウの切り替え　マクロ　プロパティ

表示　イマーシブ　ページ移動　表示　ズーム　ウィンドウ　マクロ　SharePoint

### ▼テーブルデザイン

ファイル　ホーム　挿入　描画　デザイン　レイアウト　参考資料　差し込み文書　校閲　表示　ヘルプ　テーブル デザイン　レイアウト　コメント　編集　共有

タイトル行　最初の列　集計行　最後の列　縞模様 (行)　縞模様 (列)　塗りつぶし　罫線のスタイル　0.5 pt　ペンの色　罫線　罫線の書式設定

表スタイルのオプション　表のスタイル　飾り枠

### ▼レイアウト(テーブル)

ファイル　ホーム　挿入　描画　デザイン　レイアウト　参考資料　差し込み文書　校閲　表示　ヘルプ　テーブル デザイン　レイアウト　コメント　編集　共有

選択　グリッド線の表示　プロパティ　罫線を引く　罫線の削除　削除　上に行を挿入　下に行を挿入　左に列を挿入　右に列を挿入　セルの結合　セルの分割　表の分割　自動調整　高さ: 6.4 mm　幅: 25 mm　高さを揃える　幅を揃える　文字列の方向　セルの配置　並べ替え　タイトル行の繰り返し　表の解除　計算式

表　罫線の作成　行と列　結合　セルのサイズ　配置　データ

### ▼図形の形式

ファイル　ホーム　挿入　描画　デザイン　レイアウト　参考資料　差し込み文書　校閲　表示　ヘルプ　図形の書式　コメント　編集　共有

図形の編集　テキスト ボックス　Abc　図形の塗りつぶし　図形の枠線　図形の効果　A　文字の塗りつぶし　文字の輪郭　文字の効果　文字列の方向　文字の配置　リンクの作成　代替テキスト　位置　文字列の折り返し　前面へ移動　背面へ移動　オブジェクトの選択と表示　配置　グループ化　回転　43.13 mm　52.92 mm

図形の挿入　図形のスタイル　ワードアートのスタイル　テキスト　アクセシビリティ　配置　サイズ

### ▼図の形式

ファイル　ホーム　挿入　描画　デザイン　レイアウト　参考資料　差し込み文書　校閲　表示　ヘルプ　図の形式　コメント　編集　共有

背景の削除　修整　色　アート効果　透明度　図の圧縮　図の変更　図のリセット　図の枠線　図の効果　図のレイアウト　代替テキスト　位置　文字列の折り返し　前面へ移動　背面へ移動　オブジェクトの選択と表示　配置　グループ化　回転　トリミング　高さ: 81.7 mm　幅: 150 mm

調整　図のスタイル　アクセシビリティ　配置　サイズ

### ▼グラフのデザイン

ファイル　ホーム　挿入　描画　デザイン　レイアウト　参考資料　差し込み文書　校閲　表示　ヘルプ　グラフのデザイン　書式　コメント　編集　共有

グラフ要素を追加　クイックレイアウト　色の変更　行/列の切り替え　データの選択　データの編集　データの更新　グラフの種類の変更

グラフのレイアウト　グラフ スタイル　データ　種類

## Excel

### ▼ホーム

ファイル　ホーム　挿入　描画　ページレイアウト　数式　データ　校閲　表示　自動化　開発　ヘルプ　コメント　共有

貼り付け　切り取り　コピー　書式のコピー/貼り付け　游ゴシック　11　折り返して全体を表示する　セルを結合して中央揃え　標準　%　条件付き書式　テーブルとして書式設定　標準　どちらでもない　悪い　良い　挿入　削除　書式　オート SUM　フィル　クリア　並べ替えとフィルター　検索と選択　データ分析

元に戻す　クリップボード　フォント　配置　数値　スタイル　セル　編集　分析

### ▼挿入

ファイル　ホーム　挿入　描画　ページレイアウト　数式　データ　校閲　表示　自動化　開発　ヘルプ　コメント　共有

ピボットテーブル　おすすめピボットテーブル　テーブル　画像　図形　アイコン　3D モデル　SmartArt　スクリーンショット　アドインを入手　個人用アドイン　Visio Data Visualizer　Bing マップ　People Graph　おすすめグラフ　マップ　ピボットグラフ　3D マップ　折れ線　縦棒　勝敗　スライサー　タイムライン　リンク　コメント　テキストボックス　ヘッダーとフッター　ワードアート　署名欄　オブジェクト　数式　記号と特殊文字

テーブル　図　アドイン　グラフ　ツアー　スパークライン　フィルター　リンク　コメント　テキスト　記号と特殊文字

### ▼ページレイアウト

ファイル　ホーム　挿入　描画　ページレイアウト　数式　データ　校閲　表示　自動化　開発　ヘルプ　コメント　共有

テーマ　配色　フォント　効果　余白　印刷の向き　サイズ　印刷範囲　改ページ　背景　印刷タイトル　横: 自動　縦: 自動　拡大/縮小: 100%　枠線　表示　印刷　見出し　表示　印刷　前面へ移動　背面へ移動　オブジェクトの選択と表示　配置　グループ化　回転

テーマ　ページ設定　拡大縮小印刷　シートのオプション　配置

### ▼数式

ファイル　ホーム　挿入　描画　ページレイアウト　数式　データ　校閲　表示　自動化　開発　ヘルプ　コメント　共有

関数の挿入　オート SUM　最近使った関数　財務　論理　文字列操作　日付/時刻　検索/行列　数学/三角　その他の関数　名前の管理　名前の定義　数式で使用　選択範囲から作成　参照元のトレース　参照先のトレース　トレース矢印の削除　数式の表示　エラー チェック　数式の検証　ウォッチ ウィンドウ　計算方法の設定　再計算実行　シート再計算

関数ライブラリ　定義された名前　ワークシート分析　計算方法

### ▼データ

ファイル　ホーム　挿入　描画　ページレイアウト　数式　データ　校閲　表示　自動化　開発　ヘルプ　コメント　共有

データの取得　テキストまたは CSV から　Web から　テーブルまたは範囲から　画像から　最近使ったソース　既存の接続　すべて更新　クエリと接続　プロパティ　リンクの編集　株式 (Engli…　通貨 (Engli…　地理 (Engli…　並べ替え　フィルター　クリア　再適用　詳細設定　区切り位置　フラッシュ フィル　重複の削除　データの入力規則　統合　リレーションシップ　データ モデルの管理　What-If 分析　予測シート　グループ化　グループ解除　小計

データの取得と変換　クエリと接続　データの種類　並べ替えとフィルター　データ ツール　予測　アウトライン

### ▼表示

ファイル　ホーム　挿入　描画　ページレイアウト　数式　データ　校閲　表示　自動化　開発　ヘルプ　コメント　共有

既定　保持　終了　新規　オプション　標準　改ページプレビュー　ページレイアウト　ユーザー設定のビュー　ナビゲーション　ルーラー　数式バー　目盛線　見出し　ズーム　100%　選択範囲に合わせて拡大/縮小　新しいウィンドウを開く　整列　ウィンドウ枠の固定　分割　表示しない　再表示　並べて比較　同時にスクロール　ウィンドウの位置を元に戻す　ウィンドウの切り替え　マクロ

シートビュー　ブックの表示　表示　ズーム　ウィンドウ　マクロ